Cold in Hand

John Harvey

Cold in Hand

Traduit de l'anglais
par Gérard de Chergé

Collection dirigée par
François Guérif

Rivages/Thriller

Retrouvez l'ensemble des parutions
des Éditions Payot & Rivages sur

www.payot-rivages.fr

Titre original : *Cold in Hand*
(William Heinemann, 2008)

© 2008, John Harvey
© 2010, Éditions Payot & Rivages
pour la traduction française
106, boulevard Saint-Germain – 75006 Paris

ISBN : 978-2-7436-2155-1

Pour Robin Gerry, Charles Gregory,
David Kresh et Angus Wells,
tous partis trop tôt

PREMIÈRE PARTIE

1

C'était ce moment étrange, ni jour ni nuit, ni même véritablement le crépuscule, où la lumière commençait à décliner, les phares de quelques automobilistes trop prudents allumant un reflet pâle, fugace, sur la surface luisante de la route, l'itinéraire le plus direct pour regagner la ville. Quelques enseignes au passage : Ezee-Fit, atelier de montage de pneus ; Quality Decking ; Matériaux de Construction de Nottingham ; Mondial Moquette. Et, par intervalles, une petite enfilade de boutiques en retrait de la chaussée : marchands de journaux, fleuristes, traiteurs chinois, bookmakers, vins et spiritueux à prix réduits.

Lynn Kellogg conduisait une berline banalisée qui tressauta légèrement quand elle rétrograda en troisième, la radio de la police murmurant des petits riens entre deux rafales de parasites. Elle portait un blue-jean et des Timberland éraflées, avec son gilet pare-balles encore attaché sous son anorak de ski rouge et noir, fermeture-éclair baissée.

Des deux côtés de la rue, des écoliers envahissaient les trottoirs, se bousculant, jouant des coudes, chemises dépenaillées, sac à dos jeté sur l'épaule, partageant, pour certains, les écouteurs de leur MP3 et de leur iPod nano. Une volée de filles, pas plus de treize ou quatorze ans, vêtues de jupes couvrant à peine leurs maigres postérieurs, se passaient un joint entre elles. Un autre jour, Lynn se serait peut-être arrêtée pour les sermonner. Pas aujourd'hui.

En ce 14 février, jour de la Saint-Valentin, peu après quatre heures de l'après-midi, elle désirait par-dessus tout rentrer chez elle à une heure raisonnable, ôter ces vêtements et se prélasser dans un bon bain chaud. Elle avait acheté un cadeau, rien d'extravagant, un DVD, *Thelonious Monk, Live in '66,* qu'il lui fallait encore emballer. La carte, elle l'avait appuyée contre le grille-pain, où elle pensait qu'il la trouverait. Quand elle se regarda dans le rétroviseur, la fatigue n'était que trop visible dans ses yeux.

Elle avait écouté les nouvelles d'une oreille distraite, ce matin-là, en buvant sa deuxième tasse de café : un adolescent de quinze ans — encore un — tué par balle à Peckham, dans le sud de Londres, le troisième en l'espace de quelques jours. Vengeance. Défi. Respect. Dans un recoin de son cerveau, elle avait pensé : au moins, cette fois, ce n'est pas ici. Elle savait que le nombre d'officiers supérieurs enquêtant actuellement sur des incidents liés à des armes à feu, dans la ville de Nottingham et aux environs, était tel que la Brigade criminelle envisageait de faire appel à des policiers de l'extérieur.

Tandis que le présentateur annonçait la perspective de nouvelles suppressions d'emplois dans le secteur industriel et qu'elle faisait le geste d'arrêter la radio, le téléphone sonna.

– J'y vais, lança-t-elle en direction de l'autre pièce. C'est probablement pour moi.

En effet. Un homme retenait sa femme et ses enfants prisonniers à Worksop, au nord du comté, et menaçait de leur faire du mal. On pensait qu'il était armé. Lynn avala une dernière gorgée de café, vida le reste dans l'évier et empoigna son blouson accroché dans le hall.

– Charlie, je me sauve.

– On se voit ce soir, dit-il en accourant à la porte.

– Y a intérêt.

Elle lui donna un baiser qui manqua de peu le côté de sa bouche.

– La table est retenue pour huit heures, lui rappela-t-il.

– Je sais.

L'instant d'après, elle était partie.

Neuf mois plus tôt, Lynn avait terminé sa formation de négociatrice pour prises d'otages, en sus de sa fonction d'inspectrice principale à la Brigade criminelle, et depuis ce moment-là on avait eu recours à elle pour deux incidents, lesquels s'étaient terminés sans effusion de sang. Dans le premier cas, un homme de cinquante-cinq ans, mis à la retraite d'office, avait retenu captif son ex-employeur pendant dix-huit heures, en menaçant de lui trépaner le crâne avec une faucille aiguisée ; Lynn avait fini par le convaincre de poser son arme et de relâcher son prisonnier en lui promettant un repas chaud, une peine maximum probable de soixante-douze heures de travaux d'intérêt général et un entretien personnalisé à l'agence locale pour l'emploi. La deuxième fois, on l'avait convoquée dans une épicerie ouverte vingt-quatre heures sur vingt-quatre, où une tentative de braquage s'était soldée par l'arrestation d'un jeune qui tentait de fuir les lieux tandis qu'un autre, dans la boutique, tenait un couteau sous la gorge du commerçant somalien terrifié. Contre l'avis de Lynn, le responsable des opérations avait autorisé la mère du garçon à lui parler directement, appelant son fils à se rendre, et ses exhortations avaient réussi là où celles de Lynn avaient échoué. Mauvaise tactique mais bon résultat : l'épicier indemne, le jeune garçon en larmes se jetant dans les bras de sa mère devant les policiers rassemblés dehors.

Ce matin-là, il s'agissait d'un ingénieur de trente-quatre ans qui était rentré la veille au soir d'une mission de six mois à Bahreïn pour trouver sa femme au lit avec son ex-meilleur copain, et les trois gosses en bas, devant la télévision, en train de regarder *Scooby-Doo*. Le copain avait pris ses jambes à son cou, laissant son pantalon accroché au montant du lit et l'épouse affronter l'orage toute seule. Les voisins avaient bien cru entendre des cris et des bris d'objets, mais sans y attacher trop d'importance ; et puis, aux petites heures, le plus grand des enfants, à peine sept ans, s'était faufilé par la fenêtre de la salle de bains et avait couru à la maison la plus proche : « Mon papa va tuer ma maman ! Y va nous tuer tous ! »

Lorsque Lynn arriva, la rue avait été bouclée, la maison cernée, les proches de la famille débriefés, tout le monde avait clairement à l'esprit la disposition des lieux et les noms et les âges des personnes qui s'y trouvaient. Des policiers armés étaient déjà en position, des ambulances attendaient. Le témoignage du garçonnet s'était révélé hésitant et confus ; tantôt il semblait dire que son père avait un revolver, tantôt non. Ils n'étaient pas disposés à prendre le moindre risque.

Le responsable des opérations était Phil Chambers, un commissaire principal avec qui Lynn avait déjà collaboré une fois, à l'occasion d'un meurtre-suicide à Ollerton : un mari et sa femme qui vivaient ensemble depuis quarante-sept ans et qui avaient voulu partir de la même façon. Ben Fowles, l'officier en charge des tireurs d'élite, avait une bonne quinzaine de kilos de plus qu'à l'époque où

Lynn l'avait connu, tous deux jeunes policiers du CID[1] affectés au commissariat de Canning Circus ; Fowles qui travaillait au noir presque tous les week-ends, dirigeant un orchestre baptisé Splitzoid qui n'avait jamais réussi à percer.

Il y avait eu un contact téléphonique avec le preneur d'otages mais, après une conversation des plus brèves — quelques grognements et jurons, guère plus —, la communication avait été coupée et, depuis, l'homme avait refusé de décrocher à nouveau. Lynn fut contrainte d'avoir recours à un mégaphone, embarrassée malgré elle de savoir que tous les policiers présents l'entendraient, écouteraient ce qu'elle disait et porteraient un jugement sur sa façon de gérer la situation.

L'homme s'était montré à plusieurs reprises, une fois avec un couteau de cuisine appuyé sur la gorge de sa femme ; pas une cible facile, mais peut-être neuf chances sur dix de réussite. Un risque qu'ils n'étaient pas prêts à courir. Pas encore, en tout cas. Lynn avait vu plusieurs fois Chambers conférer avec Ben Fowles, pesant le pour et le contre, car c'était à eux et non à elle qu'appartenait la décision de tirer. Cela faisait un petit moment qu'on n'avait pas vu les deux enfants encore sur place, une fillette de cinq ans et un garçonnet de trois ans.

– Relâchez les enfants ! dit Lynn.

Sa voix se répercuta dans l'air de la matinée. Le soleil, quelque part là-haut, était pris au piège derrière un amoncellement de nuages.

– Laissez-les sortir ! Leur grand-mère est ici, elle s'occupera d'eux. Laissez-les venir à elle.

La grand-mère se tenait à l'écart, sur la gauche du cordon de police, avec d'autres membres de la famille ; nerveuse et affolée, elle fumait à la chaîne des Silk Cut. Elle avait déjà conclu un marché avec un reporter local qui était le correspondant d'un des quotidiens nationaux : *Mes petits anges — la détresse d'une grand-mère.* Si jamais le pire devait arriver.

– Laissez-moi les voir, dit Lynn. Les enfants. Je veux juste m'assurer qu'ils vont bien.

Peu après, l'homme les hissa maladroitement à la fenêtre, tous deux en pleurs, le petit gigotant dans les mains de son père.

---

1. *Criminal Investigation Department,* l'équivalent de la PJ.

14

– Relâchez-les, dit Lynn. Laissez-les sortir, et après nous pourrons discuter. Personne n'a encore été blessé. Il n'est rien arrivé d'irréparable. Vous devriez les laisser partir.

Une demi-heure plus tard, la porte s'entrouvrit juste assez pour livrer passage à la fillette, qui s'immobilisa un instant sur les pavés fissurés avant de s'élancer vers une auxiliaire de police qui la souleva dans ses bras et l'emmena là où sa grand-mère attendait. Au bout d'une minute, le petit garçon suivit en courant : il trébucha, tomba, se remit debout tant bien que mal pour retomber aussitôt.

Le visage de la mère apparut, anxieux, à la fenêtre de l'étage, puis son mari la tira en arrière.

– À présent, dit Lynn, laissez sortir votre femme. Ensuite, vous et moi, nous parlerons.

La fenêtre s'ouvrit brusquement.

– Quand elle sortira, bordel, ce sera les pieds devant !

Et le châssis retomba avec fracas.

– On aurait pu l'avoir, là, murmura Ben Fowles à l'oreille de Lynn. Et rentrer chez nous pour le déjeuner.

– Ce n'est pas moi qui décide.

– Je sais.

– Où en est-on, pour le revolver ? demanda Lynn. Il est armé, oui ou non ?

– Rien ne l'indique.

– Le garçonnet a pu se tromper.

– Il a sept ans, c'est ça ? Six ou sept ? À cet âge, il doit savoir à quoi ressemble un revolver.

– Il devait être mort de peur, le pauvre gosse.

– Ça ne veut pas dire pour autant qu'il ait fait une erreur.

– Si le type avait un revolver, observa Lynn, je pense qu'il l'aurait déjà exhibé. Dans sa situation, il aurait fait en sorte qu'on le voie.

– Et si vous avez tort ?

Elle le regarda bien en face.

– Dans l'un ou l'autre cas, à moins que vous et Chambers n'ayez concocté un plan entre vous, on continue d'attendre.

Fowles sourit.

– Et on attend quoi ? Qu'il se rende compte que sa position est intenable ? Qu'il sorte de la maison les mains sur la tête ?

– Par exemple.

15

Du coin de l'œil, elle vit Chambers consulter sa montre et se demanda à quels calculs il se livrait.

Quelques minutes plus tard, l'homme répondit au téléphone. Lynn se montra souple mais ferme, lui offrant quelque chose à quoi se raccrocher, une issue possible. *Petit à petit, peu à peu...* Elle secoua la tête : cette vieille rengaine bourdonnait à ses oreilles comme un acouphène. Soirées rétro au Lizard Lounge. Une chanteuse de soul blanche, elle ne se rappelait pas son nom. Ça remontait à l'époque où elle était jeune inspectrice. Avant sa rencontre avec Charlie. Avant tout.

Il était près de deux heures et une pluie fine commençait à tomber.

– Que votre femme sorte par la porte de devant. Quand elle sera dehors, elle tournera à droite et verra une auxiliaire de police. Elle se dirigera vers elle, les mains écartées du corps. C'est bien compris ?

Allez, *allez* !

La porte s'entrebâilla de deux ou trois centimètres, puis s'ouvrit tout grand et la femme sortit en trébuchant, clignant des paupières comme si elle émergeait de l'obscurité. D'un pas rien moins qu'assuré, elle se mit en marche vers l'auxiliaire qui attendait. Derrière elle, la porte claqua bruyamment.

Lynn laissa le temps à l'homme de revenir au téléphone.

– Très bien, dit-elle. Si vous avez une arme, je veux que vous la jetiez dehors. Lorsque cette arme sera en sûreté, vous sortirez à votre tour. Marchez vers le policier en uniforme, mains en l'air, et suivez ses instructions. Allongez-vous par terre quand il vous l'ordonnera.

Quelques instants plus tard, une détonation étouffée leur parvint de la maison.

– Merde ! jura Lynn à mi-voix, fermant les yeux une fraction de seconde.

Fowles se tourna vers Chambers, qui secoua négativement la tête. Plutôt que d'envoyer ses troupes à l'assaut comme un commando du SWAT dans les séries télévisées de fin de soirée, le responsable des opérations préférait attendre son heure. Le forcené était seul dans la maison, à présent, et ne constituait un danger que pour lui-même. À supposer qu'il fût encore vivant.

Le temps jouait pour eux.

Comme l'homme ne répondait pas au téléphone, Lynn se servit du mégaphone. Elle se montra déterminée mais équitable. S'il pouvait l'entendre, voilà ce qu'il avait à faire.

Elle répéta son objurgation d'une voix claire, imperturbable.

Rien ne se produisit.

Jusqu'au moment où la porte s'ouvrit, progressivement, et un revolver atterrit dans l'herbe.

– Très bien, dit Lynn. Maintenant, sortez lentement, les mains en l'air…

À mi-chemin du carré de pelouse clairsemé, il s'arrêta.

– J'ai même pas pu aller jusqu'au bout, dit-il sans s'adresser à personne en particulier. Même pas pu, bordel !

– Pathétique, commenta Ben Fowles.

L'homme avait une marque de brûlure sur le côté du visage. Au dernier moment, il avait écarté la tête.

L'un des enfants voulut courir vers lui, mais sa grand-mère le retint.

Une fois de plus, Lynn se prit à regretter d'avoir arrêté de fumer.

Chambers s'avança pour lui serrer la main.

– Beau travail, dit Fowles en lui donnant un petit coup de poing sur l'épaule.

Lynn fit de son mieux pour ne pas sourire. Dusty Springfield ! pensa-t-elle en regagnant sa voiture, voilà comment s'appelait la chanteuse. Dusty, la seule et unique.

Elle tenta de joindre Charlie à son bureau mais n'obtint pas de réponse ; apparemment, son portable était éteint. Qu'importe, elle serait bientôt à la maison. Une table pour deux au Petit Paris, sur King's Walk. Paris, Nottingham, s'entend. *Moules, steak frites*[1]. Une bouteille de bon vin. Si possible, garder de la place pour le dessert.

Chanceuse ?

Ses mains tremblaient encore un peu quand elle les posa sur le volant.

Comme une dent qu'on ne peut s'empêcher d'agacer avec le bout de la langue, la chanson continuait de lui trotter dans la tête

---

1. En français dans le texte.

lorsqu'elle s'engagea sur Woodborough Road et se faufila dans la voie extérieure. Elle entendit néanmoins l'appel radio sur la fréquence de la police : troubles à Cranmer Street, près du croisement avec St Ann's Hill Road. À seulement quelques minutes de là.

– Tango Golf 13 à Central.

– Central à Tango Golf 13, parlez.

– Tango Golf 13 à Central. Je suis sur Woodborough Road et je me prépare à tourner dans Cranmer Street.

Lynn effectua un brusque virage à gauche, en pleine circulation, faisant une queue de poisson à un 4 × 4 éclaboussé de boue qui fut contraint de freiner à mort. Cranmer Street n'était guère plus qu'une ruelle, à peine la largeur de deux voitures, et les véhicules garés du côté gauche la rendaient encore plus étroite. Une camionnette de maçon aux vitres arrière ornées d'autocollants délavés du FC Forest fit mine de déboîter devant elle mais préféra s'abstenir.

– Central à Tango Golf 13. Unités d'intervention en route. Nous vous conseillons d'attendre leur arrivée.

Plus loin sur la droite, il y avait plusieurs petits immeubles récemment construits et, au-delà, un ancien bâtiment municipal qui était aujourd'hui une résidence universitaire. Derrière la palissade qui longeait le côté gauche, on creusait des trous profonds dans le sol, on rasait des logements sociaux pour en construire d'autres. Juste en face du croisement avec St Ann's Hill Road, une petite foule de jeunes, dont beaucoup portaient des pulls à capuche — *what else ?* —, était rassemblée en un cercle plus ou moins régulier qui débordait sur la chaussée.

Tout en coupant le moteur, Lynn entendit des éclats de voix, rauques et coléreux, et des slogans scandés, comme une horde de supporters de foot réclamant du sang.

– Central, ici Tango Golf 13. Je suis sur les lieux, à Cranmer Street. Une bagarre entre quinze ou vingt jeunes…

Elle baissa sa vitre et entendit un cri strident, pressant, suivi presque aussitôt d'un autre.

– Central, ici Tango Golf 13. L'incident s'envenime et je vais devoir intervenir. Envoyez renforts immédiats.

– Central à Tango Golf 13, nous vous conseillons…

Mais elle était déjà descendue de voiture et courait vers la foule.

– Police ! Police, laissez-moi passer !

Tandis qu'elle fendait le cercle, un coude s'enfonça dans ses côtes et une main lui gifla le haut de la joue, une chevalière lui écorchant la peau.

Quelques-uns de ceux qui étaient sur le devant se retournèrent pour voir ce qui se passait et elle parvint à se forcer un chemin jusqu'au centre. Des visages, de toutes les couleurs, la fixèrent avec un éventail d'expressions allant de l'indifférence à la haine pure. Des jeunes garçons, pour la plupart, vêtus de jeans baggy dont l'entrejambe semblait leur arriver au niveau des genoux. Plusieurs d'entre eux étaient en noir et blanc, les couleurs de Radford. S'agissait-il d'un règlement de comptes entre gangs ?

– Fous le camp, salope !

Quelqu'un rejeta la tête en arrière, puis, brusquement, se pencha en avant. La seconde d'après, Lynn essuyait un crachat dans ses cheveux.

Huées. Rires.

Encore des cris, des menaces.

Les deux jeunes femmes — des adolescentes, en fait — qui étaient au cœur de la bagarre s'étaient séparées en voyant débarquer Lynn.

Quinze ans, devina-t-elle, seize maxi.

Celle qui était la plus proche — mince visage blanc, crâne rasé de près comme un garçon, blouson de cuir, foulard noir et blanc, jean noir hyper moulant — avait une entaille à la joue gauche, d'où coulait lentement un filet de sang. Elle avait une autre estafilade au bras. Son adversaire, qui faisait face à Lynn, était vraisemblablement métisse, cheveux noirs tirés en arrière, jean et blouson en denim, un couteau à lame courte à la main.

Lynn fit un pas en avant, le regard rivé sur les yeux de la fille.

– OK, pose ce couteau.

Encore deux pas, puis trois. Lents, mesurés, aussi assurés que possible. Quelque part, une sirène de police se fit entendre. Au-dessus de sa tête, les réverbères semblaient briller davantage à chaque seconde.

– Pose-le.

Les yeux de la fille, luisants et provocants, recelaient une imperceptible lueur de peur. De doute.

La foule, presque silencieuse, bougeait à peine.

– Par terre.

19

Encore un demi-pas. Et là, l'expression de la fille se modifia, ses épaules parurent se détendre tandis qu'elle changeait sa prise sur le couteau et ramenait son bras le long du corps.

– Par terre, répéta Lynn d'un ton calme. Pose-le par terre.

La fille se pencha comme pour obéir, et Lynn déchiffra trop tard le plissement des yeux, fut trop lente à contrer le mouvement, tout en souplesse, de l'adolescente qui bondissait sur son adversaire, lui balafrant le côté droit du visage et l'ouvrant comme une prune bien mûre.

L'autre fille hurla.

Lynn pivota sur son pied gauche, saisit l'assaillante par la manche et la fit tourner sur elle-même sans ménagement, lui planta un genou au creux des reins et, d'une manchette au coude, fit tomber le couteau sur le trottoir, la fille persistant malgré tout à se débattre.

La sirène de police se rapprochait, une ambulance dans son sillage.

Lynn avait tordu le bras droit de la fille derrière son dos quand, du coin de l'œil, elle vit le jeune garçon se détacher, le bras levé, de la foule qui refluait. Elle fit volte-face vers lui, le temps de noter le bandana noir et blanc serré autour de sa tête, le pistolet qu'il tenait d'une main presque ferme, le mépris dans ses yeux. Emportée par son élan, elle entraîna la fille dans son mouvement, la propulsant en avant. Le premier coup de feu atteignit Lynn à la poitrine et parut la soulever du sol, puis l'envoya tituber en arrière, jambes repliées, et tomber à la renverse alors même que la fille, toujours debout, sa main libre tendue comme pour écarter la menace imminente, prenait la deuxième balle dans le cou, juste au-dessus de la chaîne en or où était gravé le prénom de son amoureux, un flot de sang décrivant un arc de cercle au-dessus des pavés avant de gicler dans la bouche et dans les yeux de Lynn.

2

Début de soirée. Le service des urgences du Queen's Medical Centre abritait le mélange hétéroclite habituel : vieilles dames qui avaient trébuché sur des trottoirs glissants, inégaux, et avaient fait la culbute, se cassant le coccyx ou se fracturant pour la deuxième fois une hanche déjà rafistolée ; hommes désorientés, d'âge indéterminé, la voix grinçante comme une scie industrielle rouillée, les vêtements empestant l'urine rancie et le désinfectant d'asile de nuit ; mères affolées, accompagnées de bébés qui hurlaient sans discontinuer ou de bambins pleurnicheurs qui s'étaient écorché les genoux ou ouvert le crâne ; un ouvrier sur échafaudage qui avait dégringolé, sans casque, du toit d'un immeuble de quatre étages ; un apprenti cuisinier qui tenait, dans un sac en plastique rempli de glace en train de fondre, les deux premières phalanges de son majeur ; une jeune musulmane de douze ans qui venait d'avoir ses premières règles ; un cycliste qui avait fait un vol plané à cause du conducteur d'une Jeep Cherokee qui avait ouvert brusquement sa portière ; un garçon de quatorze ans, alarmé et obèse, dénué de charme, qu'on avait mis au défi d'avaler le fond d'une bouteille de nettoyant pour W-C. Tous autant qu'ils étaient, ils attendaient.

Plus tard, quand les discothèques auraient dégorgé leurs clients dans les rues et que les pubs auraient enfin servi leurs dernières commandes, il y aurait l'habituelle collection bariolée de blessés à peine capables de marcher, ivres pour la plupart, drogués, braillards, agressifs et tout prêts à frapper pour soulager leur frustration, le visage en sang après avoir rencontré des murs de briques ou des videurs de boîtes de nuit, ou encore amochés dans des rixes déclenchées sans autre raison qu'un regard mal interprété, une épaule cognée, un verre d'alcool renversé ; et comme on était le soir de la

Saint-Valentin, il y aurait une lente procession d'amoureux délaissés, pour qui la fête s'était soldée par des accusations acerbes, des aveux d'infidélité, de subites prises de conscience, des overdoses, des agressions au couteau, des tentatives de suicide, des relations brisées qui, pour certaines, seraient raccommodées dans les larmes ici même, au milieu de la salle d'attente bondée, à l'approche de l'aube.

L'infirmière chargée du dispatching leva à peine la tête quand Resnick l'aborda, grand, massif, chemise froissée, veste déboutonnée.

– Lynn Kellogg, dit-il. Elle a été amenée ici il y a vingt minutes. Une demi-heure maximum.

Le nom ne parut éveiller aucun écho.

– Elle est officier de police, insista Resnick. Elle a été blessée par balle.

Cette fois, l'infirmière le regarda, juste un bref instant, mais suffisamment pour lire l'anxiété dans ses yeux.

– Et vous êtes qui ? Le père ?

Resnick, hérissé, refréna sa colère.

– Non, je suis… nous vivons ensemble.

– Je vois.

Elle l'examina de plus près. L'un des boutons de sa veste, notat-elle, ne tenait qu'à un fil.

– Écoutez… (Resnick fouilla fébrilement dans son portefeuille.) Je suis policier, moi aussi. Inspecteur principal.

L'infirmière lui rendit sa carte.

– Prenez ce couloir, troisième box à gauche.

Et elle se replongea dans sa liste.

Lynn était allongée sur un lit étroit, la tête et le dos calés par des oreillers, vêtue d'une fine blouse d'hôpital. Ses vêtements personnels étaient pliés avec soin sur une chaise en plastique.

Il était là depuis quelques minutes quand elle ouvrit les yeux.

– Hello, Charlie.

Sa voix était faible, comme portée par un souffle de vent.

– Comment te sens-tu ? demanda-t-il en lui prenant la main.

Elle fit un effort pour sourire.

– Comme si j'étais passée sous un dix tonnes.

– Elle est un peu dans les vapes, dit le médecin qui s'était matérialisé près de Resnick. On lui a donné un calmant pour la douleur.

Il était jeune, vingt-huit ou vingt-neuf ans, pas plus, et il parlait avec un accent australien pas très prononcé. Australie ou Nouvelle-Zélande, Resnick n'aurait su préciser.

– Comment va-t-elle ? s'enquit-il.

– Très bien, répondit Lynn de son lit.

– Beaucoup de bleus autour du point d'impact, expliqua le médecin. C'est certainement sensible. Il pourrait y avoir une ou deux côtes cassées. On va lui faire une radio pour en avoir le cœur net.

– Rien d'autre ? insista Resnick. Pas de dégâts internes ?

– À première vue, non. J'ai bien ausculté les poumons, ils ont l'air de fonctionner normalement.

Resnick, qui tenait encore la main de Lynn, l'étreignit avec douceur.

– Elle sera sur pied en un rien de temps, conclut joyeusement le médecin. À traquer les bandits.

Lynn marmonna quelque chose qu'ils ne purent saisir ni l'un ni l'autre.

– Je reviens dans deux minutes, dit le médecin en les laissant seuls.

Resnick s'assit au bord du lit, en faisant attention aux jambes de Lynn.

– Je suis désolée, dit-elle.

– Pourquoi donc ?

– Pour le dîner. On devait aller au restaurant.

– Ça ne fait rien.

– Ta carte…

– Je l'ai vue. Merci. Elle est adorable.

Elle avait des larmes au coin des yeux.

– Qu'est-ce qu'il y a ? dit Resnick.

– J'aurais dû attendre, hein ?

Il ne répondit pas.

– Les renforts. J'aurais dû attendre les renforts au lieu de foncer dans le tas…

– Tu n'as pas foncé dans le tas.

– J'ai commis une erreur.

Resnick secoua la tête.

– Tu as fait ce que tu devais faire.

– Et j'ai failli me faire tuer.

Resnick exhala lentement un soupir.

– Oui, murmura-t-il en prenant ses deux mains dans les siennes.

– La fille, dit Lynn. Celle sur qui on a tiré…

– Je ne sais pas. Elle est entre la vie et la mort, je suppose.

– Tu vas te renseigner ?

– Oui.

– Tu pourrais y aller maintenant.

– Non, je vais attendre. Ce n'est pas à quelques minutes près, dans un cas comme dans l'autre.

– Et l'autre fille ? s'enquit Lynn. Elle a eu le visage salement tailladé.

– À ma connaissance, elle est ici. On lui fait des points de suture.

Le rideau fut tiré de côté et une infirmière apparut, poussant un fauteuil roulant.

– Je vous emmène faire une petite balade, dit-elle d'un ton guilleret.

Resnick se pencha avec précaution et embrassa Lynn sur la joue.

– Tiens, dit-elle en tendant la main, poing fermé.

– Qu'est-ce que c'est ?

Quand elle déplia les doigts, il vit au creux de sa paume le bouton qui était tombé de sa veste.

– Mets-le bien de côté, je le recoudrai à mon retour.

– On dit ça ! fit Resnick en souriant jusqu'aux oreilles.

L'agent qui montait la garde dans le couloir du service de réanimation laissa hâtivement tomber son journal par terre, la grille de mots croisés même pas remplie au quart.

– Désolé, monsieur. Je… la petite, Kelly, a été emmenée au bloc. Ils sont en train de l'opérer. J'ai pensé qu'il valait mieux rester ici.

– Les parents ?

– Ils attendent à la cafétéria. J'ai promis de les prévenir s'il y avait du nouveau.

– Kelly, vous dites qu'elle s'appelle ?

– Oui, monsieur. (Il consulta son calepin.) Kelly Brent.

Resnick opina du chef. Le nom ne lui disait rien. Pour l'instant, en tout cas.

– Je serai en bas, aux urgences. S'il y a un changement, quelque chose de spécifique, tenez-moi au courant.

Lynn dormait, le visage jeune et pâle, dénué de tout maquillage. Resnick essuya le mince filet de salive qui coulait de sa bouche entrouverte, mouillant l'oreiller.

– Chanceuse, l'inspectrice, déclara le médecin. Pas de fracture, pour autant que je puisse en juger. Beaucoup de contusions au niveau des troisième et quatrième côtes, près du sternum ; la respiration sera douloureuse pendant quelque temps. Par ailleurs, elle risque d'être fatiguée, somnolente, mais à part ça elle ira bien.

– Combien de temps avant qu'elle soit sur pied ?

– Sur pied ? Du moment qu'elle est raisonnable et n'en fait pas trop, d'ici quelques jours. Complètement rétablie, par contre — si c'est votre question —, je dirais deux semaines. (Du menton, il indiqua Lynn.) Vous êtes maqués, tous les deux ?

Maqués, pensa Resnick. Il supposait qu'ils l'étaient, à tout le moins.

– Oui, répondit-il.

– Un bon conseil, dit le médecin avec un clin d'œil. Les prochaines semaines, faites reposer votre poids sur les coudes, OK ?

À la maison, elle dormit.

Resnick, craignant de se cogner contre elle par inadvertance, se retrancha dans l'autre lit, où il passa son temps à se tourner et se retourner, les yeux rivés au plafond, pour se lever finalement à deux heures du matin et traîner de pièce en pièce, incapable d'empêcher son esprit d'imaginer ce qui aurait pu arriver.

Chanceuse, avait dit le médecin.

J'ai failli me faire tuer.

Si Lynn, dans sa hâte de rentrer, n'avait pas gardé sur elle son gilet pare-balles, elle serait probablement à l'heure qu'il est au bloc opératoire, comme Kelly Brent, à lutter contre la mort.

Resnick se servit un autre scotch et regarda de nouveau la carte de la Saint-Valentin que Lynn lui avait offerte : un simple cœur, rouge sur fond pâle. À l'intérieur, de son écriture penchée, les mots : *Toujours là, Charlie, contre toute attente. Avec tout mon amour.* Suivaient des baisers, sous forme d'un petit triangle pointe en bas.

Lorsqu'ils s'étaient installés ensemble, près de trois ans auparavant — et ce, après une pléthore de nuits et de week-ends occasionnels, de vacances, de périodes où ils étaient proches et d'autres moments où ils s'éloignaient l'un de l'autre, incapables de se décider —, une amie de Lynn lui avait envoyé un CD d'une chanteuse nommée Aimee Mann, dont elle avait surligné en vert fluo l'un des titres, *Mr. Harris*. C'était l'histoire d'une jeune femme qui tombait amoureuse d'un homme plus âgé malgré les mises en garde de sa mère. Une figure paternelle, disait la chanson, voilà probablement ce qu'elle cherche.

La première fois qu'ils avaient couché ensemble, fait l'amour, lui et Lynn, c'était peu après l'enterrement du père de Lynn, décédé d'un cancer à l'âge qu'avait aujourd'hui Resnick, ou pas tellement plus. Une bénédiction, d'une certaine manière, qu'il soit parti rapidement. C'était mieux que de traîner en longueur. La douleur. La mort. Tôt ou tard, c'était notre lot à tous.

Je suppose, se dit Resnick, que nous sommes conditionnés à penser que les plus âgés doivent mourir les premiers, les pères avant les filles, les mères avant les fils. Il en va généralement ainsi. Autrement, ça paraît anormal. Aberrant. Et pourtant, hier, en une fraction de seconde, le temps qu'il faut pour presser la détente, pour tirer une balle de revolver, tout aurait pu basculer.

Chanceuse ?

Resnick parcourut la pièce du regard. Une revue de Lynn abandonnée par terre, près du fauteuil où elle s'asseyait normalement pour lire. Son sac à main accroché au dossier d'une chaise. Un tableau acheté à une vente de charité — un paysage de collines, de neige et d'arbres dépouillés — et qu'elle avait accroché au mur, à côté de la chaîne stéréo. Une photo de ses parents, accoudés à la barrière de la ferme familiale, regardant l'objectif. Une paire de pantoufles sur le tapis. Des lunettes de lecture. Un gant. Du bazar. Des objets divers. Une vie partagée.

Cette maison, il y avait vécu seul pendant des années ; certaines pièces, inoccupées, étaient recouvertes d'une épaisse couche de poussière. Bonté divine, Charlie, ça doit résonner autant qu'un pois sauteur dans un tambour, là-dedans ! Pourquoi tu ne te trouves pas quelque chose de moins grand ? Un petit appartement sympa. Ou au moins, prends un locataire.

Non, répondait-il, je m'y sens bien. Elle me convient telle qu'elle est.

Et c'était vrai.

Jusqu'au jour — l'après-midi — où il avait entendu la voiture de Lynn, reconnaissable au bruit du moteur, s'arrêter devant la maison. L'intérieur était bourré à craquer, à peine la place pour elle de se glisser derrière le volant. Juste quelques cartons, Charlie, je retournerai chercher le reste plus tard.

Aujourd'hui, c'était différent : c'était ça.

Chanceuse ?

À trois heures vingt et une du matin, Kelly Brent, seize ans et neuf mois, fut déclarée morte au Queen's Medical Centre, deux opérations n'ayant pas réussi à réparer les tissus lacérés, à endiguer l'hémorragie ni à rétablir l'irrigation du cerveau.

Certains avaient plus de chance que d'autres.

Debout sur le seuil de la chambre, Resnick écouta un moment la respiration de Lynn avant de se recoucher dans l'autre lit. Contre toute attente, il sombra presque aussitôt dans le sommeil.

Le téléphone sonna à sept heures moins vingt, le réveillant en sursaut : c'était le commissaire principal Berry, de la Brigade criminelle.

– Que diriez-vous d'un petit déjeuner, Charlie ? Ce troquet polonais, à Derby Road, c'est toujours un de vos favoris ? J'aimerais bien qu'on bavarde un peu, tous les deux.

3

Plus jeune que Resnick de cinq ans, Bill Berry était un lancas-trien pur et dur qui s'était installé dans les Midlands une vingtaine d'années auparavant, sans jamais perdre un accent affiné près de la chaîne des Pennines ni un intérêt immuable pour la destinée des clubs de cricket de Lancashire County et de Preston North End.

À l'instar de Resnick lui-même, Berry avait gravi les échelons à la force du poignet, à une différence près : tandis que la carrière de Resnick avait stagné, en partie à cause de sa résistance quelque peu grincheuse au changement, Berry s'était hissé au grade de commissaire principal.

Non sans l'avoir mérité.

Il était, dans l'argot démodé de la profession, ce qu'on appelle un poulet de premier choix.

Il avait une épaisse tignasse, un visage buriné et, depuis sa der-nière promotion, un goût prononcé pour les costumes sur mesure qui avaient tendance à flotter sur son corps anguleux, décharné. Il était déjà attablé, en train de feuilleter le journal du matin, lorsque Resnick arriva.

– Charlie, dit-il en se levant à moitié. Content de vous voir.

Les deux hommes se serrèrent la main.

– On fait encore la une pour toutes les mauvaises raisons, bon Dieu !

Resnick grogna son assentiment. L'équipe des relations publiques de la police de Nottingham avait beau se donner un mal de chien pour présenter la situation sous un jour favorable, la per-ception de la ville par l'opinion publique avait changé au cours des dernières années. Et pas toujours dans le bon sens.

Quand on avait appris que Londres était désigné pour organiser les jeux Olympiques de 2012, une plaisanterie avait circulé : plusieurs des épreuves étant délocalisées, l'aviron aurait lieu à Henley, le concours hippique à Badminton... et le tir, à Nottingham. Aujourd'hui, semblait-il, Robin des Bois avait troqué sa tenue vert Lincoln contre des vêtements de sport haut de gamme, développé une dépendance au crack et remplacé son fidèle arc par un automatique 9 mm enfoncé dans la poche de son jean.

Injuste ou pas, cette mauvaise réputation avait la vie dure.

– Comment va la bonne amie ? s'enquit Berry.

– Lynn ? Pas trop mal. Des côtes abîmées, rien de trop grave.

– Les jeunes carcasses, ça guérit vite, hein ? dit Berry avec un clin d'œil.

– Vous vouliez me parler, dit Resnick.

– Vous n'avez pas regardé les infos locales, par hasard, ce matin ?

Resnick fit non de la tête.

– La famille Brent attaque en force, en rajoute une couche pour les caméras. Dégradation de l'ordre public, trop d'armes à feu dans les rues, la police qui ne remplit pas sa mission... les foutaises habituelles, quoi.

– Ils sont en colère.

– Furibards, oui ! Et ils cherchent quelqu'un à blâmer, évidemment. Les écoles, les professeurs, les tribunaux, la municipalité, la conditionnelle, vous et moi — tout le monde sauf eux, crénom ! Pas question d'assumer leurs responsabilités. Les pères, surtout. Non, c'est plus facile de lancer une pétition, d'organiser une campagne. Dimanche prochain, il y aura une minute de silence à Slab Square[1] et tout le monde repartira en paix avec sa conscience, mais ça nous fera une belle jambe, hein ? Le soir même, les gosses seront de nouveau dans les rues et ça recommencera.

Resnick soupira. L'éducation, n'était-ce pas le cœur du problème ? Les emplois, le logement ? Les Brent avaient peut-être raison d'estimer qu'ils méritaient mieux.

– Quel âge avait-elle, Charlie, cette gamine ? Seize ans ? Même pas. Ma gamine ou la vôtre, elle ne serait pas dehors à traînasser avec un gang, sans doute à se droguer et à se faire sauter. Demandez-vous pourquoi.

---

1. Surnom familier de Old Market Square. *(N.d.T.)*

Resnick n'avait pas de fille. S'il en avait eu une, il ne savait absolument pas ce que ça aurait représenté de l'aider à mener sa vie sans prendre de coups. Sauf que ç'aurait été dur.

– Passons commande, dit Berry. L'odeur de ce gril me met l'eau à la bouche.

Il prit du bacon, des saucisses et des œufs sur le plat ; Resnick, des crêpes avec deux fines tranches de bacon à part. Café et pain de seigle. Resnick échangea avec la propriétaire les quelques amabilités en polonais qui lui venaient facilement à la bouche. Depuis qu'il vivait avec Lynn, ses visites au Club polonais se faisaient de plus en plus rares : plusieurs mois pouvaient s'écouler sans qu'il en franchisse le seuil.

– Le meurtre de Kelly Brent, dit Berry. J'ai décroché la timbale.

Resnick rompit un morceau de pain avec lequel il essuya le jus de bacon qui formait une flaque sur le côté de son assiette.

– Je vous veux comme second.

Resnick interrompit son manège et regarda son interlocuteur bien en face.

– Avec Jerry Latham comme directeur administratif, ajouta Berry. Pour l'équipe extérieure, ce sera à vous de voir.

– Voilà qui va faire plaisir à Prentiss, dit Resnick en fourrant le bout de pain dans sa bouche.

– On l'emmerde.

Derek Prentiss était le commandant de secteur, celui qui avait pour tâche d'équilibrer les budgets et d'atteindre tout un assortiment d'objectifs en perpétuelle évolution, dont l'un, relatif aux cambriolages, était actuellement sous la responsabilité spécifique de Resnick. Depuis que celui-ci avait pris en charge la Brigade de répression des vols au sein de la division, le nombre de délits diminuait — très légèrement, certes, mais avec régularité, même si le taux d'élucidation restait encore à la traîne. Prentiss ne verrait pas d'un bon œil toute intervention qui viendrait menacer ces chiffres.

– En plus, dit Resnick, dans la mesure où Lynn est impliquée…

– Encore une fois, Charlie, c'est dans l'équipe extérieure que je vous veux. Là, pas de conflit d'intérêts. Quel que soit le rôle qu'elle soit appelée à jouer, vous passerez bien au large.

– Je ne sais pas, dit Resnick en secouant la tête.

– C'est votre branche, Charlie.

– Ça l'était.

– Je ne serais pas surpris que les ados impliqués dans l'affaire soient connus de certains de vos hommes. Vols avec violences, cambriolages et tutti quanti…

– Possible.

– Plus que possible, allons ! (Berry empala un bout de saucisse sur sa fourchette.) Bon Dieu, Charlie, arrêtez de me faire tourner en bourrique ! Amenez un de vos gars avec vous, si ça peut vous rassurer.

Resnick repoussa son assiette et s'adossa à sa chaise.

– Ce que vous ne dites pas, Bill, derrière tout ce baratin, c'est que la Criminelle est tellement exsangue qu'il n'y a pas d'autre candidat disponible. C'est soit moi, soit un flic de l'extérieur que vous ne connaîtriez pas.

Berry éclata de rire.

– Un gros malin dépêché par la police londonienne ? Je ne demanderais pas mieux ! Mais non, ce n'est pas ça. Ce n'est pas ça du tout.

– Non ?

– Charlie, Charlie… un type qui a la tête sur les épaules, sur qui je peux m'appuyer, en qui je peux avoir confiance. C'est pour ça que je vous veux.

– Foutaises, oui !

Berry s'esclaffa de plus belle.

– Allons, Charlie. Des gosses qui fauchent des téléphones portables et des MP3, des petits vieux qui se font piquer leurs économies, ce n'est pas votre truc. Ça vous permettra de sortir un peu de votre bureau, au lieu de vous emmerder à brasser de la paperasse. Du vrai travail de police, pour changer. Laissez-moi mettre les pieds sous la table, à mon tour.

S'asseyant en biais, Resnick observa à travers la vitre les voitures qui remontaient Derby Road, venant du centre-ville. Pendant des années, il avait été en poste au commissariat de Canning Circus, à pas plus d'un jet de pierre de l'endroit où ils étaient maintenant : sa brigade s'occupait de tout, depuis les infractions mineures jusqu'aux meurtres. Pas beaucoup de temps, à l'époque, pour les Programmes d'amélioration du service ou les réunions mensuelles du Comité d'évaluation des performances, et on ne sentait pas trop la pression du ministère de l'Intérieur, dont les directives changeaient constamment.

Que venait de dire Berry ? Du vrai travail de police, pour changer.

– Prentiss, dit Resnick en pivotant sur son tabouret. À supposer que je sois prêt à accepter. *À supposer*. Lui, il ne marchera jamais.

– N'en soyez pas si sûr. J'ai parlé au sous-directeur avant de vous téléphoner. Il voudrait bien que cette histoire soit réglée le plus vite possible. Alors, votre réponse ? Vous prenez ou vous laissez ?

Resnick hésita, mais pas longtemps.

– Je prends.

– À la bonne heure ! Maintenant, partons d'ici et mettons les choses en branle.

– Il faudra me passer sur le corps, merde ! gronda Prentiss.

Le sous-directeur de la police eut un sourire professionnel.

– Je me demande, Derek, s'il est bien nécessaire d'en arriver à cette extrémité.

Si le commandant de secteur avait pu cracher du feu par les narines, les rapports épars sur le bureau de son supérieur auraient roussi sur les bords, prêts à s'enflammer.

– Vous savez combien de temps, monsieur, il nous a fallu pour donner un coup d'arrêt aux vols de rue ?

– Bien sûr, Derek, bien sûr. Et vous avez vu, à la lecture du dernier rapport bimensuel de la Commission de contrôle des performances, que ce n'est pas passé inaperçu. Loin de là.

– Alors, pourquoi dia ?….

– Parce qu'il y a d'autres priorités. Et parce que, maintenant que la Brigade de répression des vols a trouvé sa vitesse de croisière, il n'est pas impensable que quelqu'un d'autre pilote le navire. Pour un temps, tout au moins.

Rien à foutre de tes métaphores nautiques, maugréa intérieurement Prentiss. Tout ça parce que tu as un bateau de plaisance de quarante mille livres ancré sur la Trent !

– Un mois, Derek, c'est tout, reprit le sous-directeur. Avec un peu de chance et un vent favorable, ça pourrait même faire moins. Ensuite, vous le récupérerez comme neuf. De toute façon, il ne sera pas éternellement à la barre, hein ! C'est une chose à prendre en considération. Il ne doit pas être loin de ses trente ans de service, notre M. Resnick ; à ce moment-là, il touchera sa pension et s'en ira sans même demander la permission.

– Ce n'est pas parce qu'il a ses trimestres qu'il est obligé de partir, monsieur.

– Vous ne le feriez pas, à sa place ?

Merde, à qui le dis-tu ! pensa Prentiss.

– Pas nécessairement, monsieur. Pas si je pensais pouvoir être encore utile dans mon job.

Le sous-directeur lui lança un regard laissant entendre que c'était — au mieux — discutable, puis il consulta son calendrier. Il avait une réunion du panel de gouvernance d'entreprise dans un peu plus d'une heure, et avant cela il avait promis à la directrice de l'école primaire St Ann de passer remettre un certificat aux enfants qui avaient récolté le plus d'argent pour le sponsoring d'un cheval de police baptisé Sherwood.

– Bon, très bien, Derek. Merci d'être venu. Votre coopération, comme toujours, est très appréciée. Je sais que vous ferez de votre mieux pour que tout se passe sans heurts.

– Oui, monsieur.

Salopard, pensa Prentiss en quittant la pièce, j'espère que ton putain de bateau va couler à pic !

Quand Resnick arriva chez lui, Lynn lisait, assise dans un fauteuil en rotin, le dos calé par des coussins, près des bow-windows qui donnaient sur le devant de la maison.

– Tu ne devrais pas être au lit ? dit-il.

– Je m'ennuyais.

– Et là, tu es bien installée ?

– Pas vraiment.

Il l'embrassa sur la joue.

– Tu as mal ?

Elle changea de position en grimaçant un peu.

– Ça pourrait être pire. Tant que je prends les calmants, c'est supportable.

– Je t'apporte quelque chose ?

– Pas pour l'instant.

Il l'embrassa de nouveau.

– Qu'est-ce que tu lis ?

Elle lui montra la couverture. *Ce livre vous sauvera la vie.*

– Un peu tard pour ça, dit-il.

Lynn sourit.

– Ce n'est pas vraiment ce genre de bouquin. N'empêche, il est bon. (Elle corna le coin d'une page et posa le livre de côté.) Que voulait Bill Berry ?

– La fille qui a été tuée… il est chargé de l'enquête.

– Et quoi ? Il veut t'emprunter des gars de ta brigade pour grossir ses effectifs ?

– Pas exactement.

Elle le regarda de plus près : impossible de se méprendre sur le sourire qui lui plissait les yeux.

– Il te veut, toi.

– On le dirait bien.

– Pour être son second.

Resnick acquiesça.

– Pour diriger l'équipe extérieure ?

– Oui.

– Prentiss va piquer une crise.

– Sur ce coup-là, apparemment, il a les couilles dans un étau.

– Voilà donc qui explique sa façon de marcher ! dit Lynn en éclatant de rire.

Elle s'en repentit aussitôt, car la douleur fulgura dans tout son corps.

– Tu te sens bien ? demanda Resnick avec appréhension.

– Ça va passer.

– Tu es sûre que je ne peux rien t'apporter ?

– Du thé à la menthe, ce serait chouette.

– Est-ce qu'on en a ?

– Quelque part.

Il était presque à la porte quand elle le rappela :

– Je suis contente, pour l'enquête. Tu feras du bon boulot.

– J'essaierai.

– J'ai toujours dit que tu étais le meilleur flic sous les ordres duquel j'aie jamais travaillé.

– C'était uniquement parce que tu voulais coucher avec moi.

– Tu parles ! (Elle se remit à rire et grimaça, prise d'un autre élancement de douleur.) Andouille, arrête de me faire rire !

Resnick sourit.

– Je vais chercher le thé.

Pendant qu'il était dans la cuisine, il se prépara du café et coupa une tranche de pain pour accompagner le bout de cheddar, à la limite du mangeable, qui était caché au fond du frigo. L'ennui avec les petits déjeuners plantureux, se dit-il, c'est que ça vous donne faim pour le restant de la journée.

– Tu voudras que je fasse une déposition, je suppose, dit Lynn.

– Pas moi. C'est Bill Berry qui s'en occupera en priorité. (Il sourit.) Tu es un témoin clé, après tout.

– Il faudra que j'aille au commissariat ?

– Je ne pense pas. Inutile que tu y retournes avant d'y être obligée.

Lynn acquiesça et but une gorgée de son thé.

– Du moment que je suis rétablie pour le procès…

– Ton Albanais.

– Pas précisément *mon* Albanais.

– Je me comprends.

Neuf mois auparavant, Lynn avait grandement contribué à l'arrestation d'un ressortissant albanais, accusé d'avoir assassiné une jeune Croate de dix-huit ans au salon de massage où elle travaillait.

Resnick attaqua le fromage avec un couteau.

– Pour l'enquête, je pensais prendre avec moi quelqu'un de la brigade.

– Un adjoint.

– Comme qui dirait.

– Quelqu'un pour surveiller tes arrières.

– Quelque chose dans ce goût-là.

– Mark Shepherd ? Il est sérieux.

Resnick secoua la tête.

– Catherine Njoroge, dit-il.

– Ah tiens ?

– Ça ne te paraît pas une bonne idée ?

– Je ne sais pas. Tu crois qu'elle est mûre ?

– Oui, je le crois.

Lynn se remit à siroter son thé.

Catherine Njoroge, vingt-sept ans, était dans la police depuis sa sortie de l'université ; actuellement inspectrice adjointe, ce n'était qu'une question de temps pour qu'elle accède au grade supérieur. Sa famille avait quitté le Kenya en 1988, pendant les troubles qui

35

avaient suivi la réélection à la présidence de Daniel Arap Moi. Son père était avocat, sa mère médecin, et ils avaient espéré qu'elle marcherait sur les traces de l'un ou de l'autre. Aujourd'hui, ils faisaient de leur mieux pour camoufler leur déception et comprendre le choix de leur fille.

– Elle est très mignonne, je le reconnais.

– Ah bon ? Je ne peux pas dire que ça m'ait frappé.

– Charlie, tu es un piètre menteur, dit Lynn en souriant.

La conférence de presse attira une assistance plus nombreuse que d'habitude, les médias nationaux aussi bien que locaux, et il y avait davantage d'appareils photo numériques et de magnétophones dernier cri qu'on ne pouvait en voir un dimanche matin à un vide-grenier bien achalandé. Le sous-directeur de la police essuyait ses lunettes, des journaux ouverts devant lui sur le bureau, Bill Berry assis à sa droite, un Charlie Resnick réticent à sa gauche.

Quand l'attachée de presse avait appris que Catherine Njoroge serait associée à l'enquête, elle avait tenté l'impossible pour la faire monter sur l'estrade.

– Une jeune Noire est assassinée et on passe à la télévision nationale avec trois hommes blancs d'âge mûr… Qu'est-ce que ça donne comme impression, à votre avis ?

– Ça donne l'impression que nous prenons l'affaire au sérieux, lui dit le sous-directeur. Qu'on ne pose pas pour la putain de galerie.

Parfois, eut-elle envie de répliquer, ce n'est pas une si mauvaise idée. Mais elle se mordit la langue et se prépara à désamorcer de son mieux les critiques à venir.

Quoique présents, aucun des membres de la famille Brent n'accepta de rejoindre les policiers sur l'estrade, malgré les sollicitations pressantes : la mère était trop bouleversée, le père trop en colère. Ils restèrent assis ensemble au fond de la pièce, leurs visages exprimant un mélange d'indignation et de chagrin.

Le sous-directeur entreprit de lire la déclaration qu'il avait rédigée :

– Nous présentons nos condoléances aux parents de Kelly, qui luttent douloureusement pour surmonter la perte de leur fille. En tant que représentants de l'ordre, nous partageons leur horreur devant ce crime inconsidéré, et aussi leur colère. La colère, en fait,

36

de toute la communauté. Et nous demandons à tous les membres de cette communauté de nous aider à traduire en justice l'assassin de Kelly. Si quelqu'un sait qui est le coupable, nous le prions instamment, au nom de la famille de Kelly, de contacter la police.

Grondements rauques au sein de la foule.

Flashes d'appareils photo.

Inévitables questions de Sky News, Channel 4, ITV, sur les crimes commis par armes à feu.

Le sous-directeur de la police sortit de la chemise posée devant lui plusieurs pages de graphiques en barres.

– Il est important, dit-il, de resituer ce tragique événement dans son contexte et de considérer le tableau d'ensemble. Au cours de l'année écoulée, les chiffres de tous les délits enregistrés dans notre ville ont baissé, et même s'il y a eu une très légère — mais néanmoins regrettable — augmentation des infractions contre les personnes, il y a eu également une augmentation significative du nombre de ces infractions qui ont été élucidées.

« Cela est dû en grande partie à nos initiatives, menées conjointement avec la municipalité, et à l'accent que nous avons mis sur les actions de proximité avec les citoyens et sur le renforcement de l'implication de la collectivité tout entière.

« Et je peux vous annoncer… (Il brandit une feuille de papier)… qu'en février, le dernier mois pour lequel nous disposons de chiffres définitifs, il y a eu une baisse claire et nette…

– Pourquoi ? l'interrompit une voix au fond de la pièce. Pourquoi vous continuez avec ça ? C'est des statistiques, rien d'autre ! Ma fille, elle, c'est pas une statistique. C'est ma chair et mon sang — un membre de cette famille, de *ma* famille — et maintenant elle repose quelque part, dans je ne sais quelle morgue…

– Monsieur Brent…, intervint le sous-directeur, essayant de lui imposer silence. Ce n'est pas le lieu…

Les caméras de télévision pivotèrent pour cadrer Howard Brent, qui continuait de hurler à pleins poumons tandis que des agents l'expulsaient de la salle.

Lynn vit le reportage moins d'une heure plus tard, sur *BBC News 24*. L'espace d'un plan rapide, elle lut l'intense malaise sur le visage de Resnick avant que les caméras ne se focalisent sur Brent, debout sur le perron du bâtiment où avait eu lieu la conférence de presse. C'était un bel homme d'origine antillaise, encore relativement jeune, sobrement vêtu d'un costume sombre et d'une cravate, qui parlait d'une voix maintenant plus maîtrisée, même si la colère était encore évidente dans ses yeux et sa posture.

– Ma fille a été la victime innocente de la violence dans nos rues. Cette violence qui menace de déchirer notre communauté, mais contre laquelle la police ne fait rien. Et pourquoi ? Parce qu'elle s'en fiche !

« Ma fille Kelly a perdu la vie parce qu'elle s'est trouvée au mauvais endroit au mauvais moment. Mais la balle qui l'a tuée ne lui était pas destinée. Cette balle était destinée à une inspectrice de police qui voulait absolument procéder à une arrestation. Une inspectrice qui, se voyant attaquée, a utilisé ma fille comme bouclier. Comme bouclier humain. Et si cette inspectrice me regarde en ce moment, j'espère qu'elle se sent coupable de ce qu'elle a fait. Elle a sacrifié la vie de ma fille pour sauver sa peau !

Ce que Lynn ressentait, c'était surtout une nausée, une froide nausée qui se propageait dans son corps et la retenait clouée devant l'écran.

4

La salle des enquêteurs, au commissariat central, avait des fenêtres qui donnaient sur le nouveau lotissement de Trinity Square, du côté de Victoria Centre et de la tour carrée de l'horloge, dernier vestige de l'ancienne gare de Nottingham Victoria. Mais en l'occurrence, aucun des policiers rassemblés là — une vingtaine — ne s'intéressait à la vue.

Les conversations baissèrent de volume lorsque Bill Berry entra avec Jerry Latham, le directeur administratif, puis reprirent de plus belle quand les deux hommes s'arrêtèrent pour échanger quelques derniers mots. Resnick, un pas ou deux en retrait, se posta d'un côté et parcourut la pièce du regard. Parmi les officiers présents, il en connaissait de vue un certain nombre, et il en connaissait très bien quelques autres : Michaelson, Khan, Fisher, McDaniels, Pike. Mais la plupart d'entre eux lui étaient aussi inconnus qu'il l'était pour eux.

Anil Khan, qui, jeune inspecteur adjoint, avait travaillé avec Resnick et était maintenant sergent à la Criminelle, en bonne voie d'être promu, s'avança pour lui serrer la main.

– Comme au bon vieux temps, monsieur.

– Plus ou moins, dit Resnick.

– Lynn va mieux, paraît-il ?

– Oui, merci. D'ici quelques jours, elle sera rétablie.

– Vous lui transmettrez mes meilleurs vœux ?

Resnick lui assura qu'il n'y manquerait pas.

– Le père de la petite, enchaîna Khan. Sa déclaration était déplacée.

L'accusation hargneuse de Howard Brent avait été diffusée en boucle la veille au soir, d'une chaîne à l'autre, dans les différents JT. En réponse, l'attachée de presse avait publié un communiqué citant les états de service exemplaires de Lynn Kellogg et faisant référence à un éloge qu'elle avait reçu de la part du directeur de la police pour le talent, la détermination et le professionnalisme dont elle avait témoigné lors d'une récente enquête criminelle. « L'inspectrice principale Kellogg, avait-il déclaré, fait honneur à la police et aux agences qu'elle représente. Elle mérite pleinement notre gratitude et nos louanges. »

« Nous sommes bien conscients, poursuivait le communiqué, que M. Brent a émis ses remarques sous le coup d'une très vive émotion personnelle. Les services de police lui renouvellent, à lui et à sa famille, toute leur compassion dans ces moments douloureux. »

– Conneries, déclara le sous-directeur lorsque le texte fut soumis à son approbation. Mais ces conneries-là, on peut les avaler.

De tous les quotidiens nationaux, seul le *Guardian* accorda à cette information une place prépondérante en première page ; le *Sun* proposa une interview exclusive de la mère de Kelly en page cinq, et le *Mirror* contre-attaqua avec un encart central de photographies en couleurs montrant Kelly dans le rôle de la Vierge lors d'une représentation scolaire de *Godspell*.

– Bien ! dit Bill Berry afin de capter l'attention de son auditoire. Avant d'en arriver à l'affaire principale, quelques mots sur M. Brent. À moins d'avoir eu la tête dans le sable ces dernières vingt-quatre heures, vous êtes tous au courant qu'il a parlé à tort et à travers.

Un concert de grommellements coléreux indiqua que tel était le cas.

– Nous avons examiné de plus près le vertueux M. Brent, poursuivit Berry, et il n'est pas aussi irréprochable qu'il en a l'air. Pour commencer, loin d'être le père de famille responsable dont il s'emploie à donner l'image, il a quitté le domicile familial quand Kelly n'avait que sept ans et ses frères, onze et neuf. Pendant qu'il était dans la verte nature, l'Agence pour la protection de l'enfance l'a recherché pour non-paiement de cotisations sur une période de presque deux ans.

Murmures satisfaits dans les rangs : le temps de la revanche. Ils se délectaient de ces informations.

– Brent a regagné le nid il y a environ cinq ans et s'est investi depuis lors dans deux commerces locaux : il a des parts dans un restaurant antillais de Hyson Green et dans une boutique de disques ringarde de Hockley. Les deux affaires sont réglo, à première vue, mais ça peut valoir la peine de creuser.

Berry marqua une pause et parcourut du regard l'assemblée.

– Plus important pour nous, il a un casier. Douze mois avec sursis pour possession d'une drogue de catégorie C, en 89, et trois ans de taule pour coups et blessures volontaires.

– Ça explique qu'il n'ait pas été souvent à la maison, observa l'un des policiers assis au fond.

Rires dans la salle.

– Donc, reprit Berry, si M. Brent ne fait pas profil bas et ne ferme pas sa gueule, je dirai au service de presse de lui tirer le tapis sous les pieds, tellement vite qu'il se retrouvera cul par-dessus tête.

Nouvelle salve de rires.

Le commissaire principal se tourna vers Resnick :

– Charlie, vous voulez bien nous exposer l'affaire ?

Resnick se mit en position devant un plan montrant la zone immédiate où l'incident avait eu lieu.

– Heureusement pour nous, commença-t-il, il y avait trois caméras de surveillance en action au moment du meurtre. Une ici, sur le côté de Gordon House ; une autre plus loin, dans Cranmer Street, à l'endroit par où a dû arriver l'inspectrice principale Kellogg ; enfin, une ici, à St Ann's Hill Road, à deux pas du carrefour.

« Ce qui paraît clair, c'est qu'un groupe de jeunes, dont certains portaient les couleurs de Radford, ont emprunté Forest Road East et Mapperley Road pour entrer dans Cranmer Street par l'extrémité ouest. Là, ils ont retrouvé un groupe de St Ann, à peu près aussi important — entre douze et quinze individus —, dont certains étaient arrivés à Cranmer Street par l'extrémité opposée, d'autres coupant par St Ann's Hill Road, le long de ces maisons, ici, où des travaux de reconstruction sont en cours.

– Une rencontre organisée, donc, monsieur ? interrogea Anil Khan.

– Ça en a tout l'air.

– Guerre de territoire, dit Frank Michaelson.

– Possible.

– Radford et St Ann, intervint Bill Berry. Ils sont à couteaux tirés, peut-être pas autant que St Ann et les Meadows, mais pas loin. Les Montaigu et les Capulet, en comparaison, c'est de la rigolade.

– D'après l'inspectrice principale Kellogg, reprit Resnick, le tireur portait un bandana noir et blanc. Comme nous le savons, ce sont les couleurs du gang de Radford.

– Ça pourrait aussi être un fan de Notts[1], suggéra quelqu'un sur le ton de la plaisanterie.

– Impossible, lança un autre, sinon il aurait foiré son coup !

Il y eut d'autres rires, émanant surtout des supporters de Forest[2]. Malgré ses préférences personnelles, Resnick sourit lui aussi.

– Retrouver le tireur, dit-il, est à l'évidence notre priorité. L'inspectrice principale Kellogg va travailler aujourd'hui avec un dessinateur de la police pour voir ce qui peut en sortir. Nous avons interrogé Joanne Dawson, la fille qui a été blessée avant les coups de feu, et on aura besoin de retourner la voir. À part ça, nous voulons une liste aussi complète que possible de toutes les personnes qui étaient présentes sur les lieux, qu'on passe leurs noms dans l'ordinateur, qu'on trouve des connexions. Vous connaissez la procédure. Ce qui veut dire, à part visionner image par image les vidéos des caméras de surveillance, aller voir tous les riverains qui pouvaient être chez eux au moment de la bagarre, ainsi que les étudiants de la résidence universitaire.

– Ils étaient sans doute en train de dormir, dit quelqu'un. Tous des flemmards.

– Des questions ? demanda Resnick.

– Du nouveau, concernant le type de revolver ? s'enquit Steven Pike.

– J'ai eu Huntingdon au téléphone ce matin, répondit Bill Berry. Le labo a promis d'envoyer son rapport d'ici la fin de la journée. « Promis », notez bien.

Il fit rouler une invisible pincée de sel entre le pouce et l'index et la jeta par-dessus son épaule en guise de porte-bonheur.

– Une dernière chose, dit-il. Si cet incident fait partie d'une guerre des gangs, on ferait mieux de se préparer à ce qui va suivre. Si Radford descend quelqu'un de St Ann, il ne faudra pas longtemps à St Ann pour répliquer. Soyons vigilants, sinon il y aura des tirs de représailles. Œil pour œil. Je demanderai en haut lieu qu'on augmente les patrouilles, mais on risque de me répondre qu'ils font déjà tout leur possible. Donc, bouclons cette histoire au plus vite avant que ça ne dégénère.

Murmures d'approbation aux quatre coins de la salle.

---

1. Notts County, l'une des deux équipes de football de Nottingham. *(N.d.T.)*
2. Nottingham Forest, équipe rivale de Notts. *(N.d.T.)*

– OK, conclut Berry. Haut les fesses, vous tous, et au travail !

En toute logique, Resnick aurait dû envoyer Anil Khan parler aux parents de Kelly Brent et rester lui-même à l'écart de la ligne de tir ; aller voir Joanne Dawson, peut-être, pour essayer de la convaincre d'être un peu plus coopérative. Mais la tentation de rencontrer Howard Brent face à face, après ce qu'il avait dit sur Lynn, était trop forte.

Après tout, Bill Berry ne lui avait-il pas promis du véritable travail de police, pour changer, histoire de le sortir de son bureau ? Or Resnick était bien placé pour savoir que le véritable travail de police, c'était la routine lente, laborieuse, vérifier et revérifier, deux pas en avant et trois pas en arrière, le plus souvent. Mais au bout du compte, interroger les suspects et les témoins, c'était, diraient certains, la cerise sur le gâteau.

Lynn n'arrivait pas à se sortir ça de la tête. Elle avait beau se répéter de ne plus y penser, que c'était juste un homme qui monopolisait les feux de l'actualité, qui déversait sa bile, rien n'y faisait.

Utilisé ma fille comme bouclier. Comme bouclier humain.

Sacrifié la vie de ma fille pour sauver sa peau.

La veille, pendant le débriefing, on lui avait fait revivre l'incident : elle avait rejoué la scène, maintes et maintes fois, dans son esprit.

Deux filles qui se font face au centre d'un cercle rudimentaire, l'une d'elles — Kelly — armée d'un couteau. Kelly bondit pour attaquer Joanne, sur quoi Lynn l'agrippe par la manche, puis par le bras, exerçant une pression, lui tordant le bras vers le haut, cependant que Kelly se débat, balance des coups de pied, cherche à frapper de sa main libre. Là-dessus, le jeune garçon au revolver se détache de la foule et Lynn, apercevant le mouvement du coin de l'œil, pivote vers lui, entraînant Kelly dans son élan, et l'autre pointe le revolver dans sa direction, les yeux fixés, en cet instant, sur elle. Sur elle, et non sur Kelly, juste à côté ? Lynn n'aurait pu l'affirmer.

Était-il possible que le garçon ait tiré au jugé dans la foule ? Que les deux balles aient été destinées à Kelly Brent et non à elle ?

Tout s'était passé si soudainement, si rapidement, Kelly et elle étaient si près l'une de l'autre… Ensuite, sous l'impact de la balle, Lynn avait reculé en titubant avant de tomber, faisant des moulinets avec les bras, tandis que Kelly restait debout, exposée à sa place.

Utilisé ma fille comme bouclier.

Consciemment, inconsciemment, était-ce vraiment ce qu'elle avait fait ?

Sacrifié la vie de ma fille pour sauver sa peau.

Dans la salle de bains, courbée en deux au-dessus de la cuvette des W-C, Lynn essaya de vomir jusqu'à en avoir la gorge sèche, chaque haut-le-coeur lui causant une brûlante douleur dans la poitrine.

Costume sombre, cravate foncée, Resnick, mal à l'aise, était assis sur les minces coussins du canapé, Catherine Njoroge à côté de lui, en simple tailleur-pantalon noir, veste à manches trois quarts et revers larges, les cheveux retenus en arrière par un ruban violet, les mains croisées sur les genoux.

Face à eux, si près dans la petite pièce qu'ils auraient presque pu la toucher en tendant le bras, était assise Tina, la mère de Kelly, le visage pincé, le dos raidi, les lèvres barbouillées de rouge sombre, tripotant alternativement le petit crucifix en argent qui pendait à son cou ou arrachant les envies autour de ses ongles, où la peau était déjà à vif. Le père, Howard, était renversé en arrière dans un fauteuil en cuir, les jambes croisées, les manches de son sweat-shirt gris retroussées au-dessus du coude, les pieds chaussés de Converse All Stars bleu glacier, non attachées.

Personne ne parlait.

Un portrait encadré de Kelly, souriante, trônait à la place d'honneur sur le manteau de la cheminée, avec, de chaque côté, des photos de famille plus petites. Il y en avait encore d'autres, accrochées au mur et posées sur la télévision grand écran : Tina et les enfants, Kelly et ses deux grands frères, Michael et Marcus. L'aîné, Michael, était le plus marquant des deux.

Tout dans la pièce était net, épousseté, à sa place.

Un foyer.

La dernière fois que Resnick était allé dans un foyer comme celui-ci, c'était pour rendre visite à une mère dont la fille avait été tuée dans une fusillade — des coups de feu tirés d'une voiture en marche — et dont l'un des fils était maintenant en prison pour avoir vengé le meurtre de sa sœur.

Des histoires qui se répétaient trop souvent.

Tina Brent porta un doigt à sa bouche pour se ronger un bout de peau.

Le silence était tel qu'on entendait le tic-tac d'une pendule dans l'une des autres pièces, le bruit d'un patineur qui passait sur le trottoir, dehors, et la pulsation distante d'une basse diffusée par une chaîne stéréo, plus loin dans la rue.

Les yeux pleins de mépris, Howard Brent regarda Catherine Njoroge, puis Resnick, puis de nouveau la jeune femme.

– Qu'est-ce qu'elle fout là ? dit-il. C'est censé nous réconforter, hein ? Une des nôtres. La négresse de service. La Noire de service. (Il se pencha brusquement en avant, les pieds arrimés au plancher.) Quel effet ça vous fait, ma p'tite ?

Imperturbable, Catherine Njoroge fit pivoter lentement sa tête sur son long cou et le regarda calmement de ses grands yeux sombres en amande.

– Je partage votre douleur, dit-elle. À tous les deux.

– Ben voyons ! lâcha Brent en se laissant retomber contre le dossier.

Catherine battit des paupières, une seule fois.

L'une des mains de Resnick agrippa l'accoudoir du canapé ; l'autre, posée sur sa jambe, s'était crispée en poing. Il força ses doigts à se détendre.

– Monsieur Brent, dit-il en détachant ses mots, jusqu'à présent, sauf en une brève occasion, vous avez refusé de recevoir l'officier chargé d'assurer la liaison avec la famille. Vous avez refusé de participer à la conférence de presse officielle, préférant faire une déclaration de votre cru dans laquelle vous avez porté une accusation irréfléchie, et totalement infondée, contre un membre de la police. En fait, vous avez jugé beaucoup plus intéressant de parler aux médias qu'à la police. Et maintenant, vous insultez l'un de mes officiers en proférant des remarques qu'on peut simplement qualifier de racistes.

– Eh bien…

– Eh bien quoi ? dit Resnick d'un ton cassant. Vous voulez qu'on retrouve l'assassin de votre fille, oui ou non ?

– C'est quoi, cette question idiote ?

– Celle que je vous pose.

– Allez vous faire foutre, marmonna Brent à mi-voix.

Il se leva vivement, tourna les talons et quitta la pièce, claquant la porte dans son sillage.

Tina Brent grimaça et se ratatina encore plus dans son fauteuil. Toute frêle, elle était au bord des larmes, près de s'effondrer.

Catherine Njoroge jeta un regard à Resnick, qui l'encouragea d'un bref signe de tête.

– Madame Brent, dit Catherine, Kelly portait une chaîne en or avec le prénom « Brandon ».

– Et alors ?

– S'agirait-il de Brandon Keith ?

– Oui.

– Il était son petit ami ?

– Ouais.

– Et elle le voyait toujours ? Brandon ?

– Pour ce que j'en sais, ouais.

– Elle n'avait fait aucune allusion à une rupture, à une dispute, rien de ce genre ?

– Pas à moi, non.

– Et elle vous en aurait parlé ? Si ç'avait été sérieux ?

– Possible.

– Seulement voilà : nous pensons que Kelly est allée à Cranmer Street à cause d'une rivalité avec une autre fille, au sujet de Brandon.

Tina Brent chercha ses cigarettes dans son sac.

– Là, j'suis pas au courant.

– Joanne Dawson, intervint Resnick. Est-ce que ce nom vous dit quelque chose ?

Bref signe de dénégation.

– Madame Brent ?…

– Non.

– Vous n'avez jamais entendu Kelly mentionner ce nom ?

– Je viens de vous le dire.

À l'aide d'un briquet jetable, elle alluma sa cigarette.

– L'après-midi où Kelly a été tuée, elle et Joanne Dawson se disputaient.

– J'suis pas au courant.

– Kelly l'a agressée avec un couteau.

– Qui c'est qui dit ça ?

– Nous avons des témoins.

– Y a des gens qui sont prêts à raconter n'importe quoi.

Elle inhala la fumée, la retint un moment dans ses poumons avant de la rejeter lentement par les coins de la bouche.

Catherine Njoroge capta le coup d'œil de Resnick.

– Madame Brent, savez-vous si Kelly avait un couteau ?

– Quel couteau ?

– Vous n'avez pas vu votre fille, ce jour-là, avec un couteau en sa possession ?

– Évidemment que non. Qu'est-ce qu'elle aurait fait d'un couteau ?

– Peut-être pensait-elle en avoir besoin, avança Catherine. Pour se protéger.

– Elle avait pas de couteau. Combien de fois faudra vous le répéter ? (La cigarette tremblait dans sa main.) Qu'est-ce que ça peut foutre, de toute manière, qu'elle avait un couteau ou pas ? Ma fille est tuée avec un putain de flingue et vous me posez des questions sur un couteau à la noix !

Des cendres tombèrent sur ses genoux et elle les épousseta, laissant une traînée grise sur sa jupe.

– Ce que nous voulons, expliqua patiemment Resnick, c'est établir la raison pour laquelle Kelly était à cet endroit ce jour-là. Comme ça, nous pourrons déterminer pourquoi elle a été tuée.

– Pourquoi elle a été tuée ? (Les yeux de Tina Brent se mirent à briller.) On le sait bien, pourquoi elle a été tuée. À cause d'une de vos collègues, voilà pourquoi ! C'est pour ça que ma Kelly elle est morte.

D'un geste rageur, elle écrasa sa cigarette. Elle avait des larmes aux coins des yeux, qu'elle essuya sur sa manche.

– Votre fille, dit Resnick d'un ton uni, a été tuée parce que quelqu'un, cet après-midi-là, était en possession illégale d'une arme à feu, qu'il a déchargée au milieu d'un groupe de gens.

– Alors quoi ? Une saloperie d'accident, c'est ça que vous dites maintenant ?

– Ce que je dis, madame Brent, c'est que nous ne le savons pas encore. Nous ne disposons pas de tous les faits qui nous expliqueront exactement ce qui s'est passé. Nous ignorons si votre fille a été délibérément visée ou si sa mort a été un tragique accident. Mais c'est notre rôle de le découvrir — et nous y parviendrons plus facilement avec votre coopération et celle de votre mari.

Tina Brent jeta un regard en coulisse vers la porte.

– Aucune chance qu'il coopère avec vous, ça, je vous le dis tout de suite.

– Mais vous, contra Resnick, vous pouvez nous aider.

Elle hocha la tête et alluma une autre cigarette. Les bruits de basse en provenance de la rue se faisaient plus sonores, plus insistants.

– Brandon Keith, dit Catherine Njoroge, vous l'avez vu récemment ?

Tina Brent haussa les épaules.

– Peut-être.

– Vous rappelez-vous quand vous l'avez vu pour la dernière fois ?

– En fait, oui. Le week-end dernier. L'est passé prendre Kelly. Samedi, que c'était. Il a une de ces chouettes bagnoles, je vous dis que ça !

– Vous l'avez vu ?

– Je viens de vous le dire.

– Et l'autre jour ? L'après-midi où Kelly a été tuée. Vous l'avez vu, à ce moment-là ?

Le visage de Tina Brent se ferma.

– Non.

– Vous en êtes sûre ?

– Certaine. (Elle écarta de son visage la fumée de cigarette.) De toute façon, il a rien à voir là-dedans. Ça lui plaisait pas que Kelly, elle traîne avec ses potes. Il lui avait dit, je l'ai entendu.

– Et vous ne savez pas où il peut être en ce moment ?

– Brandon ? Non. Probable qu'il dort. Il travaille la nuit, hein ?

– Il travaille où ? demanda Resnick.

– Il est DJ, c'est comme ça qu'on dit ?

– Vous savez où ? Où fait-il le DJ ?

Tina Brent haussa les épaules.

– Un peu partout. Au Golden Fleece, peut-être. Ou au Social ?

La porte d'entrée claqua. Howard Brent qui sortait ou quelqu'un d'autre qui rentrait ?

– Vos garçons… deux, si je ne me trompe ?

– Ouais, et alors ?

– Ils sont par là ?

Elle fit non de la tête.

– Michael, il est à Londres.

– Il travaille ?

– Non, il est à l'université, d'accord ? (Comme si elle le mettait au défi de le contredire.) À King's College. Il étudie le droit.

Un instant, la fierté lui redressa la tête et ajouta de la résonance à sa voix.

– Le cadet, dit Resnick. Marcus, c'est bien ça ?

– Ben quoi ?

– Il vit encore ici ?

– Et alors ?

– Ce ne serait pas lui qui vient d'arriver ?

– Non, y dort encore. Un vrai tire-au-flanc. De toute façon, pas la peine de lui parler. Le jour du meurtre, il était même pas ici.

– Ah ?

– Une journée en entreprise avec son collège. South Notts. Ils étaient toute une bande. Quelque part à Wellingborough, ils sont allés. Ils ont pris le train du matin. Et ils sont rentrés seulement… seulement après.

– Vous permettez que nous lui disions deux mots ? Juste pour vérifier ?

Elle parut sur le point de protester, mais se laissa retomber contre le dossier de son siège.

– Comme vous voudrez. À l'étage, au fond.

La chambre de Marcus Brent était petite et sombre, les rideaux tirés. Elle sentait le tabac, la dope et les vêtements non lavés. Des posters de vedettes du rap, de femmes nues et de footballeurs de première division tapissaient les murs. Une chaîne stéréo, une pile de CD, un PS3 et une petite télévision. Un jean en tapon au bout du lit, des tee-shirts par terre. Plusieurs paires de baskets, Adidas, Nike. Une canette de Coca écrasée.

Lorsque Resnick franchit le seuil, Marcus remua et remonta les couvertures au-dessus de sa tête.

– Marcus, dit Resnick.

Un grognement, rien de plus.

D'un geste vif, Resnick tira les couvertures.

– Debout, là-dedans !

– Bordel, que ?…

– Belle journée. Il est temps de te lever. D'ailleurs, tu n'as pas de cours, de conférences ?

Marcus se hissa sur un coude.

– Quèque vous allez faire ? M'arrêter pour école buissonnière ?

Resnick sourit.

– Tu sais donc qui je suis ?

– Je vous ai flairé dès que vous êtes entré.

Le sourire disparut.

– Le jour où ta sœur a été tuée, où étais-tu ?

D'un ton las, Marcus le lui dit : exactement la même version que sa mère.

– Si je prends contact avec le collège, quelqu'un confirmera tes dires ?

– Essayez, vous verrez bien.

Il se rallongea et rabattit brusquement les couvertures sur sa tête.

– Ravi de t'avoir connu, dit Resnick.

Il ferma la porte et redescendit l'escalier.

– Satisfait ? grogna Tina Brent.

– Où habite Michael quand il n'est pas là ?

– Une cité universitaire quelconque, à Camberwell.

– Mieux vaut nous donner l'adresse, pour que les choses soient en ordre.

Catherine Njoroge la nota sur son carnet. Resnick remercia Tina Brent de les avoir reçus.

Dehors, Howard Brent fumait une cigarette sur le trottoir. Des fleurs, pour la plupart enveloppées de cellophane, étaient posées contre le muret bas, ainsi que plusieurs ours en peluche et une poupée de chiffon. Des formules de condoléances sur de petites cartes décorées. *On ne t'oubliera jamais. Je t'aimerai toujours. Kelly, t'es la meilleure. Repose en paix.* D'autres avaient été déposées, en grande quantité, sur les lieux du meurtre.

Brent observa Resnick avec un rictus provocant.

– À ce qu'on raconte, vous et la flic qui s'est fait tirer dessus, vous êtes comme ça, hein ?

Et il fit coulisser l'index de sa main droite, lentement, à travers les doigts repliés de son autre main.

Pour un homme de sa corpulence, Resnick bondit avec une vitesse surprenante, les poings levés.

– Allez-y, dit Brent, flanquez-moi un gnon, qu'est-ce que vous attendez ? Tenez. (Il avança la mâchoire.) Allez-y donc !

– Patron, dit calmement Catherine Njoroge, juste derrière lui. On ferait mieux de partir.

Elle tourna les talons, s'éloigna et, au bout d'un moment, Resnick la rattrapa. Le rire moqueur de Brent les poursuivit dans la rue.

5

Peu après avoir emménagé chez Resnick, Lynn était rentrée un après-midi avec une paire de mangeoires à oiseaux et un sac de graines mélangées.

Voyant cela, Resnick avait éclaté de rire.

– Les chats vont t'adorer !

Quelques jours plus tôt, Dizzy avait traîné le corps déchiqueté d'un rouge-gorge à travers la chatière pour le déposer aux pieds de son maître en ronronnant fièrement, la queue en point d'interrogation, comme s'il était encore un jeune chasseur intrépide et non un champion sur le déclin avec une oreille à moitié déchirée et de l'arthrite galopante dans les pattes postérieures.

Mais Lynn gardait un souvenir heureux des oiseaux qui se rassemblaient dans le jardin de ses parents, dans le Norfolk — en pleine campagne, il est vrai —, et elle avait attendu son heure. Au début du printemps suivant, debout sur une chaise, haussée sur la pointe des pieds, elle avait attaché les mangeoires en haut des troncs de deux arbres fruitiers qui se dressaient au fond du jardin, contre le mur : un pommier aux fruits petits, passablement acides, et un poirier qui promettait plus qu'il ne produisait.

Les premiers matins, ne voyant rien, elle se demanda si elle avait mal choisi l'emplacement des trémies ou si la seule présence des chats — juste trois, maintenant que l'un d'eux était parti sans laisser d'adresse — était suffisamment dissuasive.

Mais voilà que, soudain, apparut sur le pommier une mésange bleue ; d'abord perchée sur une branche plus haute, elle piqua pour prendre une graine avant de s'éloigner à tire-d'aile. Cinq minutes plus tard, elle était de retour, et pas seule cette fois. En l'espace d'une semaine, il y eut des mésanges charbonnières, une paire de

51

merles, des rouges-gorges, un roitelet — et, une fois, un chardonneret, avec sa tête bandée de rouge et ses ailes d'un jaune citron vif.

De temps à autre, Dizzy ou Pepper, attirés par les battements d'ailes dans le feuillage, levaient vers les branches un regard attristé, mais autrement ils n'y prêtaient guère attention.

– Heureuse, maintenant ? avait demandé Resnick un matin en s'arrêtant derrière Lynn, qui était postée à la fenêtre de la cuisine.

– Oui, avait-elle répondu en tournant la tête pour lui offrir un baiser. Ça me rappelle la maison.

– Je croyais que c'était ici, ta maison, avait dit Resnick.

Elle retourna la question dans son esprit, à présent, comme elle l'avait fait à ce moment-là : combien de temps fallait-il, quand on vivait avec quelqu'un, quand on vivait *chez lui*, pour se sentir vraiment chez soi ?

Lynn sortit dans le jardin, où des pousses apparaissaient déjà çà et là, des boutons de roses très précoces, les fleurs mauves du camélia disséminées sur le sol. La pelouse avait besoin d'un bon coup de tondeuse. Faisant attention de ne pas prendre appui trop lourdement sur le mur, dont les briques descellées vibraient légèrement sous sa main, elle regarda les jardins ouvriers de Hungerhill Gardens et observa un moment un homme vêtu d'une vieille veste en tweed rapiécée, son pantalon gris attaché aux chevilles avec de la ficelle, qui s'arrêtait de creuser quelques instants pour soulever sa casquette grise à chevrons, essuyer son front d'un revers du bras, puis remettre son couvre-chef avant de reprendre son travail. Lynn retint son souffle, saisie par la ressemblance de l'homme avec son père.

La dernière fois qu'elle l'avait vu, presque cinq ans auparavant, il dormait, grâce au ciel, oublieux de la douleur, de tout, il avait la peau d'un jaune bilieux, le foie rongé par le cancer, les reins bloqués, un inconfortable masque en plastique rigide lui couvrant la bouche et le nez.

– Pas d'acharnement thérapeutique, lui avait dit le médecin. Il a eu une belle vie. Maintenant, vous devez le laisser partir en paix.

Et elle était restée assise au chevet de son père, lui tenant la main, parlant de temps à autre, disant ce qui lui passait par la tête, sachant que, si quelque chose importait encore, ce n'était pas tant les mots eux-mêmes que le son, peut-être, de sa voix.

Une ou deux fois, il avait bougé la tête, comme pour parler, et elle avait penché son visage près du sien, soulevant le masque un instant, mais il n'y avait eu qu'un léger gargouillis au fond de sa gorge et une odeur de pourriture, de décomposition — ses dents, jaunes et mal plantées, et la peau de ses lèvres desséchées qui s'écaillait.

Lui avait-il étreint la main avant la fin ou l'avait-elle seulement imaginé, par besoin ?

Le jour où on l'avait enterré, le froid pinçait, le vent faisait tourbillonner la fine couche de terre, formant des cercles de poussière, et les corbeaux croassaient bruyamment, sans trêve, dans les arbres.

Dans le jardin ouvrier, en contrebas, l'homme avait posé sa bêche pour se rouler une cigarette.

Une belle vie, avait dit le médecin. Belle, peut-être, oui… dure, certainement… en tout cas, pas assez longue. À peine soixante ans quand ça s'était terminé. À une époque où tant d'autres continuaient leur route, relativement en bonne santé, jusqu'à quatre-vingts ans et plus, ce n'était pas une vie du tout.

Et sa mère, qui l'avait épousé à vingt ans — le seul homme avec qui elle soit sérieusement sortie —, ne s'était pas remise de sa mort. En plus, la vieillesse l'avait rattrapée avant l'heure. Son visage et son corps se ratatinaient, se rétractaient sur eux-mêmes tandis que sa vie se réduisait aux quelques tâches quotidiennes qu'elle effectuait plus ou moins machinalement aujourd'hui.

Lynn se sentait coupable de ne pas aller voir sa mère plus souvent, d'accueillir de mauvaise grâce, parfois, ses coups de téléphone réguliers du dimanche matin, ses questions sur la santé de Charlie et sur la sienne, son lot de nouvelles qui étaient les mêmes que la semaine précédente.

Entendant sonner à la porte, elle rentra dans la maison.

La femme debout sur le seuil portait une sorte de camisole verte sur laquelle était brodé, sur le devant, le même nom que celui qui était peint sur la camionnette garée près du trottoir.

– Mlle Kellogg ?

Elle tenait un énorme bouquet de fleurs enveloppé de cellophane.

– Oui, dit Lynn, dont le visage s'éclaira d'un sourire.

Ça ne ressemblait pas à Charlie de sortir le grand jeu comme ça, mais elle était contente qu'il l'ait fait.

Remerciant la femme, elle emporta les fleurs dans la cuisine. Des roses rouges, jaunes et blanches, certaines à peine ouvertes, agrémentées de fougères et de feuillages décoratifs. Magnifique.

Tout en détachant la petite enveloppe fixée à l'emballage, elle fit couler de l'eau dans une bassine et y plongea les tiges jusqu'à ce qu'elles soient bien immergées. Elles pourraient rester là en attendant que Lynn déniche un vase qui fasse l'affaire.

Son ongle était suffisamment long pour se glisser sous le coin de l'enveloppe et la fendre sur la longueur.

C'était la carte habituelle, couleur crème, ornée sur les bords d'un motif de fleurs en relief. L'écriture était petite mais lisible. Rien à voir avec celle de Charlie.

J'espère que vous récupérez bien. La prochaine fois, n'oubliez pas d'esquiver !
Stuart D.
P.-S. Vous devriez peut-être venir plutôt travailler avec nous.

Stuart D. ? Stuart D. ? Sans aucune raison valable, la peau sous ses bras devint toute froide. Elle ne voyait absolument pas qui c'était… et puis, soudain, la mémoire lui revint.

Stuart Daines.

Stuart D. Grand, il venait vers elle en souriant, la main tendue.

Cela se passait à une conférence de la SOCA à laquelle elle avait assisté en novembre précédent. La SOCA[1] était une agence créée pour combattre la grande criminalité, tant au plan national qu'international, et qui se composait essentiellement d'ex-flics et d'anciens du Service des douanes et de l'accise. Contrebande de tabac, trafic d'êtres humains, transit et vente illégale d'armes… Sur le papier, ça paraissait très intéressant et excitant, mais aucun des intervenants, sauf peut-être un, qui avait parlé avec enthousiasme de la nécessité d'une coopération plus étroite à la base, ne s'était montré particulièrement convaincant.

Et une conversation, pendant l'une des pauses, avec un ancien inspecteur principal des West Midlands qui, ayant intégré l'agence, avait rapidement déchanté, n'avait fait que conforter Lynn dans sa décision de ne pas se lancer dans cette aventure. Trop de stages de formation, trop de querelles intestines, pas assez de terrain.

---

1. *Serious and Organised Crime Agency* : Agence de lutte contre le crime organisé. *(N.d.T.)*

Après avoir parlé avec lui, elle se préparait à regagner la salle de conférences quand l'intervenant qui l'avait impressionnée se mit en travers de son chemin.

– Notre ami de Sutton Coldfield vous a tenu la jambe ?

– Si on veut.

– Il n'est pas bien dans ses baskets.

– Ah non ?

– Il s'attendait à jouer les James Bond, dit-il en souriant. Et en fait, il s'aperçoit qu'il faut bosser dur.

Lynn se surprit à sourire aussi.

– Stuart, dit-il en tendant la main. Stuart Daines.

– Lynn Kellogg.

Il inclina la tête.

– Police de Notts, c'est ça ? Inspectrice principale. Crimes majeurs... ou dit-on la Criminelle aujourd'hui ?

– La Criminelle.

– Vous songez à demander un transfert ? À essayer la SOCA ?

– Pas vraiment, non.

– Regrettable.

Daines mesurait près d'un mètre quatre-vingt-cinq, portait un costume en coton-lin qui tombait impeccablement sur son corps mince, et ses cheveux bruns grisonnaient prématurément aux tempes. Trente-sept, trente-huit ans ? se demanda Lynn. Peut-être quarante. Un éclat vert brillait au coin d'un de ses yeux marron, comme un crapaud dans une pierre précieuse.

– J'ai bien aimé votre speech de tout à l'heure, dit-elle.

– Vous êtes l'une des rares, alors.

– Pas du tout.

– Quand on parle de coopérer avec les polices locales, de fixer des objectifs viables dans les provinces, la plupart de ces types ne veulent rien entendre. Au-delà de cinquante kilomètres de Londres, ils s'imaginent que tous les gens portent un pagne et s'enduisent le corps de colorant bleu.

Lynn éclata de rire.

– Là, vous décrivez le centre-ville de Nottingham un vendredi soir.

– Je vous crois sur parole.

Il la regardait d'une façon qui la mit mal à l'aise.

– Vous séjournez en ville ?

Lynn secoua la tête.

– Je rentre par le train de dix-neuf heures trente.

– Dommage. On aurait pu prendre un verre, dîner ensemble.

– J'en doute.

Arrivée à la porte de la salle de conférence, elle tourna vivement la tête : il était toujours au même endroit, le regard rivé sur elle.

Stuart Daines.

Trop imbu de sa personne, celui-là.

Elle remit la carte dans son enveloppe et la glissa entre deux pots sur l'étagère. Il y avait sur la cheminée du salon un vase vide qui ferait l'affaire.

Pendant quelques instants, elle eut de nouveau la chair de poule aux bras. Comment avait-il su où envoyer les fleurs ? Comment avait-il su où elle habitait ?

Elle mit la bouilloire à chauffer pour le thé et songea à appeler Resnick au bureau, mais il risquait de ne pas apprécier. Plus tôt, elle avait été longuement débriefée par deux des hommes de Bill Berry, après quoi elle avait fait de son mieux pour aider un artiste de la police à dessiner un portrait du jeune homme qui avait tiré sur Kelly Brent — et sur *elle* —, mais elle l'avait aperçu trop brièvement pour qu'il en sorte autre chose qu'un stéréotype lambda. Bien essayé, avait dit le dessinateur avec jovialité, mais résultat nul !

Le thé prêt, elle alluma la radio pour écouter les nouvelles.

Encore une fusillade fatale, à Manchester cette fois.

Un ministre s'exprimait : « Nous ne devons pas perdre de vue que les incidents de ce genre, même s'ils causent une détresse et un chagrin considérables dans certaines catégories de la population, n'en restent pas moins des cas isolés. Et il nous incombe, au gouvernement, de réfléchir encore à la nature de ces communautés qui sont les plus touchées, et aux moyens les plus efficaces d'enrayer la culture des gangs, en travaillant avec les familles et les organisations bénévoles afin de combattre cette culture et de rendre lesdites communautés plus résistantes. »

Lynn éteignit la radio.

Son livre était dans la pièce du devant. Après une vingtaine de minutes de lecture, elle sentit ses paupières s'alourdir tandis que, simultanément, la douleur dans sa poitrine revenait à la charge. Elle allait prendre deux autres calmants et s'allonger sur le lit, peut-être même fermer les yeux. Juste un petit moment.

Quand elle se réveilla, il faisait nuit.

Dans la salle de bains, elle s'aspergea la figure d'eau froide — non sans grimacer en levant les bras —, puis se lava les dents et se brossa les cheveux. Elle avait eu l'intention de préparer le dîner avant le retour de Resnick, tâche dont il s'occupait la plupart du temps. Il y avait des cuisses de poulet dans le frigo, des oignons, de l'ail, du riz, quelques carottes un peu ramollies, des petits pois surgelés. Elle avait à moitié émincé son deuxième oignon, les larmes lui picotant les yeux, quand elle entendit la porte d'entrée s'ouvrir.

– Qu'est-ce qui ne va pas ? demanda Resnick en entrant dans la cuisine.

– Rien, pourquoi ?

– Tu es là, avec ton tablier, en train de pleurer, voilà pourquoi.

Lynn sourit.

– Les oignons, c'est tout.

Elle leva son visage pour recevoir un baiser. Resnick considéra l'assortiment d'ingrédients.

– Tu es sûre de savoir ce que tu fais ?

– Je devrais m'en sortir.

– N'oublie pas de faire revenir…

– Je m'en sortirai, j'ai dit.

Resnick battit en retraite.

– Dans ce cas, je vais prendre une douche rapide.

– Tu as le temps de prendre un bain, si tu veux.

– Ça me va.

Pendant que le poulet grésillait dans la poêle avec l'ail et les oignons, elle lui monta un verre de scotch et le posa sur le bord de la baignoire.

– Je ne trouve pas de vin, dit-elle.

– Il y a deux bouteilles de White Shield, si une bière te tente.

– Pourquoi pas ?

Elle jeta un bref coup d'œil dans le miroir en passant, mais il était tout embué.

Quarante minutes plus tard, après avoir pensé à chauffer les assiettes, elle était sur le point de servir quand elle entendit la voix de Resnick dans la pièce voisine.

– C'est quoi, ça ?

– Quoi donc ?

– Les fleurs. Les roses.

– Attends une minute.

Lynn apporta les assiettes sur la table de la salle à manger. Resnick avait mis sur la chaîne stéréo une compilation de jazz de la Côte Ouest qu'il avait achetée en promotion.

– Comme ça, tu as un admirateur secret ? dit-il avec un grand sourire.

– Pas secret, non.

Elle lui montra la carte.

– Qui est-ce ? demanda Resnick après l'avoir lue. Stuart D. ?

– Tu te rappelles cette conférence de la SOCA à laquelle j'ai assisté l'année dernière ?

– Hmm-hmm.

– C'était l'un des intervenants. Stuart Daines.

– Et il a envoyé ces fleurs ?

– Oui.

– « Vous devriez peut-être venir plutôt travailler avec nous » ?

– C'est ce qui est écrit.

– Curieuse façon de recruter.

– Je ne pense pas que ce soit vraiment sérieux.

– Pour quelqu'un qui n'est pas sérieux, ça fait beaucoup de roses.

Cette fois, ce fut Lynn qui sourit jusqu'aux oreilles.

– Tu n'es pas jaloux, Charlie, dis-moi ?

– Je devrais ?

– À ton avis ?

– Je ne me souviens pas que tu m'aies parlé de lui à l'époque, c'est tout.

Lynn coupa un morceau de poulet.

– Il n'y avait pas grand-chose à en dire.

– Séduisant ?

– Je suppose que oui. Dans le genre George Clooney en moins baraqué. Un peu plus grand, probablement.

Resnick opina du chef.

– Rien de spécial, donc ?

– Pas vraiment, non.

Ils mangèrent en silence pendant plusieurs minutes. Chet Baker céda la place à un morceau plus alerte, Bob Brookmeyer et Jimmy Giuffre jouant *Louisiana*, un vieux succès que Resnick n'avait pas écouté depuis des années.

Le plus jeune des chats rôdait sous la table, plein d'espoir, frottant son dos de temps à autre contre l'un des pieds.

– C'est bon, dit Resnick en indiquant son assiette.

– Ne prends pas ce ton surpris.

– Je ne voulais pas…

– Mais si, mais si.

Il arbora un sourire épanoui.

– Je suis désolé.

– Il y a de quoi.

Il versa le reste de White Shield dans le verre de Lynn.

– Le rapport préliminaire du labo est arrivé de Huntingdon au moment où je partais. Les balles tirées par le revolver étaient « fabriquées maison » à partir de cartouches vides récupérées. Elles peuvent être mortelles, bien sûr, mais n'ont pas la même puissance. (Il pointa sa fourchette sur elle.) D'où les côtes contusionnées et non cassées.

– Ça n'a pas aidé Kelly Brent.

– Non. Non, c'est vrai.

– Et la marque du revolver ?

– Un pistolet à air comprimé converti, vraisemblablement.

– Un Brocock ?

– C'est ce qu'ils pensent.

– Très bon marché, fut un temps. C'est bien possible.

Resnick acquiesça. C'était précisément cette arme que le jeune Bradford Faye avait utilisée pour venger sa sœur, un Brocock ME38 Magnum, acheté cent quinze livres, marché conclu dans l'arrière-salle d'un pub, l'argent changeant de mains sur place et l'arme livrée un peu plus tard le même soir, sur le parking, par un gamin qui ne devait pas avoir plus de huit ou neuf ans. La peine minimum étant de trois ans pour les jeunes de seize et dix-sept ans arrêtés en possession d'un revolver, on faisait de plus en plus appel à des enfants pour servir d'intermédiaires.

– Tu en reprendras ? demanda Lynn en indiquant l'assiette pratiquement vide de Resnick.

– Non merci, ça ira.

– Tu es sûr ? Il y a encore un morceau de poulet. Et aussi du riz.

– Bon, d'accord.

– Comment ça se présente, pour le reste ? interrogea Lynn quand elle revint dans la pièce.

– Au cœur de l'affaire, il y a une rivalité amoureuse. Pour un DJ nommé Brandon Keith. À en croire Joanne Dawson, il avait plaqué Kelly pour elle une semaine plus tôt et Kelly l'a très mal pris. Elle s'est mise à parler de Joanne en des termes… rien moins que charitables, disons, dont certains se sont retrouvés sur quelques murs à proximité du domicile de Joanne. En conséquence de quoi, Joanne a suggéré — et, là encore, c'est *sa* version — que Kelly et elle se rencontrent pour avoir une petite conversation, pour dissiper les malentendus.

– Et elle a amené quelques amis pour lui tenir compagnie.

– Oui. Et Kelly a fait de même.

– Radford contre St Ann. Super.

– Quoi qu'il en soit, d'après Joanne, ce qui avait démarré comme un échange de noms d'oiseaux a dégénéré quand Kelly a dégainé un couteau. Treize points de suture d'un côté du visage pour le prouver, sans parler de sept ou huit autres au bras.

– Et on pense que c'est un gars de sa bande qui avait le revolver ?

– Probable. Mais c'est très éloigné de ce qu'affirme Joanne. (Resnick se cala confortablement sur sa chaise.) Selon elle, personne de sa connaissance n'était armé. Elle n'a pas vraiment vu le tireur, aucune idée de qui c'était. En tout cas, pas un de ses copains, elle en est certaine.

– Tu vas retourner lui parler ?

– Et comment !

– Et ce Brandon ?

– Il était en route pour Bristol quand c'est arrivé, un boulot de DJ dans un club du coin. Il a été très affecté par la mort de Kelly, apparemment. Rien que d'en parler à Anil, il était au bord des larmes.

– Mais il a corroboré la version de Joanne ? La bagarre entre elle et Kelly ?

– Si on veut. Il a dit : « Cette sale pute de Joanne Dawson, je la baisais uniquement parce qu'elle me suppliait. »

– Gentil garçon.

– Charmant.

– Tu veux de la tarte aux pommes ? Il en reste d'hier soir.

– Pourquoi pas ?

Après avoir desservi et fait la vaisselle, ils lurent le journal et regardèrent la télévision. Resnick écouta encore un peu de musique, tout en lisant pour la deuxième fois un roman de Bill Moody sur Chet Baker, pendant que Lynn prenait un bain. À l'instant où elle rentrait dans la pièce, enveloppée dans un peignoir, le téléphone sonna.

– Encore un de tes admirateurs, sans doute, dit Resnick.

Lynn souleva le combiné et entendit une voix au bout du fil :

– Surveille tes arrières, salope !

Puis la communication fut coupée.

6

Il attendit jusqu'au milieu de la matinée, encore bouillonnant de colère, et s'échappa de son bureau à la première occasion. Quand il arriva à destination, la maison était vide, personne ne vint lui ouvrir. Il s'apprêtait à repartir quand un voisin, occupé à laver sa voiture, leva la tête et lui dit où ils étaient. Resnick le remercia et traversa la rue, parcourut quelques mètres et patienta.

Il ne tarda pas à les voir : les membres de la famille Brent, de retour après avoir observé deux minutes de silence à l'endroit où Kelly avait été tuée.

Plusieurs dizaines d'amis et de voisins formaient une lente procession derrière eux, les amis de Kelly serrant des peluches et des bouquets de fleurs, un conseiller municipal local et le pasteur de l'église baptiste fermant la marche.

Howard Brent était impeccable en costume noir, chemise noire, cravate noire, avec pour seul ornement un piercing à l'oreille gauche. Sa femme, Tina, marchait à côté de lui, tête baissée, vidée de toute énergie. Derrière eux, les deux fils, Michael et Marcus, le visage grave, regardaient droit devant eux. Michael, avec ses lunettes et sa petite barbiche, rappela à Resnick certaines photographies de Malcolm X jeune.

Si Brent remarqua Resnick au milieu des badauds qui observaient le cortège, de chaque côté de la rue, il n'en laissa rien paraître.

Resnick attendit qu'ils aient atteint la maison, où Tina s'engouffra aussitôt, tandis que les autres restaient dehors à serrer la main de Brent et à offrir quelques dernières paroles de condoléances et de sympathie.

Au bout de quelques minutes, il ne resta plus qu'une douzaine de personnes, parmi lesquelles le pasteur baptiste, qui occupaient toute la largeur du trottoir. La plupart des badauds s'étaient dispersés.

Voyant Resnick approcher, Michael Brent se détacha du groupe et se planta juste devant lui, l'empêchant de passer. Instinctivement, Resnick sortit sa carte de police.

– Je suis...

– Je sais qui vous êtes, l'interrompit Michael avec froideur, les yeux remplis de dédain.

– Je dois parler à votre père.

– Mon père est occupé. Ce n'est pas le bon moment.

La voix du jeune homme était forte et ferme.

– Je dois quand même...

Marcus intervint, bousculant au passage son frère aîné :

– Ben quoi ? Z'êtes sourd ? C'est pas le bon moment, putain !

– Marcus ! (La voix de Howard Brent arrêta net le garçon.) Rentre à la maison.

– Je...

– Rentre. Tout de suite.

Marcus se renfrogna et fit demi-tour, les épaules affaissées.

Howard Brent s'avança pour se placer au côté de son aîné.

– Alors, quel est le problème ?

– Je lui ai dit, déclara Michael Brent, qu'il n'était pas le bienvenu ici.

– Deux minutes, dit Resnick. C'est tout ce qu'il me faut.

– J'ai dit : non.

Brent posa une main sur le coude de son fils.

– C'est bon, Michael. S'il te plaît, rentre à la maison.

– Rien ne t'oblige à...

– Michael, s'il te plaît. Veille sur ta mère.

Le jeune homme décocha à Resnick un regard dur et s'éloigna.

– C'est si important, dit Brent, pour que vous débarquiez comme ça ? (Il jeta un regard circulaire.) Ma famille, mes amis...

– Hier soir, vous avez passé un coup de téléphone.

– J'ai quoi ?

– Vous avez téléphoné chez moi et laissé un message. Un message destiné à la femme avec qui je vis.

– Je comprends rien à ce que vous racontez.

– Vous ne vous souvenez pas de ce que vous avez dit ? (Le visage de Resnick s'empourprait, son corps se raidissait.) « Surveille tes arrières, salope. » Voilà ce que vous avez dit.

– Vous êtes dingue, lâcha Brent en faisant mine de se détourner. Raide dingue.

Resnick lui plaqua une main sur la poitrine.

– Trois ans de taule, c'est bien ce que vous avez purgé ? Pour coups et blessures. Vous aviez tabassé un pauvre bougre qui a failli y rester.

Un sourire éclaira le visage de Brent, comme s'il se remémorait la scène.

– Il l'avait cherché, dit-il. Et puis ça remonte à longtemps. C'était dans une autre vie, voyez ?

Resnick se rapprocha.

– Lynn Kellogg… Si vous l'approchez, si vous essayez de lui parler, si vous vous avisez seulement de marcher du même côté de la rue, je vous ferai coffrer tellement rapidement que vos pieds ne toucheront pas terre.

– Pour quel motif ?

– Celui qui me plaira.

– Vous me menacez ? Devant tous ces gens, vous me menacez ?

– Simple avertissement.

Un long moment, Brent soutint son regard.

– On a fini, là ? dit-il enfin en se reculant. Parce que j'ai des amis qu'attendent. Le pasteur, venu présenter ses condoléances.

Son sourire céda la place à un rictus mauvais et il tourna les talons.

– Mais enfin bon Dieu, Charlie, qu'est-ce qui vous a pris ?

Ils se faisaient face dans le bureau de Bill Berry, une pièce mal tenue, impersonnelle, comme si le commissaire principal l'avait simplement empruntée pour l'après-midi.

– Quelle mouche vous a piqué, merde ? Des accusations sans l'ombre d'une preuve. Des menaces devant une douzaine de témoins. Comme je ne sais quel cow-boy à la manque !

Resnick haussa ses massives épaules.

– Perdre votre sang-froid comme ça…

– Il avait besoin d'un avertissement, fit Resnick.

– Il y a façon et façon.

– C'était la mienne.

– Crénom, Charlie ! Et le conflit d'intérêts, qu'est-ce que vous en faites ? Vous et Lynn…

Berry se passa les mains dans les cheveux et lâcha un soupir.

– Asseyez-vous, pour l'amour du ciel !

– Je suis déjà sur la sellette…

– Et arrêtez de faire de l'esprit. Asseyez-vous, bordel !

Resnick s'exécuta.

Les deux hommes se dévisagèrent en silence, de part et d'autre du bureau où étaient éparpillés documents, directives et graphiques. Finalement, Berry se pencha en avant dans son fauteuil.

– Avant de vous voir, j'ai passé vingt minutes inconfortables avec le sous-directeur, à lui expliquer pourquoi, en ce moment précis, il ne faut pas vous mettre à pied.

Resnick ne dit rien.

– Comme il s'est fait un malin plaisir de me le rappeler, c'est moi qui ai insisté pour qu'on vous décolle de votre bureau pour être mon second dans cette enquête. Et voilà que vous me faites ce coup-là !

Resnick ne dit toujours rien.

– Enfin quoi, quand vous avez agressé Brent comme ça, de la manière dont vous l'avez fait, qu'est-ce que vous pensiez qui allait arriver ?

– J'ai pensé qu'il y réfléchirait à deux fois avant de recommencer.

– Le coup de téléphone ?

– Oui, le coup de téléphone.

– Vous ne savez même pas si c'était lui.

– C'était lui.

– Elle n'a pas identifié la voix. Comment aurait-elle pu reconnaître *sa* voix ?

– C'était lui.

Berry abattit violemment ses mains sur le bureau, envoyant valser divers papiers.

– Et même si c'était le cas ? *Si* c'était. Supposons un instant, en l'absence de toute preuve matérielle, que vous ayez raison… vous croyez que ça vous permet de l'agresser verbalement devant tout le monde ? De le menacer comme un vulgaire justicier, un putain de Steven Seagal sur son cheval blanc ? Nom de Dieu ! Vous savez pourtant comment il est, ce type, vous savez à quel point il se délecte du son de sa voix, à quel point il s'épanouit dans la publicité !

Resnick regarda ailleurs.

– Le premier réflexe de Brent, quand vous l'avez quitté, a été de contacter toutes les radios et les chaînes de télévision dans un rayon de cent cinquante kilomètres. Le *Post* publie une photo de lui à la une, l'air sérieux et responsable dans son plus beau costume, à côté d'une vieille photo de vous qu'ils ont exhumée de leurs archives, où on vous voit entrer dans le tribunal et où vous avez l'air de porter les vêtements de quelqu'un d'autre !

– Tout ça…, commença Resnick.

Tel un rouleau compresseur, Berry poursuivit, ignorant l'interruption :

– Le directeur a eu le président de l'Autorité de contrôle de la police qui lui a remonté les bretelles et le Comité d'éthique professionnelle qui exige une réunion extraordinaire. Sans parler de l'Association d'entraide des familles antillaises et du Haut Conseil pour l'égalité raciale qui campent pour ainsi dire devant sa porte. Dois-je continuer ?

Resnick se prit à espérer que non.

– Vu que cette enquête criminelle en est à un stade crucial — et uniquement pour cette raison —, vous gardez votre job d'extrême justesse. Mais à la prochaine incartade, vous êtes fini, lessivé et mis à sécher dehors. C'est clair ?

– Très clair.

– Alors, foutez-moi le camp.

Resnick obtempéra.

L'enquête avançait lentement. Quand Anil Khan retourna voir Joanne Dawson, il emmena avec lui Catherine Njoroge dans l'espoir que l'adolescente répondrait plus volontiers à une femme. La maison était l'une des rares de la rue à n'être pas condamnée au moins en partie par des planches. Le père de Joanne leur ouvrit la porte, un petit homme au crâne rasé en survêtement Lonsdale, avec une chaîne en or autour du cou et des pantoufles aux pieds.

– Qu'est-ce que c'est, encore ? maugréa-t-il en regardant alternativement les deux policiers. Putain, on se croirait aux Nations unies !

Assise dans une pièce assombrie, les rideaux tirés, Joanne cachait de son mieux ses blessures au visage. Malgré la présence de Catherine, elle ne leur en dit pas beaucoup plus que la fois précédente. C'était Kelly qui avait commencé, pas vrai ? Elle était devenue dingue en apprenant que Joanne sortait avec Brandon, la traitant de salope, de putain et pire encore. La rencontre, au départ, c'était pour s'expliquer, pas pour se bagarrer. Évidemment qu'elle avait amené des potes avec elle, pas folle la guêpe, hors de question d'aller toute seule à St Ann ! Une fois sur place, tout avait été cool au début, ça gueulait, sans plus, et puis Kelly avait sorti le couteau.

Celui qui avait tiré, elle ne savait pas qui c'était, elle ne l'avait même pas vu. Comment j'aurais pu, bordel, avec le sang qui me dégoulinait sur la figure ? J'ai juste entendu le bruit, les coups de feu, quoi, et puis tout le monde qui hurlait. Kelly étendue par terre, le sang qui coulait à flots. Dommage pour elle, évidemment, cette garce de menteuse, mais en même temps, elle avait qu'à pas commencer, pas vrai ?

– Le garçon qui a tiré, dit Catherine, faisant une dernière tentative avant de partir, quelqu'un a affirmé qu'il portait les couleurs de Radford.

– Non, j'y crois pas. Je vois pas comment ça serait possible. Demandez aux gars qui m'accompagnaient, ils vous diront. C'était pas un des nôtres, jamais de la vie. Demandez-leur, allez-y !

Ce qu'ils firent, sans relâche.

Un mur de pierre.

Dix-sept des vingt-trois jeunes gens qu'on voyait sur les vidéos des caméras de surveillance avaient été identifiés et tous interrogés sauf un, certains d'entre eux à deux reprises. Plus de la moitié avaient déjà eu maille à partir avec la police : comportements antisociaux, ordonnances de surveillance, rien de trop grave. On continuait de rechercher les noms manquants. En attendant, le collège de Marcus Brent avait confirmé que, le jour du meurtre, son groupe était allé visiter un entrepôt de supermarché à Wellingborough.

Resnick, morose, était assis à son bureau.

Il lut des rapports, écouta des policiers, classa des plannings, arpenta les couloirs comme un ours blessé.

Quand il avait téléphoné à Lynn pour prendre de ses nouvelles et lui raconter dans les grandes lignes ce qui s'était passé, elle avait d'abord cru qu'il la faisait marcher, que c'était une blague.

– Mais enfin, à quoi as-tu pensé ? demanda-t-elle lorsqu'elle comprit que c'était vrai.

– Je n'en sais rien. Je n'ai pas pensé du tout, probablement. En tout cas, pas clairement.

– À qui le dis-tu !

– J'étais juste… je ne sais pas… en colère. Il fallait que je fasse quelque chose.

– Et puis après ? Tu n'aurais jamais dû l'approcher, surtout pas maintenant.

– Je sais, je sais.

– Et ne t'avise jamais de me dire que tu as fait ça à cause de moi !

Resnick raccrocha.

Cinq minutes plus tard, il rappela pour s'excuser, puis, en partie radouci seulement, il alla passer sa mauvaise humeur à la cantine.

Un sandwich au bacon et un thé plus tard, il rebroussait chemin vers la salle des enquêteurs quand il croisa Catherine Njoroge dans un couloir.

– Je ne vous ai jamais remerciée, dit-il, pour l'autre jour.

Elle le regarda d'un air incertain.

– Devant la maison des Brent, précisa-t-il. J'étais à deux doigts de lui sauter dessus. Vous m'avez empêché de faire une bêtise.

Catherine sourit.

– J'aurais peut-être dû être là aujourd'hui ?

Malgré lui, Resnick eut un large sourire.

– Les nouvelles vont vite.

– Nous sommes humains, après tout, dit Catherine.

– Contrairement à ce qu'affirme la rumeur.

Catherine sourit de nouveau, se remit en marche, puis s'arrêta.

– Avez-vous parlé à Michaelson, patron ?

– Pas récemment.

– Je pense que vous devriez.

Frank Michaelson était maigre, nerveux et spectaculairement grand, entre un mètre quatre-vingt-dix-huit et deux mètres, selon les estimations. Dès son jeune âge, quand sa haute taille était devenue apparente, ses professeurs et ses moniteurs de sport avaient tout fait pour le persuader de jouer au basket, mais le truc de Michaelson, c'était la course, plus particulièrement sur longue distance. Les marathons, les semi-marathons, le cross-country, les 10 km. Montrez à Frank n'importe quoi se terminant par « km », plaisantait-on, et avant même que vous ayez pris une nouvelle inspiration, il sera déjà en short, occupé à lacer ses chaussures de course. Pratique, aimait-il à souligner, quand il fallait poursuivre des petits branleurs dans les ruelles et les étroits passages qui donnaient sur Alfreton Road.

Resnick finit par le trouver, quasiment plié en deux devant l'un des écrans d'ordinateur.

– Vous avez quelque chose, Frank ?

– Ça se pourrait, patron. Pas sûr. Ce gars, là, Alston… (Il indiqua l'écran.) D'abord, il a juré ses grands dieux qu'il n'était pas sur les lieux. Ensuite, quand il a vu qu'on ne gobait pas son bobard, il a essayé de s'en tirer en nous fourguant un faux nom. J'ai fini par le faire parler. En fait, s'il ne voulait pas qu'on s'intéresse de trop près à lui, c'est parce qu'il fait un peu de trafic de came. Rien de très important. Du menu fretin. Un parasite, au mieux. Quelqu'un de plus haut placé dans la chaîne lui file soixante-dix livres pour faire une livraison, vous voyez le tableau.

Resnick acquiesça.

– Ce qui est intéressant, enchaîna Michaelson, c'est le nom qu'il a donné pour nous égarer.

Il manœuvra la souris, cliqua deux fois et un nouveau nom s'afficha sur l'écran.

Ryan Gregan.

Divers délits dans son adolescence : vols, braquages, un cas de cambriolage aggravé. Arrêté à Manchester à l'âge de seize ans, en même temps que deux jeunes de dix-sept et dix-neuf ans, et inculpé de possession d'arme à feu avec l'intention délibérée d'intimider. Relâché faute de preuves, les deux autres étant déclarés coupables et condamnés respectivement à trois et cinq ans.

– Je me suis renseigné, dit Michaelson. Depuis, il a été interrogé dans le cadre de deux incidents liés à des revolvers.

– Ça pourrait être une coïncidence, évidemment, dit Resnick.

– Je ne sais pas. Gregan… Ce n'est pas précisément un nom qui vient spontanément à l'esprit.

– Sauf si c'est quelqu'un qu'on connaît bien.

– Ou qu'on a de bonnes raisons, peut-être, de foutre dans la merde.

– En tout cas, ça ne mange pas de pain d'interpeller Gregan pour bavarder un peu avec lui.

– D'acc, patron, dit Michaelson avec un sourire qui dévoila ses dents de travers.

7

Le père de Ryan Gregan était né à Belfast, avait grandi aux environs de Shankill et n'avait pas fait grand-chose de sa vie, à part voler et s'en prendre violemment à plus petit et plus faible que lui, ce qui incluait la mère de Ryan et plusieurs de ses frères et sœurs. Ryan avait douze ans quand son vieux l'avait frappé sur l'occiput une fois de trop : le gamin, déjà grand pour son âge, lui avait balancé en travers de la figure une grosse planche qu'il avait mise spécialement de côté pour une occasion de ce genre.

Son père ne le toucha plus jamais ; il ne lui adressa plus jamais la parole non plus, même poliment. Le jour où Ryan, qui vivait alors chez une tante à Salford, en Angleterre, dans la banlieue de Manchester, apprit que son père avait eu les rotules brisées par les paramilitaires pour avoir plongé ses mains — une fois de trop, là encore — dans les mauvaises poches, il acheta une grande canette de Bushmills, suivie d'une autre, pour fêter l'événement.

Il revenait consciencieusement tous les ans, à Noël et à Pâques, pour voir sa mère. À Manchester, il s'acoquina avec un gang qui vendait du crack à Moss Side, et il avait beau être l'un des plus jeunes, il ne se laissait bousculer par personne ; pour ce qu'en savait sa tante, il allait au collège tous les après-midi suivre une formation de chef cuisinier. Quand l'un des gangs de Cheetham Hill tenta de s'emparer d'une parcelle de leur territoire, il ne fallut pas beaucoup insister pour persuader Ryan d'aller leur expliquer l'éthique de la situation. Seulement, au lieu d'un ouvrage de philosophie sur Aristote ou sur John Stuart Mill, Ryan eut recours à un pistolet Tokarev TT-33, un modèle russe obsolète qui était le portrait craché d'un Colt US cru 1911.

La méthode se révéla efficace. Quelques coups de feu échangés un soir, tard, du côté de Hulme Market Hall, Ryan déchargeant les huit cartouches et faisant mouche dans la plupart des cas : pas de morts, quelques blessures superficielles, victoire morale pour leur camp. Ryan aimait sentir dans sa main le poids du revolver. Il adorait ça. Il apprit tout ce qu'il y avait à savoir sur les armes à feu.

Par la suite, la situation prit une tournure plus musclée, la querelle avec Cheetham Hill s'envenima et, après une bataille rangée de part et d'autre de l'autoroute A57, une réunion de conciliation fut organisée. Les deux camps arrivèrent armés jusqu'aux dents et la police, alertée à l'avance, intervint. Ryan fut arrêté avec deux autres comparses, et quand on le relâcha avec un coup de pied dans le derrière, il décida que le moment était venu de changer d'air.

Quelques jours après son dix-septième anniversaire, il suivit un copain à Glasgow, où il ne put se résoudre à s'installer car ça lui rappelait trop la maison. Il vagabonda ensuite quelque temps — Newcastle, Birmingham, Sheffield — avant d'atterrir finalement à Nottingham. Il avait maintenant dix-neuf ans et créchait dans un squat de Sneinton, près de la voie ferrée, juste le temps de trouver un logement décent, qui se révéla être un deux-pièces à Radford, à l'angle de l'ancienne usine Raleigh, rasée depuis longtemps.

C'était le milieu de l'après-midi quand Michaelson et Pike tambourinèrent à sa porte. Gregan descendit à contrecœur, vêtu d'un tee-shirt de Manchester City et d'un vieux jean, pieds nus, l'air du gars qui vient juste de se traîner hors du lit.

– Ryan Gregan ?

– Qui ça intéresse ?

– Nous vous demandons de nous suivre au commissariat central.

– Y a une sauterie ?

– Ça dépend, dit Pike.

– Je prends ma guitare, alors ?

– Des chaussures, ça suffira pour l'instant.

– Oh ! super. J'ai justement en haut des Adidas toutes neuves, je rêve de les mettre.

– Grouillez-vous, dit Pike.

Gregan les honora d'un sourire et remonta l'escalier. Il ne leur fallut pas longtemps pour comprendre qu'il ne redescendrait pas. Sorti par la fenêtre donnant sur la cour, il détalait à travers un terrain vague comme s'il avait le diable aux trousses.

Malgré ses deux cents mètres d'avance, il n'avait pas une chance contre les longues foulées bondissantes de Michaelson, et un plaquage qui aurait fait la fierté de n'importe quel avant-centre de rugby l'envoya au sol.

Il n'y a pas encore si longtemps, ils auraient pu enfermer Gregan dans une pièce minuscule, sans air, et le laisser mariner pendant une bonne heure, le temps que l'isolement lui porte sur le système. Aujourd'hui, n'importe quel voyou digne de ce nom en savait suffisamment, si cela arrivait, pour demander à l'avocat commis d'office d'invoquer l'emprisonnement abusif et d'adresser — si on ne lui apportait pas au cours des vingt premières minutes un friand aux saucisses et une canette de Ribena — une pétition à la Cour de justice de La Haye pour violation de ses droits humains.

Donc, respecter le règlement à la lettre.

Quelque chose à manger et à boire.

On convoqua un médecin pour examiner et soigner les blessures infligées durant l'arrestation — entailles et contusions sur le côté du visage, au coude et au genou gauches, toutes occasionnées par le plaquage aérien de l'inspecteur Michaelson — et on prit des polaroïds, dûment datés et signés.

Et tout cela fut exécuté lentement, avec grand soin, en portant une attention pointilleuse à la forme et aux détails : autant de temps de gagné pour faire signer et exécuter un mandat de perquisition de l'appartement de Gregan. C'était peut-être plus un espoir qu'une véritable attente, mais on ne savait jamais…

Dès qu'il fut prêt, Gregan, assisté d'un avocat, fut introduit dans une salle d'interrogatoire équipée de magnétophones et de caméras vidéo, puis invité à s'asseoir en face de Michaelson et Pike.

C'était Michaelson qui avait levé ce lièvre, songeait Resnick, et maintenant qu'il était gonflé à bloc par la poursuite et la capture réussies, il méritait bien qu'on lui donne sa chance d'aller jusqu'au bout. Quant à Pike… ma foi, Pike semblait être un compagnon tout indiqué pour le volubile Michaelson : il était taciturne au point de friser la grossièreté, avec un accent du Nord assorti à sa tête en forme de coin et à son corps trapu.

Pour l'instant, Resnick se contentait de les laisser faire et d'observer le déroulement des opérations d'une pièce adjacente.

– Pas malin, commença Michaelson, de décamper comme tu l'as fait.

Gregan haussa les épaules.

– Une conscience coupable, voilà ce que ça semble indiquer. Quelque chose à cacher. À moins, bien sûr, que tu aies simplement eu envie de piquer un sprint. Une soif d'exercice irrépressible, c'était ça ?

Gregan haussa de nouveau les épaules, mal à l'aise sur sa chaise. Michaelson, lui, était forcé de s'asseoir en retrait de la table, ne pouvant caser confortablement ses jambes dessous.

– Pendant les cent premiers mètres, dit-il sur le ton de la conversation, tu t'es drôlement bien défendu.

– Vous trouvez ?

– Tu n'as suivi aucun entraînement ? Aucun coaching ?

Gregan le considéra, les yeux plissés.

– Pour la course, vous voulez dire ?

– Pour la course, oui.

– Ça risque pas, dit Gregan.

– C'est inné chez toi, alors. Une capacité naturelle. Et beaucoup de pratique, je parie.

Gregan ne répondit pas.

– Ce que tu apprendrais, poursuivit Michaelson, avec un bon coaching, c'est à économiser ton énergie. Quelle que soit la distance, c'est ça la clé. L'endurance, ça peut se développer, bien sûr, mais le rythme, si tu n'apprends pas ça, qu'est-ce qui se passe ? Arrivé dans le virage avant la ligne droite, au dernier tour de piste, tu as besoin d'accélérer et tu n'as plus de jus. Enfin bon, tu as dû le voir toi-même à la télévision, que ce soit aux championnats d'Europe d'athlétisme ou aux jeux Olympiques : un grand type blanc qui fait la course en tête pendant Dieu sait combien de temps, il fait tout le boulot, et puis, sur le fil, voilà trois Kényans maigrichons qui le dépassent comme s'il faisait du sur-place.

– Et le Blanc, c'est moi ? interrogea Gregan. C'est ce que vous dites ?

– Aujourd'hui, c'était le cas.

– Et vous, vous et votre collègue, là, vous êtes les Kényans ?

– Si on veut.

Purée de merde, pensa Gregan, qu'est-ce que c'est que ce cirque ? Un programme de réinsertion pour jeunes délinquants ? Une action en faveur de la sensibilisation communautaire ? Comme ce mec en short, aux yeux pleins d'enthousiasme, qui avait voulu l'embaucher pour des excursions à minuit dans le parc national du

Lake District, ou pour des ateliers théâtre dans une salle paroissiale minable ? Il en avait esquivé quelques-uns, de ces trucs-là, en son temps.

– Un peu raciste, non ? observa-t-il, décidant de jouer le jeu. Ce que vous avez dit sur les Kényans.

Michaelson parut réfléchir à la question.

– Je vois ce que tu veux dire… les stéréotypes raciaux, tout ça ? Comme de dire que les Irlandais sont tous des voleurs et des romanichels. Ce qui est complètement faux, tu ne trouves pas ?

Gregan se tut.

– Toi, par contre, tu ne répugnes pas à voler, enchaîna Michaelson. Si on en croit les rumeurs.

– Vous parlez de faucher des trucs chez Woolworth, ce genre de chose ? Ou quelques pièces dans le sac de ma mémé ?

– Ça pourrait être un début.

– Pour un môme, ça fait partie de l'apprentissage. Un rite d'initiation… c'est comme ça qu'on dit, non ?

Assez de préambules, pensa Resnick de son poste d'observation, même s'il voyait bien la tactique de Michaelson : encourager Gregan à se sentir détendu tout en faisant en sorte qu'il soit un peu désorienté, incapable de prévoir d'où allait venir la question suivante.

Elle ne vint pas de Michaelson.

– Le 14 février, dit Pike d'une voix plus tranchante, plus âpre. Le jour de la Saint-Valentin. Où étais-tu dans l'après-midi ?

Gregan n'eut même pas besoin de réfléchir.

– À Skeggy, dit-il.

– Quoi ?

– Vous savez… Skegness.

– Je connais, merci, dit Pike. Ce qui m'intéresse, c'est de savoir ce que tu faisais là-bas à la mi-février ?

La dernière fois que Pike était allé à Skegness, trois ans plus tôt, c'était en plein été ; et pourtant, le vent qui soufflait de la mer du Nord lui avait fait l'effet d'un couteau sur la gorge.

– Ma copine me l'avait demandé, répondit Gregan. Pour changer de l'habitude.

– L'habitude ?

– Les chocolats, ce que vous voudrez.

– Le nom ?

– Quoi ?

– Le nom de cette fille.

– Karen. Karen Evans.

– Ça doit être sa culotte qu'on a retrouvée chez toi, alors ? À moins qu'elle ne soit à toi, évidemment. Pour faire le travelo.

– Je vous emmerde.

– Cette Karen Evans, intervint Michaelson, elle a une adresse ?

Non, pensa Gregan, elle habite dans un arbre à Clumber Park.

Il leur donna l'adresse, et aussi le numéro de portable.

– Pourquoi vous lui envoyez pas un texto ? À son travail. Vous verrez si elle vous dit pas qu'elle était avec moi ce jour-là.

– Et pas à St Ann, précisa Pike.

– Quoi ?

– À l'angle de St Ann's Hill Road et de Cranmer Street, vers seize heures trente.

– Je vous ai dit où j'étais.

– Des coups de feu ont été tirés, dit Pike. Un officier de police blessé, une jeune fille tuée.

– Je vous répète...

– Parce qu'on nous a affirmé que tu étais sur les lieux.

– Je vous emmerde.

– Tu l'as déjà dit.

– Et je le redis, bordel ! J'étais à cent cinquante bornes de là, à Skeggy, avec Karen, à manger du poisson-frites et à la baiser sur les dunes pendant qu'elle se prenait du sable dans la fente. Demandez-lui, putain !

– On le fera, on le fera. Mais en attendant, nous avons un témoin...

– Quel témoin ?

– Peu importe.

– Sûr que si, ça importe, merde !

– Tu connais un certain Billy Alston ?

– Cet enfoiré ? Et vous lui faites confiance ? Bon Dieu, faudrait que j'aie de l'eau jusqu'aux genoux avant de croire Alston s'il me dit qu'il pleut des cordes !

– À ton avis, demanda Michaelson, pourquoi Alston a-t-il mentionné ton nom ?

– Parce que c'est un pauvre con ?

– À part ça.

Gregan voyait au moins une autre raison, peut-être même deux, qu'il ne voulait divulguer ni l'une ni l'autre.

– Non, dit-il, je vois pas.

L'avocat commis d'office prit la parole pour la première fois :

– Mettre en balance, me semble-t-il, les assertions non corroborées d'un individu louche et un alibi que mon client vous a fourni et qu'il nous assure…

– Certes, l'interrompit Michaelson, mais il reste l'autre chose.

– L'autre chose ?

– Le revolver et les quelque sept cent cinquante cartouches qu'on a retrouvés dans un sac de voyage, dans la chambre de M. Gregan.

Le visage de Gregan en cet instant, pensa Resnick, toujours à son poste d'observation, était l'image même de la prise de conscience désespérée.

– Je voudrais, dit-il d'une voix qui tremblait juste un peu, m'entretenir en privé avec mon avocat.

Il n'était pas question de nier, de faire un tour de passe-passe ou de botter en touche, genre : « Non, c'est pas mon sac, jamais vu de ma vie, quelqu'un a dû le planquer là pour me compromettre » ; « Non, un ami m'en avait confié la garde, j'ignorais ce qu'il y avait dedans. » Gregan, comme le lui avait confirmé son avocat, risquait une peine plancher de cinq ans. Cinq ans, minimum.

Il connaissait suffisamment la prison pour savoir que c'était le dernier endroit où il avait envie d'aller.

– Si mon client, déclara l'avocat, était en mesure de vous procurer des informations utiles pour votre enquête sur cette regrettable fusillade, jusqu'à quel point seriez-vous disposés à fermer les yeux sur le contenu du sac ?

– Fermer les yeux ?

– Oui.

– Faire comme s'il n'avait jamais existé, c'est ça ?

L'avocat tourna la tête de côté et toussa une fois, puis une autre. Il se prit à espérer qu'il n'avait pas attrapé un rhume.

– Ce que souhaite mon client, c'est un certain degré de clémence.

– Ben voyons ! marmonna Pike.

– Il faut que j'en réfère à mon supérieur, dit Michaelson.

– Faites, dit l'avocat en réajustant ses lunettes sur son nez.

Après avoir discuté avec Michaelson, Resnick lui donna ses consignes :

– Dites-lui que nous devons vérifier son alibi. Ensuite, nous écouterons ce qu'il a à nous raconter. Mais, Frank... pas de promesses, OK ?

Karen Evans leva à peine les yeux quand Michaelson et Pike entrèrent dans la boutique. Juste le temps de noter que l'un des deux était inhabituellement grand et qu'ils étaient à l'évidence des officiers de police. Avec le nombre de vols à l'étalage, il y avait des flics qui passaient tout le temps : parfois, ils semblaient prendre le problème au sérieux ; d'autres fois, ils ne faisaient pas grand-chose à part plaisanter avec l'un des membres de la sécurité, feignant de ne pas remarquer quels vêtements précis telle ou telle femme emportait dans les cabines d'essayage — de quoi alimenter, se disait-elle, leurs petits fantasmes personnels une fois rentrés chez eux. Ryan l'avait persuadée de se prêter à ce jeu-là une fois ou deux : tu es dans la cabine d'essayage, en soutien-gorge et culotte, et la porte s'entrouvre... « Culotte », elle détestait ce mot.

Elle finissait de réarranger les pulls sur l'étagère quand le gérant s'approcha et lui dit que les deux policiers voulaient lui parler. Ils pouvaient aller dans son bureau, du moment que ce n'était pas trop long...

Michaelson aurait menti s'il avait prétendu ne pas avoir espéré que ce soit elle. Petite — menue, c'était bien le mot ? —, mais pas comme ces mannequins qu'on voyait toujours dans les défilés, maigres comme des brindilles, qui donnaient l'impression de devoir se briser si jamais on les touchait. Celle-là semblait plus coriace que ça, avec ses cheveux bruns coupés court et striés de mèches rougeâtres. Elle portait un débardeur pâle qui la moulait fort agréablement et une petite jupe courte, marron à gros pois blancs, par-dessus des collants foncés qui gainaient ses jambes jusqu'aux bottines rouges.

– Ta langue, dit Pike.

– Ben quoi ?

– Elle traîne par terre.

Ils s'entassèrent tous les trois dans le bureau exigu, Michaelson inconfortablement penché en avant, comme si sa tête risquait de frôler le plafond. Il sentait le parfum de la fille — quel âge avait-elle ?

77

dix-huit ans ? dix-neuf ? — et une autre odeur qui, espéra-t-il sans trop d'illusions, n'était pas celle de sa propre transpiration.

Karen les regarda avec une certaine impatience.

– C'est au sujet des quatre types qui ont semé la pagaille dans la boutique, la semaine dernière ?

– Ryan Gregan, dit Pike.

Karen battit des paupières.

– Vous le connaissez ? ajouta-t-il.

Elle acquiesça, cligna à nouveau des paupières.

– Oui.

– C'est votre petit ami ?

– Ma foi, oui... (Elle leva les yeux vers Michaelson.) Il lui est arrivé quelque chose ? À Ryan ?

Michaelson secoua la tête.

– Il va bien.

– C'est vrai ? J'ai cru que, peut-être, il avait eu un accident...

– Rien de tel, dit Michaelson, qui vit le corps de Karen se détendre. Est-ce que vous vous rappelez où vous étiez le jour de la Saint-Valentin ?

– Évidemment. Pas vous ?

Michaelson rougit. Le soir de la Saint-Valentin, assis en face de sa copine qu'il connaissait depuis dix-huit mois, chez Hart — un restaurant snob qui lui avait coûté cuir et peau —, il lui avait demandé si, à son avis, le moment n'était pas venu pour eux de se fiancer officiellement, et elle avait ri, persuadée qu'il plaisantait, et Michaelson, malgré lui, s'était esclaffé avec elle pour camoufler son embarras.

– Où étiez-vous ? demanda Pike à Karen.

– À Skegness avec Ryan, à me geler le cul.

– Toute la journée ?

– Plus ou moins.

– À quelle heure êtes-vous rentrés ?

– Je n'en sais rien. Six ou sept heures, dans ces eaux-là.

– Pas plus tôt ?

– Non. Pourquoi ? Qu'est-ce que ça signifie ?

– Et Ryan est resté tout le temps avec vous ?

– Oui. Enfin... pas à chaque seconde. Mais, oui, on était là-bas ensemble. La Saint-Valentin, quoi. J'avais réservé six mois à l'avance.

Outre les mèches rouges, Michaelson remarqua dans ses cheveux quelques reflets argentés, visibles uniquement quand elle bougeait la tête d'une certaine façon.

– Ryan, dit-elle. Il a des ennuis, c'est ça ?

– Oui, répondit Michaelson.

Karen se détourna, les yeux rivés sur le tableau de service accroché au mur.

– Votre petit ami, dit Pike, vous avez une idée de ce qu'il fait pour gagner sa vie ?

– Bien sûr. Il est chef de rayon chez Northern Foods.

Ils vérifièrent cette info avant de regagner le commissariat. Ryan Gregan avait été employé à titre temporaire comme préparateur de sandwichs, service de nuit, et avait tout plaqué au bout de deux semaines.

Resnick débattit avec Bill Berry de ce qu'ils pouvaient légitimement offrir et de ce qu'ils devaient exiger en retour.

– Nous sommes certains qu'il n'est pas impliqué personnellement ? demanda Berry.

– La petite amie pourrait mentir, mais non, ça paraît improbable.

– Alors jouez le coup avec précaution, Charlie. Consultez le ministère public. Si nous devons recruter ce Gregan, que ce soit fait convenablement. Dans les règles.

Pas les mêmes règles, apparemment, que celles que Resnick avait vu Bill Berry appliquer à un suspect vers la fin des années soixante-dix : un violent coup sur l'occiput administré avec l'annuaire du téléphone local. « Encore quelques châtaignes comme celle-là, avait plaisanté Berry en regardant le type se remettre péniblement debout, les jambes flageolantes, et je vous fous mon billet que tous les faits lui reviendront en mémoire, gravés dans la bouillie qui lui sert de cerveau. »

Heureuse époque !

Resnick envoya Pike se renseigner sur les contacts possibles de Gregan et prit Michaelson avec lui.

Gregan était assis sur sa chaise inclinée en arrière, les mains nouées derrière la tête. Il attendit que Resnick ait pris place en face de lui pour ramener lentement la chaise en position verticale et poser ses mains sur le bord de la table.

– Il va falloir que nous sachions tout sur le revolver, dit Resnick. Les munitions, aussi. Et sur les coups de feu à St Ann...

Gregan ouvrit la bouche pour parler, mais un regard de Resnick le stoppa net.

– ... sur le meurtre de Kelly Brent, sur Billy Alston. Bref, absolument tout ce que vous savez.

– Et si j'accepte ?

– Si vous acceptez, et si vos déclarations se confirment, alors — et seulement alors — nous verrons ce que nous pouvons *ne pas* faire pour vous aider.

– C'est tout ?

– C'est tout.

– Et je suis censé vous servir la totale sur un plateau sans avoir une seule promesse en échange ?

– Exact.

– Plutôt crever, oui !

– Très bien. (Resnick se leva.) Conduisez-le au sergent de garde pour le faire inculper. Détention illégale d'arme à feu et de munitions, article 24 de la loi relative aux pièces à conviction et de la loi de 2006 sur la réduction des actes de violence...

– Bon, bon, d'accord, bordel de merde !

– Monsieur Gregan ?

– J'ai dit : d'accord.

8

Lynn avait passé l'après-midi à regarder *Chantons sous la pluie*, le DVD acheté à Tesco Metro pour la coquette somme de 4,99 livres sterling. C'était l'un des films préférés de sa mère et Lynn lui en avait offert la cassette vidéo pour son anniversaire, quelques années plus tôt, à l'époque où les cassettes étaient le nec plus ultra. Lors de ses visites, elles s'asseyaient ensemble pour visionner le film, sa mère connaissant si bien les répliques qu'aux moments clés elle les récitait avec les acteurs, tandis que Lynn, ennuyée par les dialogues, attendait avec impatience le prochain numéro de danse endiablé, la prochaine petite explosion d'action.

Sa mère adorait Gene Kelly ; Lynn, qui le trouvait bien trop fanfaron et content de lui, applaudissait toujours au moment où la jeune Debbie Reynolds lui rabattait son caquet, au moins temporairement, et le faisait redescendre sur terre. Jusqu'à ce qu'il exécute la danse, évidemment. La danse avec le parapluie, sous l'averse. Rien que pour ça, jugeait Lynn, on pouvait lui pardonner à peu près n'importe quoi.

Elle avait réussi à aller à pied dans le centre-ville sans être trop gênée, les côtes encore un peu douloureuses, mais la respiration relativement aisée et normale. Sur le marché, elle avait acheté six petites saucisses — des chorizos — dans un emballage sous vide et, à un autre étal, des oignons, du céleri et un bouquet de persil ; chez Tesco, outre le DVD, elle avait fait l'emplette d'une boîte de tomates pilées pour compléter celle qui était dans le placard de la cuisine, et une autre de pois chiches. Et un petit pot de crème fraîche.

Si elle était arrivée à remonter la côte en transportant ces provisions sans aggraver sa blessure, cela prouvait qu'elle était sur la bonne voie.

En début de soirée, dans la cuisine, tout en écoutant Radio 4 d'une oreille distraite, elle éminça des oignons en essuyant ses larmes d'un revers de manche. Faire couler le robinet d'eau froide pour ne pas pleurer, c'était le remède de sa mère ; Charlie, lui, préférait offrir son visage à l'air frais qui entrait par la fenêtre ouverte ; pour Lynn, il n'y avait pas à tortiller : si on voulait des oignons, il fallait prendre les larmes avec.

Tandis qu'elle ajoutait dans la casserole les morceaux de saucisses et que le jus virait peu à peu à l'orange, elle entendit la clé de Resnick tourner dans la serrure.

Il resta un moment sur le seuil de la cuisine à humer l'odeur.

– Je pourrais finir par m'y habituer, tu sais.

– À quoi donc ?

– Te retrouver à la maison, en train de préparer le dîner.

– Le repas qui t'attend après une rude journée au bureau, c'est ça ?

– C'est l'idée.

– Et tant qu'on y est, l'aspirateur passé dans toute la maison, le repassage terminé, les chemises suspendues à leurs cintres…

– Alors là, ce serait le nirvana !

– Tiens, dit-elle en lui plaquant la spatule dans la main. Remue, j'ai envie de faire pipi.

Resnick tripota le bouton de réglage de la radio, cherchant autre chose que du bavardage culturel. Il n'y avait apparemment comme autres choix que de l'opéra, ou ce qu'on appelait aujourd'hui — croyait-il savoir — de la « musique urbaine », ou encore des cuistres volubiles qui s'écoutaient parler avec délectation. Il éteignit le poste et se concentra sur le ragoût.

Lorsque Lynn revint, il lui en fit goûter un généreux échantillon sur le bout de la spatule.

– Comment tu trouves ? demanda-t-il.

– Tu as ajouté quelque chose.

– Juste un peu de paprika.

– Hmm…

– Trop ?

– J'hésite.

– Avec la crème fraîche, ce sera parfait.

– Si tu le dis.

Resnick avait acheté une bouteille de vin, qu'il déboucha avant de prendre deux grands verres sur l'étagère.

– Il ne faut pas le laisser respirer un peu ?

– Si, sans doute.

Ils s'assirent à la table de la cuisine, les chats se faufilant entre leurs pieds dans l'espoir d'une offrande. Le repas, pensait Lynn, était à mille lieues de ce qu'elle avait connu dans sa famille, où les menus de sa mère variaient rarement : poulet rôti, côtelette d'agneau ou bifteck le week-end ; viande froide ou hachis Parmentier le lundi ; le mercredi et le jeudi, gratin de choux-fleurs ou pommes de terre cuites au four ; le vendredi, du poisson.

Quand Lynn avait quitté la ferme pour vivre seule, elle s'était nourrie de pâtes, de pizzas à emporter et de salades de supermarché vendues en sachets qu'on vidait directement dans l'assiette. La vie avec Resnick avait élargi ses horizons, au moins dans ce domaine-là. Elle avait également appris à différencier Billie Holiday d'Ella Fitzgerald et de Sarah Vaughan ; parfois, elle arrivait même à distinguer Ben Webster de Coleman Hawkins ou de Lester Young.

– Comment ça s'est passé aujourd'hui ? demanda-t-elle. Des progrès ?

– Un peu.

Elle écouta avec intérêt le compte rendu de l'interrogatoire de Ryan Gregan.

– Le revolver, dit-elle, ce n'est pas celui…

– Qui a été utilisé contre toi et Kelly Brent ? Non. C'est un semi-automatique. 9 mm. Un flingue sacrément lourd. Suisse, d'après Gregan. En usage dans la police ou l'armée suisse. Mais il y a des chances pour que ce soit une copie croate.

– Et pourquoi Gregan l'avait-il ?

– Eh bien… (Resnick piqua sur sa fourchette un morceau de chorizo.)…l'ennui, avec les gens comme Gregan, c'est qu'ils passent une grande partie de leur vie à mentir, ce qui leur permet de rendre plausible à peu près n'importe quoi. Mais à l'en croire, il est retourné à Newcastle pour le Nouvel An, histoire de revoir quelques copains et de faire la fête. Il avait habité là-bas un moment avant de s'installer à Nottingham. Le 1er Janvier, donc, ils allaient tous prendre tranquillement un verre dans cette boîte, du moins le croyaient-ils, quand brusquement une bagarre éclate. Gregan affirme ne pas savoir ce qui l'a déclenchée, mais en quelques instants tout le monde est pris dedans. C'est la mêlée générale. Voyant un de ses copains recevoir un verre en pleine figure, Gregan casse une bouteille sur le bar, se jette sur le mec qui a fait ça et lui arrache un œil. Pour reprendre son expression, on aurait dit un œuf mollet dans une bouteille vide de *Newcastle Brown*.

Lynn reposa dans son assiette la bouchée de ragoût qu'elle avait portée à ses lèvres.

– Sur ce, la police arrive, tout le monde décampe et Gregan rentre ici par le train du matin. Deux jours plus tard, un de ses amis l'appelle. Les mecs avec qui ils ont eu le clash savent où il est et sont décidés à se venger de lui. Ce sont des vicelards, lui dit son copain. Gregan en conclut qu'il a intérêt à se protéger. Et il va s'acheter un revolver.

– Comme ça, là ?

Resnick haussa les épaules.

– Ce n'est pas compliqué. Tu le sais aussi bien que moi.

– Un revolver et… combien, déjà ?…. sept cents cartouches ?

– À quelques unités près.

– Qu'est-ce qu'il voulait faire ? Déclencher une miniguerre ?

– Il dit que c'était le contrat. Tout ou rien.

– Et ça remonte à quand ? Au début de l'année ?

Resnick rompit un morceau de pain pour saucer son assiette, ne rien perdre du jus.

– Oui. D'après Gregan, il a essayé de le refourguer au mec à qui il l'avait acheté, mais le gars avait disparu. Introuvable. C'est là que Gregan a commencé à faire savoir autour de lui qu'il serait disposé à vendre.

– C'est son activité ? demanda Lynn. Il achète et revend des revolvers ?

Elle se pencha pour remplir de nouveau leurs verres.

– Il ne répugne pas non plus à s'en servir, à en juger d'après son casier. Mais en l'occurrence, je pense qu'il a bel et bien cherché à vendre. Il a envoyé quelques gars flairer à droite et à gauche, rien de défini, il réclame un bon prix, et puis ce Billy Alston vient le trouver, c'est le marchandage habituel, mais ils finissent apparemment par se mettre d'accord. Cent cinquante, cash. Comme ça se trouve, Alston n'a que quatre-vingt-dix livres sur lui, il aura du mal à trouver le reste, mais bon, il pourrait prendre livraison maintenant et verser le solde dans une semaine, c'est d'accord ? Tu imagines ce que pense Gregan de cette proposition. Il dit à l'autre de déguerpir. (Son pain avalé, Resnick se lécha les extrémités des doigts.) Une semaine plus tard, Alston est de retour. Il a l'impression qu'un gros truc se prépare, une explication de gravure avec St. Ann, et il donnera à Gregan les cent cinquante livres, rubis sur l'ongle. Ils fixent un rendez-vous, Alston se pointe avec une demi-douzaine de gars et essaie de persuader Gregan de baisser le prix. Gregan n'aime pas qu'on se foute de sa gueule, il n'apprécie pas qu'on lui mette la pression, et il se tire vite fait. Le surlendemain, il apprend qu'il y a eu du grabuge et que Kelly Brent a été tuée.

– Et il pense qu'Alston est responsable ?

– Selon lui, ça ne peut pas être une simple coïncidence. Il suppose qu'Alston nous a balancé son nom parce que le marché avait capoté.

– C'est valable aussi pour Gregan.

– Exact. Mais avec une inculpation pour détention d'arme qui lui pend au nez, il a intérêt à se tenir à carreau. D'autre part, nous savons formellement qu'Alston était sur les lieux.

– Tu vas l'arrêter ?

– Alston ? Au plus vite.

Lynn débarrassa l'assiette vide de Resnick et la posa sur la sienne.

– Et du côté de Gregan, quelle est la situation ?

– Liberté conditionnelle. Il est en première ligne. Il a accepté de se renseigner autour de lui. Si ce n'est pas Alston qui a tiré, il pourrait bien avoir une petite idée de qui c'était. Et en attendant, nous avons sa déposition — impliquant Alston — sur bande magnétique.

– Tu n'as pas peur qu'il mette les bouts ?

– C'est toujours un risque. Mais s'il ne s'enfuit pas, s'il se révèle digne de confiance, nous pourrons encore l'utiliser. Un type qui connaît aussi bien le marché local des armes à feu, on n'a pas eu ça depuis un bail. (Resnick repoussa sa chaise.) Tu plonges et j'essuie ?

Comme souvent, Lynn était encore en train de lire au lit quand Resnick éteignit sa lampe de chevet, s'allongea et remonta les couvertures jusqu'aux épaules. Il était plus qu'à moitié endormi quand il sentit Lynn se pelotonner contre lui, un bras autour de sa poitrine, les jambes pressées contre les siennes.

– Bonne nuit, Charlie, dit-elle doucement en l'embrassant à la base du cou.

Dix minutes plus tard, bien réveillé, il se tourna vers elle et l'embrassa sur la joue, puis sur la bouche, avant de glisser une main vers ses seins.

– Charlie…, murmura-t-elle d'une voix ensommeillée.

– Hmm ?

– Juste un petit câlin, d'accord ?

– OK, dit-il en essayant de camoufler son désappointement.

Ils se levèrent tôt tous les deux. Lynn, étrangement absente, passa plus de temps que d'habitude dans la salle de bains puis resta plantée au milieu de la chambre, indécise, ne sachant comment s'habiller. Elle hésitait encore lorsque Resnick passa la tête par l'entrebâillement de la porte.

– Je file.

– Déjà ?

Il consulta sa montre.

– On doit agrafer Alston très bientôt.

– Bonne chance.

– Merci.

S'approchant rapidement, elle l'embrassa sur la joue et lui étreignit le bras.

– Je suis désolée pour hier soir.

– Pas grave, dit-il, un sourire dans les yeux.

– C'est juste que je n'avais pas envie.

– Je sais. (Il la serra contre lui et s'écarta.) Prends soin de toi.

– Toi aussi.

– Je ferai de mon mieux.

Elle écouta ses pas lourds dans l'escalier, puis le déclic de la porte qui se fermait. Encore un coup d'œil sur le pantalon noir, dans la glace, et elle changea d'avis : elle allait plutôt mettre la jupe en lin beige qu'elle avait dégotée sur un coup de bol aux soldes de Jigsaw.

9

Vu la forte possibilité que Billy Alston soit en possession d'une arme à feu, ou qu'il y ait des revolvers et des munitions sur les lieux, on avait demandé à l'Unité des armes tactiques, attachée au Soutien opérationnel, de « prêter » des hommes de l'Unité d'intervention rapide — armés pour leur propre sécurité et pour la protection du public, selon la formule consacrée.

La maison où habitait Alston avec ses trois jeunes frère et sœurs, sa tante et sa mère, était proche d'une grand-route qui, même à cette heure matinale, risquait d'être assez fréquentée. En conséquence, juste avant que les policiers n'entrent en scène pour procéder à l'arrestation, des barrages routiers seraient mis en place.

Assis avec Catherine Njoroge dans une voiture banalisée, un peu plus loin sur le boulevard, Resnick était légèrement déstabilisé par la capacité de Catherine à rester si longtemps immobile, sans parler ni même éprouver le besoin de parler.

Sinon, il se satisfaisait parfaitement d'être proche de l'action sans y être directement mêlé ; grade mis à part, l'époque où il cavalait dans les escaliers en hurlant à pleins poumons était, songeait-il sans déplaisir aucun, bel et bien révolue.

Trente et un officiers en tout, neuf véhicules, le dispositif n'était pas précisément léger-léger, mais, comme l'avait fait observer Bill Berry, ils avaient de bonnes raisons de croire que le jeune Alston avait non seulement abattu quelqu'un à bout portant, mais également tiré sur un officier de police dans l'exercice de ses fonctions.

– Pas de risques, hein, Charlie ! Ni dans un sens ni dans l'autre.

Tout à fait d'accord, pensa Resnick en consultant sa montre.

Encore quelques bonnes minutes avant le signal.

Il appuya sa tête contre le dossier et ferma les yeux.

Il y avait un pub, il s'en souvenait, à l'angle du boulevard où ils se trouvaient maintenant, dont l'animation dépassait même les critères locaux, où des soirées étaient organisées presque tous les week-ends dans la salle de réception au-dessus du bar. Resnick y avait rencontré autrefois une femme, bien avant Lynn, et même bien avant de se marier. Jeune agent de police, son service terminé, le vendredi soir, il se rendait le plus souvent au Bell, à proximité de Slab Square, en quête d'un peu de jazz ; sinon, il allait au Dancing Slipper, où Ben Webster, l'un de ses héros de l'orchestre d'Ellington, s'était présenté un soir trop saoul pour tenir debout, à plus forte raison pour jouer. Mais ce soir-là, deux copains de Resnick se rendaient à un anniversaire au pub et l'avaient entraîné avec eux, malgré ses réticences.

– On ne sait jamais, Charlie, tu auras peut-être un coup de pot.

D'une certaine façon, il l'avait eu.

Elle était grande, avec ces cheveux permanentés en boucles serrées qui étaient à la mode à l'époque. Une brune aux yeux bleus. Elle l'avait entraîné en riant sur la piste de danse. Un morceau de Geno Washington ou des Foundations ; Jimmy James, peut-être, et les Vagabonds.

– Vous savez danser, au moins ? avait-elle demandé en riant de plus belle.

Ma foi… en ce temps-là, il savait à peu près.

Quand il l'avait embrassée, plus tard, dans la rue, elle avait les lèvres fraîches, promptes, et ses cheveux sentaient la sueur et le tabac.

– Est-ce que je vous reverrai ? avait-il demandé tandis que le taxi de l'inconnue se rangeait le long du trottoir.

– Peut-être.

Et, avec un stylo emprunté au chauffeur, elle avait écrit son numéro de téléphone sur le poignet de Resnick. Il s'était alors aperçu qu'il ne connaissait pas son nom.

– Linda, avait-elle lancé par la fenêtre du taxi. N'oubliez pas !

Trois jours plus tard, il lui téléphonait :

– Je ne sais pas si vous vous souvenez de moi…

– Bien sûr que si, répondit-elle d'un ton enjoué. Vous êtes le danseur aux deux pieds gauches.

La première fois, il était allé chez elle, dans un ancien cottage de journalier qu'elle louait à Loscoe ; ils s'étaient un peu pelotés sur le divan et, juste au moment où il pensait conclure, il s'était retrouvé à la porte avec une accolade et un rapide baiser sur la joue. La fois d'après, elle avait laissé la porte déverrouillée et l'attendait assise dans son lit avec un verre de vin, la chambre éclairée par des bougies.

Pendant les trois mois suivants, il la vit à chaque minute qu'il avait de libre, à chaque minute qu'elle lui accordait, jusqu'au soir où il se présenta à l'improviste, plein d'espoir, et où la porte lui fut ouverte par un ambulancier dont la chemise déboutonnée sortait de son pantalon d'uniforme.

– Elle est occupée, dit l'inconnu en refermant aussitôt la porte.

Sa veste avait été soigneusement pliée sur l'une des chaises à dossier droit.

Resnick la vit encore deux fois après ça, puis plus du tout. Il apprit un jour qu'elle était partie pour le comté de Cumbria, dans le Lake District, afin de prendre la direction d'un des grands hôtels. Elle y était restée et avait convolé. Resnick était lui-même marié à ce moment-là, avec Elaine, et ça n'avait guère eu d'importance.

Maintenant, pour quelque raison stupide, ça en avait.

Je vis depuis trop longtemps dans cette satanée ville, pensa-t-il, et plus ça va, plus il y a de fantômes qui viennent frapper à ma porte.

Il jeta de nouveau un coup d'œil sur sa montre.

– OK, dit-il dans la radio, barrages en place.

Quelques instants avant de donner l'ordre d'y aller, il jura à mi-voix, le regard rivé sur la route.

– Qu'est-ce qui se passe ? demanda Catherine Njoroge.

Mais elle avait déjà repéré, elle aussi, la camionnette de télévision qui s'était arrêtée le plus près possible des lieux de l'action.

En plein milieu des quartiers déshérités, même à une heure matinale, Resnick avait bien pensé que l'arrestation pourrait devenir une sorte d'événement public. Ce qu'il n'avait pas prévu, en revanche, c'était la présence d'une équipe de télévision locale et d'une jeune journaliste zélée qui, sans aucun doute, brandirait bientôt son micro dans tout le quartier, recueillant un assortiment de réactions qu'elle pourrait ensuite monter à son avantage.

– Allez-y, dit-il dans la radio. Maintenant !

Billy Alston avait le sommeil léger. Presque à l'instant où les policiers enfoncèrent la porte, en bas, il était complètement réveillé et sautait déjà du lit. Vêtu uniquement du caleçon à rayures et du maillot de corps dans lesquels il dormait, il sortit de la pièce tandis que son frère cadet, avec qui il partageait la chambre, remuait à peine. Des pas précipités dans l'escalier, des voix qui criaient : « Police ! Police ! Police armée ! »

D'un coup de pied, Alston ouvrit la porte de la mansarde où dormaient ses sœurs, entourées de poupées et de peluches, Lauren à moitié sortie du lit supérieur, un bras pendant vers le sol. Quand il poussa le loqueteau, la fenêtre du toit en pente refusa de bouger ; Alston s'empara d'un tabouret, replia un bras sur sa tête et balança le tabouret au centre de la vitre.

Il entendait maintenant sa mère et sa tante qui hurlaient, les voix des flics qui enflaient, leurs pas qui se rapprochaient. Levant les bras, il agrippa les côtés de la fenêtre et se hissa à travers l'ouverture.

Derrière lui, Lauren poussa un cri et enfouit sa tête sous les couvertures en voyant un agent de police armé faire irruption dans la pièce.

Alston se laissa glisser vers la gouttière, dispersant dans son sillage des tuiles disjointes, et resta un moment en équilibre instable avant de sauter, pieds nus, sur le toit en terrasse de l'annexe. Un autre saut, dans l'arrière-cour, mais cette fois il se reçut mal et se tordit la cheville ; il se remit debout tant bien que mal et se dirigea clopin-clopant vers la barrière, à moitié dégondée, qui ouvrait sur l'étroit passage séparant les rangées de maisons.

Des tireurs d'élite étaient postés à quinze mètres, dans les deux directions, armes levées.

Purée de merde !

Sans attendre d'y être invité, Alston leva les mains et les plaça derrière sa tête, les doigts entrelacés.

– Couchez-vous ! Couchez-vous par terre. Allez ! Allez ! Tout de suite !

Lentement, Alston obéit.

– Un western-spaghetti, Charlie, voilà ce que c'était, un putain de western-spaghetti ! On se serait cru dans *Life on Mars*[1], bordel !

---

1. Série policière britannique. *(N.d.T.)*

Ils venaient de regarder le journal télévisé, où on voyait un essaim de policiers armés jusqu'aux dents converger vers une maison mitoyenne d'aspect inoffensif, reportage entrelardé de commentateurs, Noirs et Blancs confondus, qui parlaient, presque unanimement, d'intimidation policière, d'excès de zèle, de harcèlement d'une communauté tout entière.

« L'objectif du raid, selon une porte-parole de la police, était d'arrêter un jeune homme — dont les autorités refusent pour l'instant de dévoiler l'identité — afin de l'interroger dans le cadre du meurtre de Kelly Brent, cette adolescente de quinze ans tuée par balle à Cranmer Street. L'une des raisons invoquées pour justifier la présence de tant de policiers armés était la possibilité bien réelle qu'il y ait des revolvers et des munitions sur les lieux. À notre connaissance, on n'a découvert jusque-là ni armes à feu ni cartouches. »

Images prises de loin, légèrement floues, d'un agent enfonçant la porte tandis que d'autres s'engouffraient dans la maison.

« La question que nous devons nous poser est de savoir dans quelle mesure ce genre d'opération contribue à aliéner ces communautés mêmes que la police a pour mission de servir. »

La caméra cadra en plan serré le visage parfaitement maquillé de la journaliste et ses cheveux impeccablement coiffés.

« Ici Robyn Aspley-Jones qui vous parlait de… »

Bill Berry la fit taire au moyen de la télécommande, effaçant l'image de l'écran.

– Un désastre médiatique, Charlie.

– Je ne savais pas, dit Resnick, que les relations publiques étaient notre principale préoccupation.

– Vous déconnez, Charlie, ou quoi ? Où étiez-vous ces quinze dernières années, merde ?

Resnick choisit ses mots avec soin.

– Sauf votre respect, monsieur, j'ai tendance à considérer l'opération de ce matin comme un succès. L'homme que nous recherchions a été appréhendé sans qu'un seul coup de feu n'ait été tiré et on l'interroge en ce moment même. Une fouille approfondie de la maison est encore en cours et, n'en déplaise à Robyn Machinchose, il est beaucoup trop tôt pour dire quel en sera le résultat.

Berry émit un long soupir pénétré.

– D'accord, Charlie, très bien. Mais pour l'amour de Dieu, ne commencez pas à me donner du « monsieur ». Ce genre de comportement n'est vraiment plus de notre âge.

On avait fourni à Alston un jean trop large de plusieurs tailles et un blouson Nike dont la fermeture-éclair était cassée. Son avocate portait une jupe à fines rayures qui lui couvrait les genoux et une élégante petite veste par-dessus un chemisier rose pâle. De temps à autre, elle notait vivement quelque chose sur le carnet à spirale ouvert devant elle sur la table.

– *Casino Royale* ? dit Michaelson.

– Quoi ?

– Le nouveau Bond.

– Ben quoi ?

– Tu ne l'as pas vu ? Daniel Craig, le nouveau James Bond ?

Alston le dévisagea, méfiant.

– En te voyant sauter comme ça par-dessus les toits, enchaîna Michaelson, j'y ai tout de suite pensé. Je me suis dit que tu l'avais peut-être vu, que tu voulais essayer toi aussi.

– Vous vous foutez de ma gueule, là, hein ?

– Dommage, la chute à la fin, la culbute, mais à part ça, si jamais tu veux te lancer dans le métier de cascadeur…

Dans une pièce voisine, Resnick et Bill Berry observaient la scène sur un moniteur.

– Vous savez à qui ils me font penser, ces deux-là ? dit Berry.

– Michaelson et Pike ? Non, à qui ?

– Laurel et Hardy, vous vous souvenez ?

– Pas souvent.

– Laurel et Hardy sans les rires.

Difficile à imaginer, songea Resnick.

– Venez-en au but, dit-il dans l'oreillette de Michaelson.

Juste au moment où Pike attaquait :

– Deux jours avant le meurtre de Kelly Brent, tu as essayé d'acheter un revolver.

– Ah bon ?

– Des problèmes avec St Ann, c'est ce que tu as dit.

– Ah ouais ?

– Tu avais besoin d'une arme, d'une protection, c'est ça ?

Alston secoua la tête sans répondre.

– Deux jours avant que ça arrive, Billy. Des problèmes avec St Ann, tu l'as dit toi-même. (Pike abattit violemment la paume de sa main sur la table.) Une jeune fille est morte.

Alston battit des paupières.

– Kelly Brent, tu la connais, Billy ?

– Non.

– Tu ne la connaissais pas ?

– Je savais juste qui c'était, quoi. Je la voyais dans le coin, ouais.

– Elle avait quel âge ? Quinze ans, seize ?

– Sais pas, mec. Encore une fois, je la connaissais pas vraiment.

– Tu as des sœurs, Billy, pas vrai ?

– Elles ont rien à voir avec ça.

– Quel âge ont-elles, Billy ? Tes sœurs ?

– Je ne vois pas le rapport…, intervint l'avocate.

– Allons, Billy, quel âge ?

– Onze et sept, ça vous va ?

– Onze et sept.

– Ouais, mais c'est pas…

– Suppose que ça soit arrivé à l'une d'elles ? dit Michaelson. Qu'est-ce que tu ressentirais, là ?

Alston le fixa sans répondre.

– C'est si vite arrivé, Billy. Une fraction de seconde, un type armé d'un revolver…

Alston changea de position, s'assit en biais et laissa pendre ses bras d'un côté, longs doigts, grandes mains.

– Cette petite confrontation avec St Ann, dit Pike. Cette réunion que vous avez eue. Il fallait s'attendre à du vilain, pas vrai ?

Alston haussa les épaules.

– Billy, tu pensais qu'il y aurait du vilain ?

– Rien qu'on puisse pas contrôler.

– Rien que vous ne puissiez pas contrôler…

– Ouais, c'est ça.

– Parce que tu avais un revolver.

– J'avais pas de flingue.

– Deux jours plus tôt, tu essayais d'en acheter un.

– Non.

– Le parking du pub, à Carlton. Onze heures et demie.

– Je connais pas de pub à Carlton. J'ai même jamais mis les pieds dans ce patelin.

– On a un témoin, Billy.

– Ah ouais ? Ben, il ment. Je sais pas qui c'est, mais je vous dis qu'il ment.

– Tu n'écoutes pas, Billy, dit Michaelson. On sait que tu es allé là-bas et on sait pourquoi. Tu y es allé pour acheter un revolver.

– C'est des conneries !

– Cent cinquante livres pour une arme et des cartouches, c'était le deal.

Alston ouvrit la bouche pour dire quelque chose puis s'adossa à sa chaise, une ébauche de sourire sur les lèvres.

– Supposons — supposons, d'acc ? — que je suis allé là-bas, comme vous le dites…

Son avocate tendit la main comme pour le faire taire.

– Et supposons, juste histoire de discuter, hein, que j'avais dans l'idée d'acheter ce flingue…

– Billy, intervint l'avocate, je ne pense pas…

– Donc, si vous avez causé à ce mec qu'était là-bas, vous savez que je l'ai pas acheté, ce flingue, d'acc ?

– Billy…

– P'têt' bien que j'étais tenté d'acheter un flingue, et p'têt' bien que je me suis dit — comme on arrête pas de me le seriner — que c'était pas cool de faire un truc pareil. Alors j'suis reparti. À ma connaissance, y a aucune loi qu'interdit de changer d'avis ; donc, si vous avez rien d'autre à me reprocher, vous perdez votre temps et moi aussi. Pigé, m'sieur Bond ?

– Putain de merde, Charlie ! dit Bill Berry. Ce petit salopard les mène par le bout du nez.

Resnick enjoignit à Michaelson de suspendre l'interrogatoire et d'accorder une pause à Alston. Quarante-cinq minutes plus tard, il prit lui-même le relais, emmenant Anil Khan avec lui, espérant toujours un compte rendu positif des experts de l'Identité judiciaire qui fouillaient la maison.

Alston, à l'en croire, avait finalement renoncé à acheter le revolver parce qu'il s'était rendu compte que c'était stupide : on risquait une lourde peine si on se faisait prendre avec une arme à feu en sa possession. Et il soutenait que non, à sa connaissance, aucun des gars de sa bande n'était allé armé à St Ann ce jour-là. Quant à l'identité du tireur, il n'en avait aucune idée. Pas plus que la police elle-même.

Resnick savait que le temps était compté.

Inculpe-le ou relâche-le.

Il était de retour à son bureau depuis une vingtaine de minutes quand l'un des flics de permanence lui passa un coup de fil.

– Howard Brent, monsieur. Il est ici, à l'accueil. Il voudrait vous voir si possible.

Resnick soupira et leva les yeux au plafond.

– Je descends.

Aujourd'hui, Brent portait ses Converse bleues, un jean noir et un blouson en daim, un tee-shirt blanc avec deux chaînes en or qui se chevauchaient, un anneau d'or à l'oreille en lieu et place du piercing.

– Monsieur Brent, que puis-je ?….

– Vous arrêtez quelqu'un pour le meurtre de ma fille, et faut que j'apprenne ça par un coup de téléphone du journal ?

– Monsieur Brent…

– C'est de ma fille qu'on parle, là…

– Monsieur Brent, si vous ne vous étiez pas montré aussi hostile envers les policiers qui travaillent sur cette enquête…

– Hostile ? Elle est bien bonne, celle-là, venant de vous ! C'est moi qui suis hostile, maintenant !

– Si vous n'aviez pas obstinément refusé de collaborer avec l'officier de liaison, vous auriez alors été informé dans les règles, par la voie normale. Les choses étant ce qu'elles sont, oui, je peux vous confirmer qu'un suspect a été arrêté et qu'il est actuellement interrogé dans ce commissariat.

– Alston, c'est ça ?

– Monsieur Brent…

– Dans la rue, on parle d'un Billy Alston. C'est ce que tout le monde dit.

– Une déposition…

– Holà, mec ! (Brent pointa l'index sur le visage de Resnick.) Déconnez pas avec moi. Si Alston est là parce qu'il a tué ma fille, j'ai le droit de savoir !

Avec lassitude, Resnick secoua la tête.

– Monsieur Brent, tout ce que je peux vous dire, c'est ceci : nous interrogeons un témoin dans le cadre de notre enquête et rien de plus. Il n'y a eu aucune inculpation concernant le meurtre de votre fille.

Brent émit un son railleur, à mi-chemin entre un grognement et un rire.

– Quand cela se produira, poursuivit Resnick, vous en serez informé. Pour l'instant, veuillez rentrer chez vous. Il n'y a rien que vous puissiez faire ici.

– Vous croyez ça ? C'est ce que vous croyez ? Ouais, ben moi je vous le dis, on va la régler, cette histoire ! D'une façon ou d'une autre. Vous m'entendez, hein ? Vous m'entendez ?

Resnick tourna les talons.

À quatre heures de l'après-midi, il reçut le rapport de l'équipe qui avait fouillé la maison d'Alston : hormis une petite quantité de cannabis, rien d'illégal à signaler. Pas d'armes à feu, pas d'autres drogues, pas de cartouches.

Ce même soir, à six heures et quart, Billy Alston était relâché.

10

Plus la date du procès approchait, plus Lynn était préoccupée.

Elle aurait été incapable de se rappeler le nombre de fois où elle avait témoigné devant un tribunal, où elle avait prêté serment avant de dire, malgré les tentatives de la défense pour la déstabiliser, toute la vérité et rien que la vérité.

Elle ne s'en sentait pas moins nerveuse.

Comme toujours.

La peur de gaffer, de tout faire capoter à cause d'un mot malheureux, d'un lapsus, d'un souvenir erroné, la peur de décevoir tout le monde — à commencer par elle-même. Comme si on lui faisait subir une épreuve : comme si, curieusement, c'était elle qu'on jugeait.

« Tout est relatif, non ? lui avait naguère fait valoir un collègue, un jeune inspecteur adjoint qui avait suivi des cours de philosophie pour passer sa licence de criminologie. Ce qui est vérité pour toi est mensonge pour un autre. Question de perception. De prismes. Rien n'est absolu. » Il avait quitté la police au bout de quatre ans pour devenir maître de conférences à l'université du Hertfordshire.

Ceux qui ne supportent pas le monde réel, avait pensé Lynn, choisissent d'enseigner. Nous autres, nous serrons les dents et continuons tant bien que mal. Cependant, par la suite, quand elle avait entendu ce qui se passait dans les écoles et les collèges locaux, elle s'était fait la réflexion que ce type d'enseignement était sans doute bien ancré dans le réel.

Et ça aussi, c'était réel.

Viktor Zoukas, inculpé de meurtre.

Homicide volontaire. La définition, en langage archaïque, était imprimée dans le cerveau de Lynn : Quand une personne jouissant

97

de mémoire et de discernement en vient à tuer, en temps de paix, sous l'autorité de la reine, toute créature douée de raison, et ce avec préméditation, qu'elle soit explicite ou implicite, le décès survenant dans un délai d'un an et un jour.

Cela s'était passé neuf mois auparavant, dans la nuit du samedi au dimanche, un appel d'urgence à deux heures et demie du matin, au moment où la police était déjà débordée par l'assortiment habituel de bagarres rangées, de rixes généralisées et d'actes de violence subits, singuliers, tandis que les discothèques commençaient à dégorger leurs clients et se lançaient dans la tâche ardue consistant à compter les recettes du week-end et à laver les sols à grande eau.

L'appel provenait d'un sauna-salon de massage situé au-dessus d'un sex-shop, dans l'une des petites rues les plus sordides de l'ancien marché de la dentelle, et le correspondant était un client alarmé qui, sans surprise, avait refusé de donner son nom. Quand les deux agents en uniforme arrivèrent, seulement quelques minutes plus tard, venant directement d'un restaurant indien du même bloc où ils avaient été appelés pour un esclandre, ils trouvèrent plusieurs jeunes femmes assises dehors, sur le trottoir, et une autre affalée, hébétée, contre la vitrine du sex-shop. Un jeune homme vêtu d'une chemise de soirée tachée et d'un pantalon noir de smoking encore très chic, était assis dans l'escalier, la tête dans les mains. En haut des marches, une femme aux cheveux teints, roussâtres, portant la même blouse — courte et rose — que les autres, était adossée au mur, la figure barbouillée de mascara, une cigarette dans sa main tremblante.

Lorsque les agents passèrent devant elle pour s'engager dans l'étroit corridor, l'une des portes du fond s'ouvrit brusquement et un homme apparut, titubant, fit deux pas chancelants et s'arrêta. Un peu plus grand que la moyenne, il était large d'épaules, solide, avec des muscles qui se transformaient en graisse ; il portait une chemise violette, déboutonnée presque jusqu'à la taille, qui avait pris une couleur quasiment noire à l'épaule gauche. Il avait des éclaboussures de sang sur le visage, sur le cou et dans les poils sombres de son torse. Dans ses yeux, un mélange de colère et de surprise. Il tenait dans sa main droite un couteau, la courte lame plaquée contre sa jambe.

– Lâchez ce couteau, ordonna le premier agent. Lâchez-le. Tout de suite. Par terre. Posez-le.

Les muscles de l'homme se raidirent. À la faible lumière de l'unique ampoule suspendue au plafond, les agents purent le voir tourner les yeux vers l'escalier, derrière eux, comme s'il cherchait une issue.

– Posez-le, répéta le premier agent. Lâchez ce couteau tout de suite.

Les doigts de l'homme se resserrèrent autour du manche, puis s'ouvrirent peu à peu et le couteau atterrit avec un bruit sourd sur le semblant de moquette qui recouvrait le plancher.

– Envoyez le couteau par ici, vers moi. Là, avec le pied. Pas trop fort. Vers moi, c'est ça. OK, maintenant, joignez vos mains sur la nuque. Non, joignez, *joignez* les doigts ensemble, comme ça. Bien. Maintenant, allongez-vous. Par terre. Oui, par terre. À présent, ne bougez plus. Ne bougez pas avant qu'on vous le dise.

L'agent fit un signe de tête à son collègue et appela des renforts tandis que le deuxième agent se dirigeait vers la porte d'où l'homme avait surgi.

La pièce était exiguë, à peine plus grande qu'un box, avec, sur le côté, un lit haut et étroit comme on peut en trouver dans le cabinet de consultation d'un médecin, recouvert d'un fin drap jaune qui pendouillait à moitié dans le vide. Sur une petite table ronde, à la tête du lit, étaient posés divers tubes en plastique, des pots de lotions et un gant en latex transparent dont les doigts étaient en partie retournés. Sous le coin du drap, là où il frôlait le sol, dépassait un pied de femme orné d'une fine chaîne en or au-dessus de la cheville, les orteils peints d'un vernis rouge écaillé.

L'agent s'accroupit, saisit le drap entre le pouce et l'index et le souleva.

La femme gisait sur le dos, le visage tourné vers le mur. En dépit du faible éclairage, l'agent put voir qu'on l'avait égorgée.

Il refoula le vomi qui lui montait subitement au gosier.

Respirant bien à fond, il laissa retomber le drap en place.

Lynn fut le premier officier supérieur à arriver sur les lieux, anxieuse de veiller à ce que la scène du crime soit le moins possible contaminée et les principales pièces à conviction préservées.

Le corps.

L'assassin présumé.

Le couteau.

Encore maintenant, elle se rappelait le mélange d'odeurs dans cette pièce étroite comme une tranchée : lotion de mauvaise qualité, sueur rancie, foutre et sang frais.

Avant que l'homme au couteau ne soit emmené sous bonne garde policière pour se faire soigner, Lynn avait établi son identité : Viktor Zoukas. Originaire, déclara-t-il, d'Albanie. La licence du salon de massage était à son nom.

Sur les cinq masseuses, deux venaient de Nottingham, deux étaient récemment arrivées de Croatie — avec un statut légal incertain — et une autre, étudiante, de Roumanie. Elles étaient toutes effrayées, peu disposées à parler, en état de choc à des degrés divers. L'une des filles du cru, Sally, une ancienne strip-teaseuse qui avait dix ou quinze ans de plus que les autres, touchait un supplément de salaire pour prendre les réservations, collecter l'argent des clients et garder un œil sur les filles.

Lynn s'empressa de la séparer des autres.

– Je n'ai pas grand-chose à vous raconter, lui dit Sally.

Patiente, Lynn attendit qu'elle ait allumé une cigarette.

Elle avait entendu des éclats de voix, lui expliqua Sally, une dispute entre la victime et l'un des michetons — rien d'inhabituel, surtout avec la morte, Nina. Elle s'apprêtait à aller voir ce qui se passait quand Viktor l'en avait empêchée. Il n'était pas souvent sur place, pas de si bonne heure, d'habitude il venait seulement pour faire sa caisse à la fin de la nuit, mais cette fois il était là et il lui dit qu'il allait régler personnellement le problème. Peu après, elle avait entendu ce hurlement horrible, et l'une des filles — Andreea Florescu, la Roumaine — était accourue à l'accueil en criant que Nina était morte.

Tohu-bohu. Les michetons avaient filé sans demander leur reste. Lequel d'entre eux avait pu prévenir la police, elle n'en avait aucune idée. Pour être honnête, elle était surprise que quelqu'un l'ait fait.

Viktor, avait interrogé Lynn, Viktor Zoukas, pendant tout ce temps-là, pendant que les gens déguerpissaient en criant, où était-il ?

Sally n'en savait rien. Elle ne l'avait pas vu. Dans la cabine avec Nina, peut-être ? Comment savoir ?

Lynn avait ensuite questionné les autres filles qui travaillaient là, dont plusieurs, soupçonna-t-elle, feignaient de maîtriser l'anglais encore plus mal qu'en vrai, mais elle en avait tiré peu de renseignements. Andreea, qui avait donné l'alarme, garda les yeux détournés, la tête de côté, lorsque Lynn s'adressa à elle.

– Racontez-moi, dit Lynn d'un ton posé. Racontez-moi juste ce que vous avez vu.

L'espace d'un instant, Andreea la regarda en face, et l'ombre de ce qu'elle avait vu passa dans ses yeux.

– Ça ne fait rien, dit Lynn. Plus tard. Pas ici.

Et elle toucha brièvement le dos de la main de la jeune femme.

Elles se rencontrèrent le lendemain matin à Old Market Square. Andreea portait une veste grise à manches courtes par-dessus un débardeur jaune, un blue-jean qui bouffait aux genoux, des baskets blanches qui ressemblaient à des chaussons de gymnastique à l'ancienne mode, une épaisse couche de fard autour des yeux.

Lynn l'emmena dans l'un des rares cafés du centre-ville que les conglomérats n'avaient pas encore absorbé. Un endroit anonyme où elles risquaient moins d'être remarquées ou dérangées.

Il y avait des flacons de sauce sur les tables et des petites barquettes en papier alu ayant contenu des tartelettes ou des pâtés en croûte, et qui servaient maintenant de cendriers : dans quelques mois, l'interdiction de fumer entrerait en vigueur ; en attendant, la plupart des clients en profitaient à plein.

Lynn commanda du thé, posa des questions, écouta.

Andreea alluma une Marlboro au mégot de la précédente.

À travers la fenêtre, Lynn voyait la panoplie habituelle de piétons, hommes et femmes qui parlaient dans leurs téléphones portables, certains vêtus avec élégance, et même avec recherche, d'autres camouflés dans des vêtements de sport informes, des jeunes filles d'âge apparemment encore scolaire qui poussaient des landaus ou tenaient par la main des bambins instables sur leurs jambes.

– Vous ? dit Andreea, suivant le regard de Lynn. Vous avez enfants ?

Lynn fit non de la tête.

– J'ai petite fille, murmura Andreea. Monica. Elle a trois ans.

– Ici ? demanda Lynn, surprise.

– Non, chez ma mère. En Roumanie. Constanta. C'est sur la mer. La mer Noire. Très beau.

Elle sortit de son sac une photo qu'elle tendit à Lynn par-dessus la table : on y voyait une petite fille en robe rouge et blanche, avec de grands yeux noirs et des rubans dans les cheveux.

– Elle est ravissante. Elle doit beaucoup vous manquer.

– Oui. Bien sûr. (Andreea chassa la fumée de son visage.) Je l'ai vue à Noël, dernière fois. Quand je suis rentrée pour les vacances. Elle a grandi beaucoup.

– Ça a dû être dur de la quitter, dit Lynn.

– Bien sûr. Mais il n'y a pas une vie pour moi là-bas. Je fais ma vie ici, et puis j'amènerai Monica. Maintenant, je suis étudiante.

– Étudiante ?

– Oui. J'apprends le tourisme. Et l'anglais. Nous devons apprendre l'anglais.

– Vous le parlez très bien.

– Merci.

– Et votre job au sauna ?

Andreea rougit et regarda par terre.

– Je dois gagner l'argent.

– Il y a certainement d'autres moyens.

– Oui, un peu. Je pourrais travailler, peut-être, la nuit à l'usine. Pork Farm ?

– Pork Farms[1], oui.

– Certaines de mes amies, elles font ça.

– Mais pas vous.

– Non, pas moi. (Elle secoua la cendre de sa cigarette.) J'essaie, une fois. (Elle fit la grimace.) L'odeur… impossible de débarrasser.

Lynn alla chercher au bar un paquet de biscuits et deux autres tasses de thé. À part quelques personnes âgées assises seules, la salle était plus ou moins vide. Les ouvriers — plâtriers, électriciens, manœuvres — qui étaient là à leur arrivée étaient maintenant partis.

– Racontez-moi encore, dit Lynn, ce que vous avez vu quand vous êtes entrée dans la cabine.

Andreea versa une cuillerée de sucre dans son thé, puis une deuxième, et remua.

---

1. Charcuterie industrielle. *(N.d.T.)*

– Viktor, il était là, sa main comme ça… (Elle mit un bras en travers de sa poitrine.)… qui tenait son épaule. Il saignait.

– Et Nina, où était-elle ?

– Je crois… j'ai dit… elle était par terre.

– Vous n'en êtes pas sûre ?

– Non, je suis sûre.

– Elle était par terre ?

– Oui.

– Où ça, exactement ?

– Je ne sais pas, à côté du lit. Ça devait être… oui, à côté du lit.

Était-elle simplement nerveuse, se demanda Lynn, ou mentait-elle ? Ses yeux se dérobaient, elle ne regardait pas Lynn en face quand elle répondait, et puis elle se trémoussait sur sa chaise, ne tenait pas en place. Elle mentait, assurément, mais Lynn n'aurait su dire pourquoi ni jusqu'à quel point.

– Sally dit que vous vous êtes précipitée à l'accueil en criant que Nina était morte.

– Je ne me souviens pas.

– Vous ne vous souvenez pas d'avoir crié, ou ?…

– Je ne me souviens pas ce que j'ai dit.

– Mais c'était bien ce que vous pensiez ? Qu'elle était morte ?

– Oui.

– Comment pouviez-vous en être sûre ?

La voix d'Andreea était si basse que Lynn dut tendre l'oreille.

– Il y avait tellement du sang…

Lynn se redressa et but une gorgée de thé. Elle déchira l'emballage en cellophane des biscuits et en offrit un à Andreea, qui refusa d'un signe de tête.

– Avant d'entrer dans la cabine, vous n'avez vu personne d'autre ? Quelqu'un qui s'enfuyait ?

– Un homme, oui.

– Le client dont elle s'était occupée ?

– Oui, je crois.

– Pouvez-vous me le décrire ?

– Oui. Il était chauve, avec des tatouages ici…

Elle indiqua le côté de son cou.

– Le côté gauche ?

– Les deux, je crois. Je ne suis pas sûre, c'était si vite.

– Vous vous rappelez comment il était habillé ?

– Une chemise, une espèce de tee-shirt, une chemise de football, peut-être. Et un jean.

– Pas de veste ? Pas de blouson ?

Après réflexion, Andreea répondit :

– Non, je ne crois pas… Non, non.

– La chemise, vous vous rappelez la couleur ?

– Blanche. Je crois qu'elle était blanche.

– Une chemise de l'équipe d'Angleterre de football ?

– Peut-être.

Andreea écrasa sa cigarette, but encore un peu de thé.

– Quand vous êtes arrivée à la cabine, dit Lynn, à part Viktor, y avait-il quelqu'un d'autre ?

– Seulement Nina.

– Et le couteau, où était-il ?

– Par terre. Entre eux. Par terre.

– Vous en êtes sûre ? Absolument certaine ?

– Oh ! oui.

Lynn s'adossa à sa chaise en soupirant. En début de matinée, elle avait entendu la version de Viktor Zoukas. D'après lui, quand il était arrivé dans la cabine, Nina était déjà en train de se battre avec un des clients. Un homme de petite taille, au crâne rasé. Viktor ne se rappelait pas l'avoir déjà vu. Ils luttaient pour s'emparer d'un couteau. Il pensait que Nina était déjà blessée, car elle saignait. Quand il avait voulu s'interposer, l'homme, d'un moulinet du bras, l'avait poignardé à l'épaule. Il avait tenté de lui arracher le couteau, mais il était tombé et s'était cogné la tête contre le mur. Il avait dû perdre connaissance un court moment, peut-être quelques secondes. Quand il était revenu à lui, l'homme avait disparu et il avait d'abord cru que Nina était partie aussi. Puis il l'avait vue, sous le lit, le couteau près d'elle. Il avait ramassé l'arme, était sorti dans le couloir, et c'était à ce moment-là que les deux policiers l'avaient arrêté.

Andreea n'était pas la seule à mentir, pensa Lynn. Viktor aussi. La vérité se trouvait quelque part entre leurs deux versions.

– Nina, vous la connaissiez bien ?

– Je la connais un peu, répondit Andreea. Pas bien.

Elle ôta sa veste et l'accrocha au dossier de sa chaise. Elle avait des bleus sur les bras, estompés mais encore bien visibles.

– Elle travaillait là-bas depuis longtemps ?

– Six ou sept mois, je pense. (Andreea alluma une autre cigarette et renversa la tête en arrière, exhalant vers le plafond un nuage de fumée.) C'est son premier job dans ce pays. Depuis qu'elle arrive de Croatie. Son anglais n'est pas très bon. Elle et Viktor, ils se disputent tout le temps. Elle ne veut pas faire ci, pas faire ça. Elle me dit toujours qu'elle va s'enfuir, partir… (Andreea secoua la tête.) Elle a peur de lui, Viktor. Elle lui doit de l'argent, je crois, parce qu'il l'a fait venir dans ce pays.

– Elle était là illégalement ?

Andreea haussa les épaules, un petit mouvement à peine perceptible.

– Quand Viktor se disputait avec elle, lui arrivait-il de la frapper ?

– Frapper ?

– Oui.

– Oui, bien sûr. Il l'insulte et il la frappe. Il dit : « Je te tue, bordel, je te tue », et Nina, elle pleure et me dit qu'elle partira, mais le lendemain elle est encore là.

– « Je te tuerai », c'est bien ce qu'il disait ?

– Oui. Mais c'est parce qu'il est en colère. Il ne pense pas en vrai… (Elle posa sa cigarette en équilibre au bord de la table.) Elle gagne l'argent, beaucoup, pour lui. Les hommes aiment bien Nina. Pourquoi il va la tuer ?

Lynn regarda sa montre.

– Écoutez, Andreea, il faut que je parte. (Elle sortit de son sac une carte de visite et la posa devant elle.) Si vous vous rappelez autre chose, ou si vous voulez juste parler — de Nina, de n'importe quoi —, téléphonez-moi.

Elle se leva et se pencha en avant. De près, elle put voir, sous le maquillage, les cernes violacés autour des yeux fatigués d'Andreea et la légère patine d'une ecchymose sur la joue.

– Ce qui est arrivé à Nina, dit-elle, aurait pu arriver à n'importe laquelle d'entre vous. Ça aurait pu *vous* arriver. (Elle posa une main sur l'épaule de la jeune femme.) Venez me parler. Ne laissez pas une telle chose se reproduire.

Une fois dehors, elle vit qu'Andreea était toujours assise au même endroit, sa cigarette à la main, les yeux dans le vague.

Presque deux semaines devaient s'écouler avant que Lynn entende de nouveau parler d'elle.

11

L'autopsie de Nina Simic montra qu'elle avait été tuée d'un seul coup de couteau au cou, d'une profondeur suffisante pour indiquer la force considérable qui avait été déployée. La lame, coupante d'un seul côté, avait pénétré sous l'oreille droite et sectionné la carotide avant de descendre en diagonale vers l'os hyoïde, sous le menton. Il y avait des blessures de défense sur les bras et les avant-bras, ainsi que de nombreuses petites entailles aux mains attestant qu'elle avait lutté avec son assassin pour s'emparer du couteau. Il y avait également un nombre significatif d'autres marques sur le corps, diverses ecchymoses et contusions, en majorité sur les bras et la partie supérieure du buste, certaines récentes, d'autres plus anciennes.

L'examen du couteau trouvé en la possession de Zoukas établit qu'il correspondait en tous points à l'arme utilisée pour l'agression. De surcroît, le manche présentait trois séries d'empreintes : celles de Viktor Zoukas et de Nina Simic, plus une empreinte brouillée — pouce et index — appartenant à une troisième personne, non encore identifiée.

Zoukas, pour sa part, était interrogé sans relâche.

Tous les indices réunis jusque-là pouvaient étayer sa version des faits : une lutte entre Nina Simic et un assaillant inconnu, au cours de laquelle il avait tenté sans succès de s'interposer. Les constatations médicales, sans être concluantes, semblaient confirmer qu'il avait bel et bien reçu un coup sur la tête qui avait pu le rendre brièvement inconscient. Et il n'y avait aucun moyen de simuler une blessure à l'épaule, profonde de quatre centimètres, presque certainement causée par la même lame.

En attendant, certains des clients qui étaient allés au sauna cette nuit-là avaient été contactés, mais pas tous — loin de là. D'après

Sally, plusieurs michetons étaient arrivés plus ou moins en même temps, vers deux heures et quart, le créneau souvent le plus chargé, et elle n'avait pas été en mesure de noter quel client était allé avec quelle fille. Elle avait bien le souvenir — assez vague — d'un homme correspondant au signalement — tout aussi vague — donné par Zoukas : trapu, crâne rasé, tatouages, mais elle ne pouvait pas affirmer qu'il ait fait partie des clients de Nina. « Soyons lucides, dit-elle. Un mec petit et quasiment chauve, entre trente et quarante ans, ça correspond à la plupart des clients qui viennent ici pour prendre du bon temps. »

La police n'en poursuivait pas moins ses efforts pour le débusquer.

Peut-être, pensa Lynn, que son instinct la trompait et que Zoukas disait la vérité.

Peut-être...

La journée touchait à son terme quand Andreea téléphona enfin — d'une voix hésitante, étouffée.

– Andreea ? dit Lynn. Excusez-moi, mais je ne vous entends pas.

Silence, puis, plus distinctement :

– Ce que je vous ai dit, ce n'était pas tout vrai.

Une brève décharge d'adrénaline parcourut le corps de Lynn.

– Où êtes-vous ?

– Près du fleuve.

– La Trent ?

– Je ne sais pas. Je suppose. Mes amis, ils habitent à Meadows.

– Trent Bridge ? Vous êtes près de Trent Bridge ?

– Oui, je crois.

– De l'endroit où vous êtes, vous voyez un grand bâtiment avec un toit vert ?

– Oui, je vois.

– De quel côté du fleuve est-il ? De votre côté ou de l'autre ?

– L'autre.

– OK. Attendez-moi là, j'arrive. Dans cinq, dix minutes. Pas plus.

Il faut que je fasse vite, pensa Lynn, avant que son courage ne l'abandonne.

Sur le moment, elle craignit qu'Andreea n'ait changé d'avis. Et puis elle la vit apparaître entre deux arbres minces. Il y avait du crachin dans l'air et le crépuscule approchait. Andreea portait un anorak foncé, trop grand de plusieurs tailles ; ses cheveux roux étaient ramassés sous un béret noir d'où s'échappaient quelques mèches folles. De plus près, Lynn put constater que son maquillage avait presque disparu, effacé ou nettoyé.

Curieusement, elle paraissait à la fois plus jeune et plus âgée que la fois précédente.

– Vous avez envie de prendre un verre ? proposa Lynn en indiquant de la tête un pub situé près du pont.

– Non, dit Andreea. Non, merci.

– Alors, marchons.

Elles longèrent le fleuve, tournant le dos au pont, et Lynn se borna provisoirement à écouter Andreea lui parler du couple chez qui elle séjournait : le mari, originaire de la république de Moldavie, qui étudiait ici à l'université, et sa femme qui venait du même pays qu'elle, mais de Bucarest, la capitale. Andreea avait eu peur de rester dans l'appartement qu'elle partageait avec trois autres filles ; elle dormait chez ses amis, sur le canapé du salon.

– Pourquoi avez-vous eu peur ? s'enquit Lynn.

Andreea fit halte pour allumer une cigarette. Des voitures roulaient lentement sur l'Embankment, les phares donnant à la pluie des reflets cuivrés.

– Cet homme, dit Andreea, il est venu me voir.

– Quel homme ?

– Je ne sais pas son nom. C'était un ami de Viktor. Je l'ai vu au sauna, déjà. Il est venu un soir quand je dormais. Il me dit de mettre un manteau par-dessus ce que je porte et de le suivre à sa voiture. Quelqu'un d'autre conduisait. Ils m'emmènent dans cet endroit, je ne sais pas où c'est. Partout… partout il y a des ordures, dans des grands… je ne sais pas le mot…

Elle fit des gestes avec les mains.

– Des bennes ?

– Oui, je crois peut-être, des bennes, oui.

– Une sorte de décharge publique.

– Décharge, oui. Plein d'ordures. Il me dit de sortir de la voiture et je suis sûre qu'il va me tuer. Je suis certaine. Il a un couteau et je pense que je vais être morte comme Nina, il va couper ma gorge.

Andreea s'interrompit. À la lumière vacillante, Lynn put voir la sueur qui perlait sur son front, la cigarette qui tremblait dans sa main.

– Il me dit de lui répéter ce que j'ai dit à la police, et je lui dis que rien du tout. Je n'avais rien vu. Sauf Nina par terre. Il me demande si j'ai parlé de Viktor et je dis non, bien sûr que non, je ne savais pas que Viktor était là. Il me dit de mettre à genoux et il appuie le couteau sur le côté de mon visage, ici. (Elle toucha sa joue, descendit lentement de l'oreille jusqu'au cou.) Il dit que je suis une bonne fille. Il dit que si je raconte autre chose à la police, il me tuera et me jettera dans les ordures. Et puis il me force à… vous savez, avec ma bouche. Et puis il me ramène chez moi mais j'ai trop peur de rester là. Je viens ici, à Meadows.

– Et le sauna ? Vous n'y êtes pas retournée ?

Andreea fit non de la tête.

– Qu'allez-vous faire ?

– J'ai un ami à Londres. Leyton ? Leytonstone ? Je ne suis pas sûre. Peut-être que c'est la même chose. Alexander, il s'appelle. Il vient de Constanta, comme moi. Il est étudiant aussi. Il dit que je peux habiter chez lui. Il peut même me trouver un emploi, il pense, dans un bar. Ou dans un hôtel, pour le ménage.

– Et vos études ? Ces cours que vous suivez ?

– Alexander pense que c'est possible de faire transfert, je ne sais pas. Mais je serai plus en sécurité là-bas, à Londres. Oui ? Vous croyez ? ajouta-t-elle en agrippant le bras de Lynn.

– Peut-être. Oui, peut-être bien.

Elles arrivèrent à la hauteur de trois hommes d'âge indéterminé, assis sur un banc, qui faisaient circuler entre eux une canette de cidre. Recroquevillé par terre, un bâtard à poil ras leva la tête pour gronder et montrer les crocs au passage des deux femmes. L'un des hommes tendit la canette vers elles avec jovialité ; Lynn répondit par un sourire et un « non merci ».

– Malgré les menaces de cet individu, dit-elle, vous êtes encore prête à changer votre version de ce qui s'est passé ?

– Oui. Oui, je crois.

Un peu plus loin, elles trouvèrent un banc libre et s'assirent face au fleuve, la circulation dans leur dos. Andreea fouilla l'une des poches de son anorak en quête d'une cigarette.

– Nina, dit-elle, elle était gentille avec moi. Je me souviens une fois surtout, elle a vu que je suis bouleversée. J'avais une lettre de chez moi, de ma mère. Il y avait un dessin que Monica avait fait.

Deux personnes qui se tiennent la main. Comment vous appelez ça ? Des personnes en allumettes ?

– Des bonshommes allumettes.

– Oui. Comme ça. Un grand et un petit. C'était Monica et moi. Ma mère avait écrit nos noms au-dessus. (Elle avait les larmes aux yeux.) Nina, elle a eu un enfant aussi, elle m'a dit. Un garçon. Quand elle avait quinze ans. Elle ne l'a pas vu depuis longtemps. Elle me serre dans ses bras et me dit de ne pas pleurer. Je reverrai ma petite fille.

Andreea se tut et tourna vers Lynn un visage baigné de larmes.

– Je veux dire la vérité de comment elle est morte.

Lynn eut un sourire rassurant.

– Allez-y. Racontez-moi à votre rythme.

Andreea secoua la cendre de sa cigarette, dont l'extrémité rougeoya brièvement.

– Il y avait un homme, dit-elle, l'homme dont j'ai parlé, un client, lui et Nina avaient commencé à se disputer. Je ne sais pas pourquoi. Quelque chose, peut-être, qu'il lui demandait de faire… Je ne sais pas. Je suis à l'autre côté du couloir, près, je les entends crier, et puis, je crois, j'entends l'homme partir, toujours en criant des insultes, sale pute et des choses comme ça, et je pense que maintenant tout ira bien. Mais Viktor, je l'entends entrer dans la cabine et les cris recommencent, et Nina se met à hurler et je comprends qu'il la frappe, qu'il la frappe très fort, et j'ai peur pour elle, alors je vais dans le couloir et la porte elle est ouverte, un peu, pas complètement, mais je vois que Nina a un couteau et quand Viktor la frappe encore, elle le poignarde à l'épaule, comme ça, ici, et Viktor s'effondre contre le mur et le couteau tombe par terre. J'ai très peur, j'appelle « Nina, Nina » et elle se tourne pour me regarder et fait un pas vers la porte, et tout à coup je vois que Viktor est debout, et il a le couteau à la main. Il poignarde Nina dans le cou, par-derrière, et cette fois il y a tellement du sang, beaucoup plus, et je fuis avant que Viktor il me voie, je cours trouver Sally et je lui dis je crois que Nina est morte.

Elle se tut, vidée, tremblante, regardant le ciel qui s'assombrissait peu à peu.

– Viktor, demanda Lynn, il ne sait pas ce que vous avez vu ?

– Non. Et il ne doit pas savoir, jamais.

Lynn posa une main sur le bras d'Andreea.

110

– Merci. Vous êtes très courageuse. Et soyez tranquille, il ne vous fera pas de mal. Ni lui ni son ami. Je vous le promets.

Alors même qu'elle prononçait ces mots, elle se rendit compte à quel point ils sonnaient creux. Les promesses ne coûtent pas cher, n'était-ce pas ce que disait toujours sa mère ?

Ils recueillirent la déposition d'Andreea dans un commissariat éloigné, dans le plus grand secret, et l'interrogèrent encore. Le nom d'Andreea ne serait pas dévoilé lorsque son témoignage — comme l'exigeait la procédure — serait finalement communiqué à la défense avant le procès : elle serait simplement Mlle X, Mlle Y. Mais Lynn savait bien qu'il ne serait pas très difficile aux avocats, au vu du témoignage, de deviner son identité.

Andreea leur raconta que Nina, une semaine avant d'être tuée, lui avait montré le couteau. Elle l'avait eu par un ami — l'un des clients réguliers, pensait Andreea, mais elle n'en était pas sûre. C'est pour Viktor, avait dit Nina, s'il s'avise de me frapper encore une fois.

– Je ne pensais pas qu'elle parlait sérieusement, déclara Andreea. Mais si. Ce qu'elle a dit, c'était vrai.

Peu à peu, ils accumulèrent ainsi des preuves indiquant que Zoukas terrorisait les filles qui travaillaient pour lui : menaces, violences, coups de poing sous l'empire de la colère. Selon un des clients, Zoukas l'avait un jour bousculé en braillant : « Cette salope ! Cette putain de Nina ! Bordel, je vais la tuer ! » Et puis, après un deuxième appel à témoins lancé à la télévision, la police reçut un certain nombre de coups de téléphone, parmi lesquels plusieurs de son ex-femme, identifiant l'homme tatoué comme étant Kelvin Pearce.

Des policiers le retrouvèrent à Sneinton, où il travaillait sur un bâtiment récemment ravagé par un incendie et qui était en cours de rénovation. Pearce était occupé à ôter les vieux châssis de fenêtre tout en écoutant avec ravissement Suggs sur Virgin Radio. *Reasons to be Cheerful* suivi de *Come On, Eileen* des Dexys.

Quand on lui demanda pourquoi il ne s'était pas présenté de sa propre initiative, il adressa au policier un regard de pure incrédulité.

– Pour me foutre la tête dans un putain de nœud coulant, c'est ça ? J'suis pas aussi couillon que j'en ai l'air !

Lorsqu'il raconta sa version des faits, il se montra clair et concis. Lui et la fille s'étaient disputés. Après l'avoir bien allumé, cette pouffiasse lui avait réclamé vingt livres de rab. Il avait vu rouge, balancé un coup de poing — ça, d'accord, il était prêt à le reconnaître —, mais la fille n'avait rien trouvé de mieux que de dégainer ce couteau et de l'agiter sous son nez. Il s'efforçait de lui prendre son arme quand le gros salopard était entré, jurant et criant, et Pearce avait déguerpi sans demander son reste.

Avait-il touché le couteau ?

– Oui, évidemment. Je l'ai dit, non ?

Avait-il, à un moment ou à un autre, blessé Nina Simic avec le couteau ?

– Non. Jamais de la vie !

– Ni Viktor Zoukas ?

– Cet enfoiré de cinglé ? Vous rigolez, là ?

– C'est un « non », donc ?

– Tout juste, putain !

– Et une fois sorti de la cabine, vous n'y êtes pas retourné ?

– Attendez, vous plaisantez ?

Maintenant qu'il y avait deux témoins qui plaçaient formellement Zoukas sur la scène du crime, le ministère public se fit un plaisir d'aller de l'avant et l'Albanais fut officiellement inculpé du meurtre de Nina Simic. Lynn était au tribunal lorsque Zoukas se vit refuser sa mise en liberté sous caution, compte tenu du risque très réel qu'il cherche à quitter le pays. Avant d'être conduit au bloc cellulaire, il se retourna, vit Lynn et leurs yeux s'accrochèrent.

– Toi ! cria-t-il. Toi !...

Il ne put en dire davantage : les agents l'entraînèrent sans trop de ménagements, laissant Lynn ébranlée par l'intensité de la haine qu'exprimait le visage de Zoukas.

À l'approche du procès, Andreea, en larmes, téléphona plusieurs fois à Lynn : elle était trop effrayée, disait-elle, pour témoigner à la barre.

– Tout est prévu, la rassura Lynn. Je vous l'ai déjà expliqué. Vous pourrez livrer votre témoignage cachée derrière un écran, ou encore mieux, par une simple vidéo. Vous n'aurez pas besoin d'être dans la salle d'audience. Il ne vous verra pas et vous n'aurez pas à le voir. Personne ne saura qui vous êtes. Tout ira bien.

Lynn faisait son repassage, le lundi matin, quand le ministère public téléphona par la voix de Rachel Vine, qu'elle reconnut aussitôt.

– J'ai pensé qu'il fallait vous prévenir. Pour l'affaire Zoukas, nous demandons le renvoi du procès.

– Pourquoi diable ?

– Vous n'êtes pas au courant ? L'un de vos témoins s'est volatilisé dans la nature.

– Andreea ?

– Non, l'autre. Pearce. Il a disparu de la circulation depuis deux jours.

Les bureaux du ministère public se trouvaient à King Edward Street, près du centre-ville ; l'ancien palais de justice, rénové et rebaptisé, était situé à une extrémité, une salle de bingo et une mosquée à l'autre bout.

Rachel Vine, plus grande que Lynn, avait des cheveux bruns et une silhouette qui suggérait des exercices de gymnastique trois soirs sur cinq. Ou sinon, la piscine. Intelligente et élégante, elle avait la réputation de ne pas céder aux pressions et avait une attitude qui pouvait, à l'occasion, taper sur les nerfs de ses amis comme de ses ennemis. Lorsque le procureur général actuel serait promu, on la donnait bien placée pour lui succéder.

Elle serra la main de Lynn et lui demanda comment elle se remettait de sa blessure.

– Je ne vous ferai pas rire, promis, dit-elle. Je ne voudrais pas compromettre la guérison de vos côtes.

Lynn ne s'attendait pas vraiment à rire.

Elle avait déjà appelé l'inspecteur qui avait été son second sur l'enquête Zoukas pour l'engueuler de ne pas l'avoir mise au courant de la disparition de Pearce. Jusque-là, avait-elle appris, on avait suivi la piste du témoin jusque chez sa sœur, à Mansfield, où il avait passé une seule nuit avant de repartir. La sœur ne savait pas pour où.

– C'est regrettable, déclara Rachel Vine. Perdre Pearce si près du procès... Outre le fait qu'il est l'un de nos deux seuls témoins à avoir vu Zoukas dans la cabine avec Nina Simic juste avant le meurtre, sa disparition ne fait que renforcer la thèse de la défense comme quoi c'est lui qui a tué Nina.

– Quelqu'un l'a éliminé, vous croyez ?

– Franchement, je ne sais pas. C'est possible. L'officier chargé de sa protection dit qu'il était de plus en plus nerveux à mesure que la date du procès approchait, mais dans une affaire comme celle-là, c'est on ne peut plus normal. Il ne nous reste qu'à espérer que c'est juste une crise de panique et qu'il va se reprendre, se ressaisir. Ou que nous le retrouverons. Tout est mis en œuvre pour le dépister, je présume ?

– Absolument.

– En tout cas, je ne pense pas que nous puissions aller au procès sans lui.

– Mais pourtant, avec Andreea…

– Son témoignage ne suffit pas à lui tout seul. Et je crains fort qu'Andreea ne soit taillée en pièces à la barre. Si elle s'effondre, qu'est-ce qui reste ? Non, si nous allons au tribunal dans ces conditions, il y a un réel danger que Zoukas soit acquitté.

Lynn détourna les yeux : ce discours ne lui plaisait pas, mais elle était incapable de trouver des contre-arguments suffisamment percutants.

– J'en ai parlé avec la présidente, dit Rachel Vine, et elle est d'accord. Je ferai une demande d'ajournement demain à la première heure. J'imagine que la défense, en échange de son aval, fera des pieds et des mains pour obtenir la mise en liberté conditionnelle de Zoukas.

– Ce qui le laissera libre d'intimider les témoins ou de quitter carrément le pays.

– Soyez tranquille, dit Rachel Vine. Ça n'arrivera pas. (Elle posa une main sur le bras de Lynn.) Je sais ce que cette affaire représente pour vous. Je n'ai pas l'intention de la laisser filer.

Le lendemain, en début d'après-midi, tout était réglé : c'était passé comme une lettre à la poste, à une vitesse surprenante.

Rachel Vine avait personnellement téléphoné à Lynn pour lui annoncer la nouvelle.

– Nous avons quand même dû avaler une couleuvre, dit-elle, et promettre de ne pas nous opposer à la mise en liberté sous caution.

– Vous plaisantez !

– Non. Autrement, la défense n'aurait jamais accepté un renvoi de plus de quelques jours, cinq au maximum. Les chances de retrouver Pearce dans un délai si court étaient trop minces.

– Je n'en reviens pas, murmura Lynn, aussi bien pour elle-même que pour Rachel Vine.

– Écoutez, nous avons gagné un mois, c'est le plus important. Et en ce qui concerne Zoukas, nous exigerons une caution d'au moins cinquante mille livres. Confiscation du passeport, assignation à résidence, et en plus il devra se présenter à la police locale une fois par semaine, voire tous les jours. On ne peut pas faire mieux dans le genre.

– Ça ne me plaît toujours pas, dit Lynn.

– Ma foi… faites-vous une raison, comme nous autres.

– Mais bien sûr. Qu'est-ce que vous disiez, déjà ? Que vous ne laisseriez pas filer l'affaire ?

Silence à l'autre bout du fil.

– Écoutez, reprit Rachel Vine d'un ton hésitant, je ne devrais probablement pas vous le dire, mais on nous a demandé de ne pas nous opposer à la liberté sous caution.

– Qui ça ?

– Le procureur général.

– Mais enfin, pour l'amour du ciel…

– Lynn, Lynn, écoutez, je ne peux pas en dire plus. Si vous voulez en savoir davantage, je vous suggère d'aller voir votre supérieur hiérarchique.

Quand Lynn essaya de lui soutirer de plus amples détails, Rachel Vine coupa la communication.

Grâce à un peu de resquille et à beaucoup de persuasion, elle parvint à obtenir un rendez-vous avec le sous-directeur de la police dans son bureau de Sherwood Lodge, à la fin de la journée. Elle se demandait toujours d'où avaient bien pu venir les pressions qu'on devinait derrière la requête du procureur général.

Elle eut sa réponse quand, après vingt bonnes minutes d'attente, elle fut introduite dans le bureau du sous-directeur, où elle vit Stuart Daines, de la SOCA, s'avancer vers elle, main tendue et sourire aux lèvres.

– Lynn, quel plaisir de vous revoir ! (Son sourire s'élargit.) Puisque vous ne vouliez pas venir à nous, j'ai pensé que le mieux était de venir à vous.

12

– Et ce salopard arrogant était là, tout content de lui, un sourire narquois épinglé sur la figure, comme s'il venait juste de me vendre pour plusieurs milliers de livres sterling de double vitrage !

Lynn était allée directement de Sherwood Lodge au bureau de Resnick, interrompant une réunion tardive. Khan et Michaelson, prenant vite la température, s'étaient éclipsés.

– Je croyais que tu t'étais entichée de lui, dit Resnick d'un ton léger.

– Ce n'est pas une plaisanterie, bon sang, Charlie !

– Je sais.

– Zoukas remis en circulation, quelles que soient les conditions, ça me reste en travers de la gorge.

– Il doit bien y avoir une raison, une explication quelconque ?

– Une explication ? (Baissant la voix d'une octave, elle se lança dans une imitation de Daines :) « Viktor Zoukas est un rouage modeste mais incontournable d'une importante enquête en cours, et il est essentiel pour les progrès de ladite enquête qu'il reste en liberté pour le moment. »

– Pour le moment ?

– Oui.

– C'est ce qu'il a dit ?

– Oui.

– Daines ?

– L'agent principal Daines.

– C'est son grade ?

– Les membres de la SOCA sont des fonctionnaires. Ça te dit ce que tu as besoin de savoir.

– Et il ne t'a pas donné davantage de détails ?

Lynn secoua la tête.

– Il ne veut surtout pas, m'a-t-il assuré, que je me sente mise à l'écart de ce qui se passe.

– Gentil de sa part.

– Mais dans la mesure où l'enquête en est à un stade extrêmement délicat, il ne peut pas m'en dire beaucoup plus pour l'instant, quoiqu'il ait la ferme intention de me mettre au parfum dès que cela lui sera possible.

Resnick changea de position dans son fauteuil. Il y avait longtemps qu'il n'avait pas vu Lynn si en colère, et apparemment à juste titre.

– Qu'en a dit le sous-directeur ?

– Oh ! il a pontifié sur l'importance de coopérer avec une organisation nationale, de voir plus loin que notre juridiction… je te laisse imaginer. D'après ce que j'avais compris à cette conférence où j'étais allée, la SOCA n'a guère eu de contacts avec des forces de police extérieures à Londres. Ça ne peut pas faire de mal au directeur, politiquement parlant, si nous sommes parmi les premières. Ça détourne l'attention du public de ces gamins qui se tirent dessus dans nos rues.

– Tu deviens cynique avec l'âge, dit Resnick.

– Pas toi, peut-être ?

– Non, juste plus vieux.

Lynn s'approcha de la fenêtre et regarda dans la rue. Des ouvriers manoeuvraient une large grue vers l'entrée du chantier de construction voisin, ce qui bloquait la circulation dans les deux sens.

– Kelly Brent, dit-elle en se retournant. Du nouveau de ce côté ?

Resnick soupira.

– Les mots « mur » et « briques » viennent à l'esprit.

– Aucun tuyau de Gregan concernant un tireur possible ?

– Pas pour l'instant.

– Ça finira bien par se débloquer.

– Il faut l'espérer.

Lynn se tourna vers la porte.

– Je ferais mieux d'y aller.

– OK.

– À tout à l'heure, à la maison.

Resnick opina du chef.

117

– Si tu vois Frank ou Anil…

– Je leur dis que la voie est libre.

Andreea téléphona à Lynn le lendemain, la voix tremblante, l'accent brouillé. L'officier chargé de la protection du témoin l'avait informée du renvoi du procès, croyant peut-être ainsi la soulager.

– Où êtes-vous ? demanda Lynn. Vous appelez de Londres ?

Non. Elle était là, en ville, à la gare routière.

– Restez où vous êtes, lui dit Lynn. Attendez-moi là, je vous trouverai.

Elle était assise sur l'un des bancs, la tête couverte par un foulard à motifs. Depuis leur dernière rencontre, elle semblait avoir maigri ; son visage était plus mince, plus creusé.

À l'approche de Lynn, Andreea regarda autour d'elle d'un air anxieux avant de lui saisir le bras.

– Je ne voulais pas venir ici, mais je dois vous voir. J'ai peur.

– Tout va bien. (Lynn se dégagea avec douceur.) Tout va bien. Allons quelque part où nous pourrons parler.

Le Victoria Centre commençait à se vider, certaines boutiques fermaient déjà, baissaient leurs volets métalliques pour la nuit. Lynn entraîna Andreea au niveau supérieur, jusqu'à la passerelle couverte qui traversait Upper Parliament Street ; ensuite, elles redescendirent et passèrent devant des étals où on vendait des accessoires électriques, des piles à prix discount et des vêtements de mauvaise qualité. Quelques centaines de mètres plus loin, elles débouchèrent sur Broad Street, où, en face du cinéma d'art et d'essai, se trouvait Lee Rosy's, la petite oasis de Lynn dans le centre-ville.

Elle était tombée dessus par hasard, un petit café avec pas plus de six ou sept tables en enfilade et quelques tabourets près de la vitrine donnant sur la rue. Alignés avec soin sur les étagères, le long d'un des murs, une bonne cinquantaine de thés différents, depuis l'Assam et le Ceylan en passant par toute la gamme des thés parfumés : menthe ou camomille, cannelle et hibiscus. On pouvait aussi avoir du café — et du bon — si on le souhaitait, ainsi que des *smoothies*, mais le thé se taillait la part du lion. Le propriétaire allait à contre-courant de la mode : pas de café mais du thé.

Généralement, Lynn aimait garder cette adresse pour elle, ne pas y aller avec quelqu'un qui soit associé au boulot. La plupart des habitués semblaient être des clients du cinéma d'en face ou des étudiants de l'un ou l'autre des collèges proches, mais à cette heure de la soirée il ne restait plus que quelques traînards : un jeune homme penché sur son ordinateur portable, près de la vitrine, une jeune femme feuilletant un livre sur la photographie tout en écoutant son iPod, un couple qui partageait une part de gâteau au café en se regardant dans les yeux comme seuls les adolescents savent le faire.

– S'il vous plaît, dit Andreea, pourquoi c'est arrivé ? Je ne comprends pas.

– Le renvoi, vous voulez dire ?

– Oui.

– C'est difficile à expliquer.

– Vous croyez qu'il n'est pas coupable ?

Lynn exhala avec lenteur.

– Non, ce n'est pas ça, c'est… Écoutez, Andreea… (Elle lui toucha la main)… je vais être honnête avec vous. Moi-même, je ne comprends pas tout. Mais Zoukas, à la fin, il paiera pour son crime, je vous en donne ma parole.

– Et moi ? dit Andreea. Et moi, alors ?

– Ça ira. Il ne vous arrivera rien.

– Mais il est libre, maintenant…

– Il n'est pas libre, ce n'est pas vrai. Il doit se présenter à la police tout le temps.

– Mais il sait que c'est moi qui témoignais contre lui au procès.

Lynn se pencha plus près.

– Ça, Andreea, vous n'en savez rien. Et même si c'est le cas, pour l'instant, Zoukas ne voudra surtout pas attirer davantage l'attention sur lui. Il va se donner beaucoup de mal pour rester clean. (Elle leva les yeux à l'entrée d'un client.) De toute façon, il ignore où vous êtes.

– Vous croyez qu'il ne peut pas découvrir, s'il veut ?

– Londres, c'est grand.

Andreea frissonna.

– Je ne sais pas.

– Écoutez, Andreea. Écoutez-moi. Retournez à Londres. Gardez un profil bas. Restez où vous êtes. Il ne vous arrivera rien, je vous le promets. OK ? (Elle étreignit la main d'Andreea.) Andreea. OK ?

– Oui. (Sourire hésitant, empreint de doute.) OK.

Quand Lynn rentra chez elle, après avoir mis Andreea dans le car express pour Londres, elle avait par-dessus tout envie de boire un coup. Resnick, qui avait mis le ragoût à réchauffer en bas du four, diminua le gaz et ouvrit une bouteille de rouge.

Lynn éclusa presque d'un trait son premier verre, comme si c'était de l'eau.

— Seigneur, Charlie ! Qu'est-ce qui m'a pris ?

— Comment ça ?

— De lui faire ces mêmes promesses. Encore et toujours. Des promesses que je ne pourrai pas tenir.

— Tu crois vraiment qu'elle est en danger ?

— Je crois que c'est un risque. Si Zoukas veut s'assurer de son silence.

— Tu crois qu'il peut découvrir où elle est ?

— Ça dépend. Si elle a repris à Londres le même genre d'activité qu'elle avait ici, c'est plus que possible. Ça dépend du réseau de relations de Zoukas. Andreea m'a parlé d'une amie, roumaine comme elle, qui travaille dans un hôtel de Cornouailles. Elle essaiera de trouver un emploi là-bas dans le courant de l'année.

— Dommage qu'elle ne puisse pas y partir dès maintenant.

— Oui.

Resnick remplit de nouveau le verre presque vide de Lynn. Le réverbère dispensait une lueur orangée dans la pièce, où seule était allumée la petite lampe sur l'étagère au-dessus de la chaîne stéréo.

— Tu crois que c'est ce qui est arrivé à Kelvin Pearce ? Un homme de main de Zoukas l'aurait menacé ?

— Ou alors, on a acheté son silence.

— Toujours aucune trace de lui ?

Lynn fit un signe de dénégation.

Ils restèrent assis, absorbés dans leurs pensées, tandis que la pièce s'assombrissait encore autour d'eux.

— Tu es prête à dîner ? finit par demander Resnick.

— On ferait mieux. Tout ce vin me monte à la tête.

En sortant de la pièce, il s'arrêta au passage pour mettre un disque sur la platine. Laurindo Almeida et Bud Shank. L'une des premières sessions de jazz bossa-nova. 1953. L'alto de Shank, sinueux et précis sur les accords recherchés de la guitare d'Almeida. Parfait dans son genre.

Il emporta son verre à la cuisine, augmenta la température du four et mit deux assiettes à chauffer. Encore combien de temps, se demanda-t-il, avant qu'ils se retrouvent ensemble au lit ?

13

Resnick était déjà parti travailler. Lynn, qui n'avait pas encore complètement repris ses fonctions officielles, avait savouré son petit déjeuner sans se presser, feuilletant le journal, passant le temps avec la grille de mots croisés facile, pour finalement l'abandonner parce que la définition du dix horizontal — « cible craintive », en dix lettres — la contrariait, non par sa complexité, mais parce qu'elle était sûre que la réponse était toute simple et qu'elle ne voyait absolument pas ce que ça pouvait être.

Cela fait, elle joignit l'inspecteur qui dirigeait les recherches pour retrouver Kelvin Pearce. Celui-ci aurait été aperçu — témoignage non confirmé — à Retford, et il avait passé deux coups de fil à sa sœur, à Mansfield, ce que l'intéressée avait commencé par nier. Kelvin, déclara-t-elle aux policiers, était mort de trouille. Un grand fanfaron, notre Kelvin, vu de l'extérieur, mais creusez un peu et il est aussi ramolli à l'intérieur qu'une meringue de chez Gregg. Deux mecs étaient passés le voir chez lui, à Sneinton, leur dit-elle, se montrant beaucoup plus bavarde que précédemment, et lui avaient flanqué une peur bleue. Persuadé, le Kelvin, que s'il montrait le bout de son nez au procès, ils lui colleraient une balle dans chaque rotule, histoire de s'assurer qu'il ne marche plus jamais.

Non, jura-t-elle, elle ne savait pas où il était ni d'où il avait téléphoné, mais elle ne pensait pas qu'il soit parti bien loin. À Doncaster, peut-être ; il avait un bon copain là-bas, dans le temps, le Kelvin.

Lynn vida la corbeille de linge sale, sépara le blanc de la couleur, fourra dans la machine les vêtements de la deuxième catégorie, ajouta de la lessive, sélectionna le programme adéquat et appuya sur le bouton. Elle s'occuperait du blanc plus tard.

Tentée par une tranche de toast à la confiture, elle se préparait à aller lentement acheter une miche de pain frais au coin de la rue quand le téléphone sonna.

– L'autre jour, dit Daines, je n'ai peut-être pas été très loyal avec vous. Je n'aurais pas dû vous tenir à l'écart comme ça.

Nullement décidée à lui faciliter la tâche, elle se tint coite.

– Nous devrions peut-être nous rencontrer. Je pourrais alors vous mettre au courant. Autant qu'il m'est possible, du moins. Qu'en dites-vous ?

Silence, puis :

– D'accord.

– Parfait. Excellent. Si on se retrouvait pour un verre avant le déjeuner ? Dans un endroit tranquille.

– Pas question.

– Oh, allez ! Vous n'êtes quand même…

– Ils ne vous ont pas donné un bureau ?

– Si, dit-il avec un petit rire. Nous avons un bureau.

– Très bien. Dans ce cas, on s'y retrouve.

– OK. Midi ? Midi et demi ?

– Pourquoi pas onze heures ?

– Va pour onze heures.

Il lui donna l'adresse. C'était une de ces rues bordées de maisons de style géorgien, à côté de Wellington Circus, qui sont devenues pour la plupart des cabinets d'avocats ou des études d'architectes haut de gamme, ceux pour qui les cuisines séparées appartiennent au passé.

Lynn s'habilla avec soin : tailleur-pantalon brun foncé qui mettait peu en valeur la silhouette, escarpins à talons bas, maquillage minimal, cheveux tirés en arrière pour dégager le visage.

Le bureau de Daines était aussi anonyme qu'une chambre de motel Travelodge, mais mieux proportionné ; les meubles, qui avaient été livrés en kit, attendaient encore d'être montés, et il n'y avait rien d'autre sur sa table de travail qu'un ordinateur portable et un téléphone mobile. Des dossiers bleus et gris étaient alignés sur des étagères au fond de la pièce. Les fenêtres étaient équipées de doubles vitrages pour assourdir les bruits de la circulation et l'air était curieusement atone, sans autre odeur que celle, très légère, de désodorisant.

– Bienvenue. En l'état.

Daines portait un pantalon de costume gris et une chemise blanche à col ouvert dont les manches étaient retournées juste au-dessus du poignet. Lynn accepta sa poignée de main et s'assit en face de lui, sur une chaise pliante métallique.

On entendait des voix indistinctes provenant d'autres pièces.

Elle se demanda combien de membres de la SOCA occupaient le bâtiment, quelle était l'importance du budget et du personnel alloués à cette partie de l'opération. Quelle que fût la nature de l'opération.

– En attendant que la machine arrive, je n'ai que du café instantané à vous offrir, dit Daines. Mais si vous voulez, je peux envoyer quelqu'un au bar du Playhouse.

– C'est inutile.

– De l'eau, alors, ou…

– Viktor Zoukas.

Daines sourit.

– Pas de temps à perdre en civilités.

– Vous deviez m'expliquer…

– Autant qu'il m'est possible, oui. Certains éléments, par la force des choses, sont malheureusement encore secret défense.

Lynn acquiesça.

– Un dernier détail avant de commencer, dit Daines. Ce sac… (Il indiqua le sac à bandoulière en cuir qu'elle avait posé à côté de sa chaise.) Il n'y aurait pas un magnétophone dedans, par hasard ?

Lynn le souleva et le tendit vers lui.

– Vous voulez vérifier ?

Elle commençait à avoir l'impression de s'être égarée dans un épisode de *La Taupe*, de John Le Carré. Un épisode qu'elle aurait manqué.

Daines se fendit d'un sourire.

– Ça ira. Ce job me rend paranoïaque sur les bords. Mais il suffirait d'une ou deux fuites au mauvais moment… (Il haussa les épaules.) Pour en revenir à Viktor Zoukas, laissez-moi vous dire certaines petites choses que vous ignorez peut-être encore à son sujet. Ses antécédents. Il est arrivé d'Albanie en 1999 en se faisant passer pour un réfugié kosovar, mais ce n'était peut-être pas la stricte vérité. Il a de la famille ici, un frère, des cousins, qui sont installés pour la plupart dans le nord de Londres, à Wood Green. Ils sont toute une flopée là-bas, qui viennent surtout de l'Albanie du

Nord. Un ou deux sont tout à fait respectables. L'un est médecin et exerce au Royal Free. C'est lui qui a versé la caution pour Viktor.

« Pour ce qui est de Viktor et de ses cousins, leur truc, c'est la prostitution. Pareil pour son frère cadet, Valdemar. Bordels, salons de massage, trafic de femmes d'Europe de l'Est qui sont forcées de travailler dans l'industrie du sexe. Des filles qui, pour certaines, n'ont que quinze ou seize ans. Vous savez sans doute comment ça marche, au moins sur le principe. Ils promettent aux filles monts et merveilles, leur demandent une petite fortune pour les faire venir dans le pays, souvent *via* l'Italie, et ils les gardent ensuite quasiment prisonnières pendant qu'elles remboursent l'argent qu'elles sont censées devoir.

« Soit ils les font travailler pour eux, soit ils les revendent. Une fille comme Nina Simic, celle qui a été tuée, a pu être achetée et vendue quelques milliers de livres et cent cartouches de cigarettes.

Daines s'interrompit en entendant quelqu'un s'approcher de la porte, se raviser et s'éloigner.

– La contrebande de tabac, reprit-il, c'est comme ça que j'ai pris contact avec ces gens-là. À l'époque où je travaillais encore pour les Douanes. C'était une grosse affaire, et ça l'est encore. Entre-temps, les Albanais se sont lancés dans le cannabis et aimeraient bien s'adjuger une grosse part du marché de l'héroïne, mais les Turcs le tiennent bien en main et le gardent pour eux. Conséquence, depuis un an, ils paraissent décidés à ajouter une nouvelle corde à leur arc. À élargir leur éventail, pourrait-on dire. Les revolvers. Les revolvers et les munitions. Sur une grande échelle.

– Et c'est ça qui intéresse la SOCA ?

– Principalement, oui.

– Je ne vois toujours pas pourquoi il était si important de libérer Zoukas sous caution.

Daines soupira.

– Le timing. Et tout le reste.

– Je ne comprends pas, dit Lynn.

– Vous connaissez ce jeu qui est censé avoir été conçu pour des gamins : Jenga, quelque chose dans ce genre-là. Il y a une tour qui est faite de petits bouts de bois placés en biais les uns par rapport aux autres, par trois. Le but, c'est d'en retirer un et de le replacer au-dessus sans que toute la tour s'effondre. L'un de ces bouts de bois, c'est Zoukas.

– Et la tour ?

Daines pianota des doigts sur le bord du bureau, un motif rythmé dont les vibrations firent tourner son mobile d'un quart de tour.

– Tout ce que je vais vous dire maintenant ne doit pas sortir de cette pièce. C'est compris ?

– Compris.

Si Lynn avait été encore une enfant, elle aurait bien pu croiser les doigts derrière son dos.

– Bien. Voici nos informations. Un fervent partisan de l'économie de marché, en Lituanie, a acheté de grosses quantités de pistolets relativement peu puissants — des pistolets d'alarme, comme on les appelle là-bas —, très efficaces pour faire fuir le doberman du voisin, mais pas plus. Il a remodelé les canons pour les adapter à des cartouches de 9 mm standard. Il les vend quelques centaines de livres pièce, et le temps que les flingues arrivent en Angleterre, ils ont grimpé à quinze cents livres l'unité.

« Au cours des dernières années, nous avons intercepté — du moins, les Douanes — plusieurs petits arrivages, généralement dans des véhicules où on avait aménagé des compartiments cachés, donc pas plus d'une vingtaine de pistolets à la fois. Mais maintenant, selon nos informations, un transfert beaucoup plus important se prépare. Sept cents armes, peut-être bien, et quatorze mille cartouches. Nous ne savons pas encore exactement quand, ni par quel itinéraire. Mais vous imaginez les conséquences si elles arrivaient à bon port, si ce lot tombait entre de mauvaises mains et se retrouvait dans les rues. Après ce qui s'est passé, vous êtes particulièrement bien placée pour le comprendre.

– Oui. Oui, évidemment, dit Lynn. Mais je ne vois toujours pas le rapport. Ces hommes, les revolvers, vous dites qu'ils sont tous lituaniens.

– Exact. Et les types qui sont de ce côté-ci chient dans leur froc parce qu'ils pensent, surtout après cette dernière arrestation, que nous les avons dans le collimateur. De leur point de vue, mieux vaut donc vendre à quelqu'un d'autre et prendre un bénéfice moindre que de courir le risque de se retrouver derrière les barreaux.

– Et c'est là que Zoukas intervient.

– Absolument. Viktor et son frère, oui, c'est ce que nous pensons. Nous avons longtemps observé, attendu, en liaison avec le Centre lituanien de répression du crime organisé et de la corruption.

Nous les avons laissés tout mettre en place. D'après nos renseignements, Valdemar devait s'occuper du côté Londres ; Viktor, lui, prenait tout ce qui était plus au nord : Nottingham, Leeds, Manchester, Glasgow. Quand Viktor a été envoyé en prison et sorti de l'équation, tout a été suspendu, ce qui a rendu nerveux les Lituaniens. Selon nos informations, ils ont menacé de proposer les revolvers à d'autres. Aux Turcs, par exemple. Et ça, c'est la dernière chose que veulent Valdemar et ses copains. Toute l'opération est sur le point de s'effondrer et, si ça se produit, on se retrouve à la case départ et on n'a plus qu'à tout recommencer de zéro. Des mois de surveillance, Dieu sait combien d'heures de travail anéanties. Par contre, si nous pouvons réactiver l'opération et frapper au bon moment, nous mettons la main sur les acheteurs, les vendeurs, les pistolets — la totale. Quand nous avons appris qu'il y avait une chance que Zoukas soit libéré sous caution, nous avons sauté sur l'occasion.

Le visage de Lynn se rembrunit.

– Appris ? Comment ça, appris ?

Daines arbora un sourire qui se voulait désarmant.

– Tout naturellement, nous étions intéressés par l'issue de l'affaire. Pour être franc, il nous a toujours semblé qu'il y avait une forte possibilité que Zoukas soit acquitté. Là-dessus, l'un de vos principaux témoins a choisi de courir se mettre à l'abri…

– C'est donc ce qu'il a fait ?

– Je ne saurais le dire. Mais ça paraît plausible, vous ne trouvez pas ?

– Et providentiel. Pour vous, en tout cas.

Le sourire de Daines s'élargit.

– Un peu de chance n'a jamais fait de mal à personne.

– Nina Simic, dit Lynn, a eu la gorge tranchée pratiquement d'une oreille à l'autre.

– Je sais, je sais. Et si Zoukas est reconnu coupable, il paiera. Plus tard que prévu, d'accord. Qu'est-ce que ça peut bien faire ?

– Allons donc ! dit Lynn. Ne soyez pas naïf. Si quelqu'un a réussi à trouver l'un des témoins et à lui flanquer une trouille bleue, qu'est-ce qui l'empêche de débusquer l'autre ? Nous avons un mois pour retrouver Pearce, mais Zoukas — ou son homme de main — a un mois, lui aussi, pour dépister le seul autre bon témoin que nous ayons. Résultat : Viktor Zoukas est libre de ses mouvements. (Elle fixa sur Daines un regard dur.) C'est peut-être ce que vous vouliez depuis le début.

– Peut-être, d'une certaine manière.

Lynn écarquilla les yeux.

– Cette jeune femme, dit-elle en se levant d'un bond, a été achetée et vendue comme de la viande fraîche. D'après ce que nous savons, elle a été systématiquement battue, presque certainement violée, puis forcée de baiser avec tout le monde et n'importe qui, douze ou quatorze heures par jour. Et pour finir, elle a été égorgée, massacrée...

– Holà, holà ! Vous ne croyez pas que vous êtes un peu trop émotive, là ?

– Massacrée, c'est le mot que j'ai choisi. Massacrée, et si on vous laisse faire, justice ne lui sera pas rendue. Et émotive ? Oui, c'est vrai, je suis émotive. Je l'ai vue étendue par terre, morte, avec son sang qui imprégnait un tapis pourri poisseux de sperme. Étonnez-vous, après ça, que je sois émotive !

Elle tourna les talons et se dirigea vers la porte.

– C'est le moment difficile du mois, je suppose, dit-il. Ça n'arrange rien.

Lynn fit volte-face. Elle n'aurait su dire ce qui la retint de gifler Daines pour effacer son sourire condescendant.

– Allez vous faire foutre ! lança-t-elle.

– À propos, dit Daines, hilare, vous ne m'avez jamais remercié pour les fleurs.

Lynn claqua violemment la porte derrière elle.

Furieuse contre elle-même, Lynn se rendit à pied — non, au pas de charge — dans le centre-ville, traversa Old Market Square, en cours de rénovation, et remonta Smithy Row, au milieu de laquelle un petit homme aux cheveux raides, torse nu, distrayait une foule de badauds en s'attachant des chaînes autour de la poitrine, à la manière de Houdini. Quelques mois plus tôt, le même homme, ou un hercule comme lui, avait été contraint d'appeler police secours parce qu'il n'arrivait pas à se libérer.

Elle alla chez Lee Rosy's et s'assit face à la vitrine, feuilletant un magazine local qui avait été laissé sur le comptoir : bars, restaurants, boîtes de nuit, grands crus, soirées avec alcool en promotion, bières en bouteille, environnement contemporain et détendu, musique cool pour gens cool.

Cool.

À vrai dire, c'était une chose dont on ne l'avait jamais accusée.

Froide, peut-être — même si ça ne correspondait pas à la réalité. Mais cool…

Si elle avait un jour caressé l'illusion d'être cool, elle l'avait perdue une fois pour toutes dans le bureau de Daines. D'abord, ça l'avait mise en rogne de voir le peu de cas qu'il faisait de la justice due à une morte, à partir du moment où cela contrecarrait son plan mirobolant ; ensuite — Seigneur ! mais quelle mouche l'avait donc piquée ? — elle avait réagi au quart de tour à une remarque puérile que, jeune agent de police, elle avait dédaignée un millier de fois.

Elle ferma les yeux un moment, résolue à se détendre, mais quand elle les rouvrit, le même visage crispé se reflétait indistinctement dans la vitrine.

Quatre ou cinq ans plus tôt, elle s'était essayée au yoga.

Le moment était peut-être venu de s'y remettre.

Elle n'avait toujours pas évacué complètement la colère qui empoisonnait son organisme — colère contre Daines, colère contre elle-même — quand elle retrouva Resnick au Peacock, en début de soirée, au coin de la rue du commissariat central.

– J'ai l'impression, dit Resnick après avoir écouté attentivement, que M. Daines est un sombre imbécile.

– Il est pire que ça.

– Peut-être.

– Et c'est moi qui suis une imbécile de sortir de mes gonds à cause de lui.

Resnick salua de la tête deux autres policiers en civil qui venaient d'entrer dans le bar.

– Ça arrive, dit-il. Moi, par exemple, avec Howard Brent. J'ai failli lui rentrer dans le chou, lui mettre mon poing dans la figure.

– Alors, qu'est-ce qui se passe ? dit Lynn en retrouvant le sourire. Est-ce moi qui deviens comme toi ou toi qui deviens comme moi ?

– À Dieu ne plaise que la première hypothèse soit la bonne ! Des kilos en trop et la retraite en vue, ça ne t'irait pas du tout. D'ailleurs, c'est peut-être le métier qui change, pas nous autres.

– Tu penses que je devrais quitter le navire avant qu'il ne soit trop tard ? Me recycler ? Ma mère me voyait infirmière.

Resnick éclusa une gorgée de sa pinte.

– Tu t'en sortiras très bien, dit-il. Tu t'adapteras. En ce qui me concerne, plus tôt je partirai, mieux ça vaudra.

– Là, tu dis des bêtises.

– Vraiment ?

– Où irais-tu, Charlie ? Que ferais-tu ? Tu serais perdu sans tout ça.

– Non. Il me suffirait d'une gentille petite ferme quelque part. Dans les Dales, peut-être. Deux ânes et quelques douzaines de poulets pour me tenir compagnie.

Lynn éclata de rire à cette idée.

– Des ânes ! C'est toi, l'âne. Au bout de deux semaines à la campagne, tu ferais de l'urticaire.

– On verra bien.

– C'est tout vu.

Ils prirent deux portions de morue avec des frites sur le chemin du retour, et une portion de poisson supplémentaire pour les chats. Lynn rattrapa le repassage en retard pendant que Resnick regardait une partie du DVD sur Monk qu'elle lui avait offert pour la Saint-Valentin. Après avoir suivi le JT de vingt-deux heures, ils décidèrent d'aller se coucher.

Cette fois, ce fut elle qui glissa sa main sur la poitrine de Resnick et qui pressa ses jambes contre les siennes. Il ne fit rien pour la repousser.

14

En sa qualité de responsable de l'enquête sur le meurtre de Kelly Brent, Bill Berry était à la fois harcelé par les médias et talonné par sa hiérarchie ; et lui, à son tour, mettait la pression sur Resnick. Les troupes de Resnick se démenaient dans tous les sens, mais sans grand résultat ; leurs informateurs, qui incluaient désormais Ryan Gregan, ne dégotaient quasiment rien. Très bientôt, Resnick le savait, on lui adjoindrait probablement quelqu'un de neuf qui regarderait par-dessus son épaule et passerait au crible tout ce qui avait été fait, les décisions prises, les pistes restées inexplorées. Si la police de Nottingham n'avait pas été tellement à court d'officiers supérieurs expérimentés, cela aurait fort bien pu déjà arriver — auquel cas Resnick, non sans une certaine ignominie, se serait retrouvé à superviser la Brigade de répression des vols en attendant de toucher sa pension.

Ma foi, se dit-il, rien de déshonorant à ça.

Dans une manoeuvre qui confinait au désespoir, ils interpellèrent de nouveau Billy Alston pour interrogatoire et le relâchèrent derechef.

À peine Alston avait-il franchi les portes du commissariat que Howard Brent se présenta une fois de plus pour tempêter, fulminer et déposer une nouvelle plainte au nom de sa famille. Au moins, cette fois, Resnick évita de lui parler directement.

Le fils aîné, Michael, fut interviewé par l'une des chaînes de télévision locales : un jeune homme sérieux, vêtu de sombre, expliquant d'un ton mesuré que la mort de sa sœur avait déchiré sa famille et qu'ils avaient désespérément besoin de tourner la page, chose que seule pourrait leur permettre l'inculpation du meurtrier.

– En l'état actuel des choses, conclut-il avec une allusion à peine voilée à Lynn, la police semble plus préoccupée de protéger les siens que de débusquer l'assassin de ma sœur. Et ne nous y trompons pas : si ce meurtre avait été commis, non dans les quartiers défavorisés, mais à Edwalton ou à Burton Joyce, si ma sœur avait été blanche et non une jeune femme de couleur, la police — cette police à prédominance blanche — ne traînerait pas les pieds comme elle le fait.

Impressionnant, songea Resnick en observant la prestation. Pas seulement Malcolm X, mais aussi une touche de Martin Luther King. À croire que Michael Brent avait écouté des enregistrements de leurs discours ou les avait regardés sur DVD. Il ferait un bon juriste, sans aucun doute, et peut-être même un avocat.

Ce qu'il omettait néanmoins de préciser, pensa Resnick, c'est que Edwalton et Burton Joyce n'étaient pas aussi gangrenés par la drogue et les armes à feu que ne l'étaient les Meadows, Radford ou St Ann — ou alors, on y consommait une cocaïne de meilleure qualité, servie après le dîner à titre de gâterie, avec le cognac et les chocolats à la menthe, et on y utilisait de simples fusils de chasse, non pas pour des guerres de territoire dans les rues, mais pour canarder à l'occasion un lapin dans les champs. Ce qui ne voulait pas dire que la couleur n'expliquait pas en grande partie la différence : couleur, race, perspectives d'avenir, emploi, études.

S'il y avait des réponses, des solutions, il ne les voyait absolument pas.

Tout effacer et repartir de zéro ?

Lynn, qui s'ennuyait de plus en plus et se sentait sans ressort, persuada le médecin de la police de la déclarer apte à reprendre le travail. Au lieu d'être affectée à la recherche de Kelvin Pearce, elle fut chargée de collaborer à une investigation qui en était au point mort : un double meurtre, une femme de vingt-neuf ans et sa fille de quatre ans, la première poignardée onze fois avec un couteau de cuisine, la seconde étouffée dans son sommeil avec un oreiller. Pour l'officier responsable de l'enquête, l'affaire était apparue évidente, claire comme de l'eau de roche : la femme et son compagnon s'étaient séparés en très mauvais termes huit mois auparavant, et elle avait depuis lors entamé une nouvelle relation avec un autre homme.

Les témoignages ne manquaient pas pour indiquer que le père, qui avait quitté le domicile familial au moment de la rupture, avait fait plusieurs tentatives de réconciliation, toutes fermement repoussées. Les voisins avaient été témoins de nombreuses disputes du couple, et en deux occasions — une fois dans les allées du supermarché local, l'autre dans la rue —, on l'avait entendu proférer des menaces contre son ex. « Si je ne peux pas t'avoir, bordel, aucun autre salopard ne t'aura ! »

Seulement voilà : au moment où les meurtres avaient été commis, le père — le suspect idéal — passait un week-end entre hommes à Barcelone. Du vendredi soir au dimanche après-midi. Des témoins, entre autres les amis avec qui il avait voyagé, les employés des différents bars et boîtes où ils étaient allés, le personnel de l'hôtel et de la compagnie aérienne, purent répondre de pratiquement chaque minute de son emploi du temps.

Avec toute la précision qui lui était permise, le médecin légiste avait situé les meurtres de la mère et de la fille aux petites heures du dimanche, quelque part entre deux et quatre heures du matin.

Quand le père, à son retour, avait été informé de la nouvelle, il s'était effondré, en pleurs, visiblement sous le choc.

La seule autre personne pouvant être impliquée — le nouveau petit ami, un moniteur de fitness dans l'un des clubs de remise en forme de la ville — avait rendu visite à sa famille à Newcastle-upon-Tyne, où ils étaient tous sortis fêter un soixantième anniversaire le samedi soir, jusqu'à minuit et bien au-delà.

Affaire loin d'être close, donc.

Lynn lut d'un bout à l'autre les dépositions écrites, visionna les interrogatoires enregistrés, parla avec les policiers qui travaillaient sur l'enquête. Elle se rendit sur la scène des meurtres, une agréable maison mitoyenne d'où on avait vue sur le parc de Bestwood Country, et passa du temps, silencieuse, dans la chambre de la fillette — une abondance de jouets, des posters de Miffy le petit lapin blanc et des cartes de son dernier anniversaire — et ensuite au rez-de-chaussée, dans la cuisine impeccable, où des échos sanglants se nichaient dans les recoins du plafond et entre les lamelles du store vénitien.

Parfois, le fait de visiter les lieux, de rester seul dans le silence, de marcher lentement d'une pièce à l'autre, pouvait donner une idée de ce qui s'était passé. Encore une chose qu'elle avait apprise de Resnick et reprise à son compte, à l'époque où elle était jeune inspectrice adjointe. Mais cette fois, il n'y avait rien de plus que l'évident, le déjà connu, pas d'ombres qui se détachaient des murs.

Il lui faudrait donc réinterroger les deux hommes, même si elle était de plus en plus convaincue qu'il y avait quelqu'un d'autre dans le coup. Un inconnu, un autre amant, un ami.

Elle regagnait son bureau quand elle faillit entrer en collision avec Stuart Daines qui sortait du commissariat.

Sur le moment, elle crut qu'il allait la dépasser sans même lui accorder un regard, mais il s'arrêta et se retourna, un sourire hésitant sur les lèvres.

– Pourquoi faut-il, chaque fois que je vous vois, que je donne l'impression de m'excuser ?

– Parce que vous êtes un vrai trouduc ?

Daines rit.

– C'est bien possible. Il y a quelque part une ex-épouse et deux Jack Russell qui seraient d'accord avec vous. « On se marie promptement et on s'en repent à loisir », c'est bien ce qu'on dit ?

– Vraiment ?

– Vous êtes mariée ?

Lynn secoua négativement la tête.

– Mais vous êtes… vous avez quelqu'un, non ?

– C'est exact.

– Quelqu'un d'ici, un policier. C'est ce que j'ai entendu dire.

– Écoutez, je ne vois pas…

– Depuis combien de temps ?

– Quoi ?

– Depuis combien de temps vous êtes ensemble ?

– Ça ne vous regarde pas.

– C'est juste que… enfin… si vous êtes maqués depuis un bon moment et toujours pas mariés… (Il sourit jusqu'aux oreilles.) Je me disais que j'aurais peut-être ma chance.

– Vous plaisantez ?

Il eut un gloussement un peu gêné.

– Oui, sans doute.

– Dieu merci !

Elle se remit en route.

– La fille…, dit Daines dans son dos.

Elle se retourna.

– Quelle fille ?

– Le témoin. Andreea ?

– Andreea Florescu, oui.

– Je voudrais lui parler, à un moment ou à un autre.

Le visage de Lynn se ferma.

– Pour quoi faire ?

– Si j'ai bien compris, elle a travaillé quelque temps pour Viktor Zoukas.

– Et alors ?

– Alors, je voudrais lui montrer quelques photos, des gens qu'elle aurait pu voir avec lui.

– Ici ? Au sauna ?

Daines haussa les épaules.

– C'est possible.

– Ça paraît tiré par les cheveux.

– Comme souvent.

– Ça ne lui plaira pas. Elle risque même de refuser.

– Si vous lui demandiez…

– Je ne sais pas.

– Ça pourrait être important.

– Encore un morceau de… quel est le nom, déjà ?… Jenga ?

– Oui, exactement.

Lynn hésitait encore.

– Vous savez certainement comment la joindre ? insista Daines.

– Oui, je le sais.

– Alors, parfait. Peut-être que vous me passerez un coup de fil ? Dans les deux jours ?

Il s'éloigna sans attendre la réponse, laissant Lynn à ses pensées.

Ce soir-là, Resnick et elle regardèrent, dans l'émission *Newsnight,* la rediffusion de la plus grosse partie du speech de Michael Brent, suivie d'un débat à trois participants : le directeur de l'Unité opérationnelle Trident, un service de la police métropolitaine chargé d'enquêter sur les crimes avec armes à feu au sein des communautés noires de Londres ; un représentant du Comité pour l'égalité raciale ; et le député travailliste de Nottingham South.

– Il est plein de bon sens, celui-là, observa Lynn. Pour un député.

– Et Michael Brent ? Comment tu l'as trouvé ?

– Très différent de son père. Il ne parle pas à tort et à travers. Il est beaucoup plus contrôlé. Plus cohérent, aussi. Plus instruit.

Resnick opina du chef.

– Il s'exprime bien, sans aucun doute. Mieux que son frère. Mais on peut en dire autant de son paternel, à sa manière. Michael paraît surtout, comme tu le dis, plus contrôlé. Comme si le fait d'aller à l'université ou je ne sais quoi avait fait une différence.

– Ça l'a rendu moins… Noir, tu veux dire ?

– Non, pas vraiment ça. Sa condition de Noir est au cœur de son discours.

– Moins ghettoïsé, alors ? Plus éloigné du stéréotype ?

– Peut-être, dit Resnick. Peut-être qu'il représente notre dernier espoir. Pour l'avenir.

– Michael Brent ?

– Des gens comme lui.

Lynn n'en était pas si sûre.

À trois heures et quart du matin, ils furent réveillés par le téléphone. Les yeux bouffis de sommeil, Resnick répondit le premier. La maison des Alston, à Radford, était en feu. Deux adultes et un enfant étaient en route pour l'hôpital, souffrant de brûlures au second degré et d'inhalation de fumée. Billy Alston, pour sa part, s'était cassé un bras et une jambe en tombant d'une fenêtre du deuxième étage.

15

Resnick connaissait bien le commandant de la brigade des pompiers, Terry Brook. Ils s'étaient rencontrés dix ou douze ans auparavant, le commandant étant alors un chef d'agrès responsable du fourgon-pompe tonne, Resnick l'inspecteur principal appelé sur les lieux de l'incendie. Celui-ci dévorait plusieurs des vieux entrepôts qui bordaient le canal : les flammes se propageaient avec une férocité et une rapidité qui avaient quelque chose de bizarre si près d'une étendue d'eau ; leur reflet sur la surface légèrement mouvante du canal aurait fait le bonheur d'un pyromane compulsif.

C'était le quatrième incendie de ce genre en neuf mois, tous localisés parmi des bâtiments industriels abandonnés depuis longtemps par British Waterways ou ce qui était alors British Rail. Le premier fut mis sur le compte de la négligence, vraisemblablement des gamins ou des clochards qui couchaient sur la dure, un feu allumé pour se réchauffer et qu'on n'avait pas su contrôler. Après le deuxième sinistre, l'enquêteur de la brigade des pompiers avait détecté une brûlure caractéristique sur les bords des planches, la présence de vapeurs d'essence dans l'air, une boîte d'allumettes carbonisée près du départ de feu.

C'était Terry Brook qui, le premier, avait repéré le jeune garçon, un grand échalas de quatorze ans portant lunettes et affligé d'un très léger bégaiement. Le gars traînait ses guêtres près du camion, posant des questions, expliquant à Brook qu'il voulait devenir pompier sauveteur quand il aurait terminé le collège, ou alors un de ces enquêteurs employés par les grandes compagnies d'assurances.

– Un détecteur chromatographique, c'est bien l'appareil qu'on utilise pour comprendre comment l'incendie a pu se propager si vite ? GC/MS, c'est bien comme ça qu'on l'appelle ? Quelque chose dans ce genre-là ?

Brook répondit qu'il n'en était pas sûr, mais qu'il pourrait lui présenter un expert en la matière.

En fouillant la chambre du garçon, ils avaient trouvé une *Histoire de la brigade des sapeurs-pompiers britanniques*, vieux bouquin acheté chez un libraire d'occasion ou dans une brocante, et un exemplaire presque neuf d'*Images de feu*, emprunté à la bibliothèque municipale et jamais retourné.

Brook vint à la rencontre de Resnick pour lui serrer la main. La façade de la maison des Alston était en bonne voie de devenir une simple coquille carbonisée, et les voisins de chaque côté, qui avaient été évacués, se tenaient là, des couvertures sur les épaules pour certains, observant la scène comme s'ils assistaient à une émission de téléréalité.

– Tout le monde est indemne ? s'enquit Resnick.

– À notre connaissance, oui.

– C'est accidentel, tu penses ?

– Toujours possible. Trop tôt pour le dire. (Il regarda Resnick en face.) Tu as des raisons de croire le contraire ?

– Ça se pourrait.

Les deux hommes s'étaient retrouvés assez fréquemment au fil des ans, pour prendre un pot dans tel ou tel pub ou bar. Terry Brook, à l'origine Brok, était arrivé de Pologne avec sa famille au début des années soixante-dix, plusieurs décennies après les parents de Resnick, qui avaient été contraints de quitter leur terre natale dès les premières années de la Seconde Guerre. Cela remontait à une époque où les Polonais étaient encore une relative nouveauté en Grande-Bretagne et où il était impensable de voir sur les vitrines des supermarchés des écriteaux annonçant *Articles polonais en vente ici*.

Brook soutenait l'autre des deux équipes de football de la ville, détestait le jazz, et son idée de la cuisine aventureuse se limitait à prendre de la sauce en sus de la moutarde avec sa tarte et ses frites. Cependant, curieusement, Resnick et lui prenaient un plaisir tranquille à la compagnie l'un de l'autre, tous deux étant encore, à un infime degré, des étrangers dans un pays aujourd'hui familier.

Resnick lui parla de Billy Alston et de son lien présumé avec la mort de Kelly Brent, et aussi de la possibilité que le père de Kelly

138

ou un autre membre de la famille n'aient décidé de se faire justice eux-mêmes.

Ouais, ben moi je vous le dis, on va la régler cette histoire. D'une façon ou d'une autre. Vous m'entendez, hein ? Vous m'entendez ?

– Faudra un moment, dit Brooke, avant qu'on puisse entrer, examiner les lieux bien à fond.

– Dès que tu dégotes quelque chose, tu me préviens ?

– En priorité.

Ils se serrèrent de nouveau la main et Resnick regagna sa voiture : à cette heure matinale, le jour n'était pas encore levé et il ne fallait pas plus de quelques minutes pour aller à St Ann. Une nappe de brume planait bas au-dessus du Forest Recreation Ground ; les arbres qui bordaient la lisière du parc de loisirs se détachaient, plus sombres, dans la grisaille ambiante.

Howard Brent ouvrit la porte, vêtu d'un tee-shirt et d'un jean enfilés à la hâte.

– Quoi encore, bordel ?

– Il y a eu un incendie à Radford. Là où habite Billy Alston. Je me suis dit que vous étiez peut-être au courant ?

Brent secoua la tête sans répondre.

– Billy est à l'hôpital. Il s'est cassé une jambe en sautant d'une fenêtre du second pour échapper au brasier. Un bras, aussi.

– Dommage.

– Oui ?

– Dommage qu'il ait pas cramé, ce salopard.

Charmant, pensa Resnick.

– Vous pouvez me dire où vous étiez entre minuit et trois heures du matin ?

– Ouais, j'étais à Radford en train de balancer des cocktails Molotov, rigola Brent. Non, mec, j'étais ici même, dans mon plumard. (Il mit une main en coupe sur ses organes génitaux et serra légèrement.) Demandez à Tina, elle confirmera. Vous me suivez, ouais ?

L'incendie et les blessures de Billy Alston semblaient avoir considérablement amélioré son humeur.

– Faut que je vous remercie, dit-il comme s'il lisait dans les pensées de Resnick. Peu importe ce qui s'est passé entre nous avant.

C'est pas tous les jours qu'un flic me sort du pieu pour m'annoncer une bonne nouvelle !

Ce joyeux drille, pensa Resnick, à tous les coups son alibi va tenir.

Bon pronostic.

Plus tard dans la matinée, Anil Khan et Catherine Njoroge revinrent prendre les dépositions des Brent. Des amis étaient passés chez eux en rentrant du pub et étaient restés jusqu'à une heure du matin, peut-être même plus tard que ça, à boire et — admit-il — à faire circuler un peu d'herbe. Pas très longtemps après le départ de leurs visiteurs, Brent et sa femme s'étaient couchés, sinon endormis immédiatement.

Le fils cadet, Marcus, avait passé la soirée avec une bande de copains du collège et s'était finalement retrouvé à coucher par terre chez l'un d'entre eux, qui habitait Sneinton.

Michael était retourné à Londres, dans sa piaule en colocation à Camberwell.

Les amis de Howard Brent confirmèrent ses dires. L'alibi de Marcus était le moins solide et potentiellement le plus facile à démolir : ses copains et lui, pensa Khan, avaient eu le temps et l'opportunité de mettre le feu à la maison d'Alston avant de se planquer pour la nuit.

Simple possibilité.

Lorsqu'il fit part de ses doutes à Resnick, celui-ci lui dit d'y aller et de découvrir ce qu'il pourrait.

Ce matin-là, Lynn avait convoqué au commissariat Tony Foley, le mari et père dans l'affaire des meurtres de Bestwood. Quand elle lui avait expliqué qu'elle réexaminait le dossier avec un regard neuf, Foley, soucieux, avait demandé s'il devait amener son avocat. À vous de voir, lui avait dit Lynn ; si ça peut vous tranquilliser, faites-le, mais, lui assura-t-elle, il s'agissait juste d'une conversation informelle pour préciser le background, pour se mettre à niveau.

En définitive, Foley arriva tout seul, vêtu avec un semblant d'élégance : costume bleu foncé qui avait dû être porté au pressing trop souvent, chemise blanche, cravate bleu et argenté, chaussures cirées jusqu'à l'usure.

Lynn se demanda si elle l'aurait catalogué comme vendeur de voitures si elle n'avait pas déjà su que c'était son métier.

– Merci d'être venu, dit-elle en lui tendant la main. Je tâcherai de ne pas vous retenir trop longtemps.

Foley avait un sourire étudié, une poignée de main ferme et un rien trop empressée, qui se prolongea quelques secondes de trop.

– Je ferai n'importe quoi pour vous aider. N'importe quoi.

Son haleine sentait la menthe fraîche. Soit il avait fait usage d'un spray buccal, pensa Lynn, soit il avait sucé des pastilles de menthe extra-fortes dans la voiture.

Sur le chemin de la salle d'interrogatoire, il bavarda de la journée, du temps, du trajet pour venir de Mansfield où il habitait en ce moment — plutôt Ravenshead que Mansfield, à vrai dire, le sud du patelin, assez chérot mais plus agréable, bien plus classe, et plus facile de surcroît pour se rendre en ville. Comme s'il chauffait Lynn pour le moment où il lui montrerait la nouvelle Audi Cabriolet TDI Sport décapotable. Une vraie voiture de dame — et, pour elle, il trouverait bien un moyen de lui faire une ristourne de cinq mille livres.

– Je vous en prie, dit Lynn, asseyez-vous.

– Merci.

Il se carra confortablement, une jambe repliée sur l'autre, un sourire obligeant sur les lèvres. Solidement bâti, il avait quelques bons kilos de trop et des joues couperosées qui suggéraient de l'hypertension ou une dépendance à l'alcool, voire les deux. Trente-neuf ans, mais elle lui en aurait donné davantage, facilement quarante-cinq.

– L'enquête sur les meurtres de votre femme et de votre fille, attaqua-t-elle, effaçant d'un seul coup le sourire de Foley. Comme je vous l'ai expliqué au téléphone, je cherche à me familiariser avec l'affaire et les personnes concernées. Il est parfois utile d'avoir quelqu'un qui regarde les choses avec un œil neuf.

Il s'agita un peu sur sa chaise.

– Une perspective différente, c'est ça ?

– Oui, si vous voulez. (Elle farfouilla dans les papiers épars sur la table.) Susie, elle avait quel âge ?

Foley battit des paupières.

– Quatre ans.

– Et vous avez deux autres enfants ? D'une précédente union ?

– Oui.

– Quel âge ont-ils ?

– Quinze et onze ans. Jamie, il a quinze ans, Ben, onze.

– Deux garçons.

– Oui.

– Ça a dû vous faire un changement, d'avoir une fille ?

– Oui, sans doute. (Il détourna les yeux, comme si quelque chose s'enclenchait dans son esprit.) Je suppose que vous avez raison.

– Vous les voyez toujours ? s'enquit Lynn. Les garçons.

– Pas vraiment.

– Vous ne le voulez pas, ou bien…

Foley secoua la tête.

– Primo, ils vivent dans le Suffolk. Aux environs de Colchester. On ne peut pas y aller comme ça, juste pour passer un moment. Secundo, elle s'est remariée avec un gros connard content de lui — passez-moi l'expression — qui s'est donné beaucoup de mal pour me faire comprendre, dès le départ, que tout contact avec moi était carrément une mauvaise idée. Donc, non, je ne les vois plus beaucoup.

– Ce sont pourtant vos enfants.

– Je sais bien, mais… (Foley se pencha en avant, un bras posé sur la table.) Il faut que vous compreniez : ces cinq dernières années, depuis que j'avais rencontré Chris, Christine, ma vie… enfin, disons que ma vie avait changé. Tanya et moi, quand on s'est mariés et qu'elle a eu Jamie, j'avais… quoi ? Vingt-quatre ans ? Vingt-cinq ? J'étais encore un jeune coq. Je travaillais sans arrêt, toutes les heures de la sainte journée. Différents jobs, des tas de jobs différents à l'époque. Tanya, pareil. Des petits boulots, vous connaissez le topo. Et avec les garçons, ça n'a jamais été facile. Jamie, il se mettait toujours dans des situations impossibles à l'école, et Ben, lui, était… enfin, disons que Ben avait l'esprit lent. Un peu lent. Des besoins spéciaux. Bref, ce n'était pas facile. Rien de tout ça n'était facile. Et on se bagarrait, Tanya et moi. On se battait. On se disputait. Au total, c'était une espèce de cauchemar. Je ne sais vraiment pas pourquoi on est restés ensemble aussi long-temps.

« Mais ensuite… ensuite, j'ai rencontré Chris. Et là, tout le reste, tout ce qui était arrivé, ça n'avait plus d'importance, maintenant c'était ça, c'était ma vie, et quand Susie est née, je suppose… je sup-pose, pour être honnête, que c'est à ce moment-là que ça m'a moins manqué de ne pas voir les enfants, sauf aux anniversaires et à Noël — et encore, pas toujours. (Il regarda Lynn.) C'est mal, je le sais.

– Pas forcément.

– Mais c'était comme ça : Chris, Susie et moi, nous trois, vous voyez ? La perfection.

Il porta une main à sa bouche, comme pour réprimer un sanglot, et détourna la tête. Lynn se demanda s'il jouait la comédie.

– Jusqu'au moment où ça s'est gâté, dit-elle.

– Quoi ?

– Ça s'est gâté, cette relation. Entre vous et Chris.

Foley renversa la tête en arrière et ferma les yeux un long moment.

– J'ai eu cette stupide, cette satanée... je n'appelle même pas ça une aventure, ce n'était pas une liaison, rien de ce genre, c'était une simple passade. Si vous voulez vraiment lui donner un nom, voilà ce que c'était : une passade. Avec cette fille qui travaillait dans le showroom. Pas possible, j'aurais dû faire examiner mon foutu cerveau ! C'était tellement stupide, je le répète. Juste une gamine qui exhibait ses jambes, qui se penchait en avant chaque fois que je passais devant la réception pour m'offrir une vue plongeante sur son décolleté. Enfin quoi, elle *savait*, elle savait que j'étais marié, et ce qui l'amusait surtout, j'imagine, c'était de voir si elle arriverait à ses fins. Bon Dieu ! (Il frappa du poing le bord de la table.) On était à ce séminaire de vendeurs, Milton Keynes, moi et toute la bande, et on buvait un coup au bar après le dîner, vous savez ce que c'est ? Histoire de rigoler un peu. (Il secoua la tête.) Je ne cherche pas d'excuses, c'est simplement ce qui s'est passé. À un moment, on est tous les deux en bas, elle et moi, dans le hall, et l'instant d'après on est dans l'ascenseur et puis on se retrouve dans ma chambre. Pour être franc, j'étais trop bourré pour me rappeler vraiment ce qui s'est passé, mais ça s'est passé, cette unique fois, et voilà que Chris l'apprend. Le lendemain. Par un texto que m'envoie cette sale petite allumeuse. Faute à pas de pot, c'est Chris qui a mon portable parce que le sien n'a plus de batterie, alors le pot aux roses est découvert et elle me fout à la porte. Pas d'explications, pas d'excuses, pas de deuxième chance, putain !

Il se passa les mains dans les cheveux.

– Je ne comprends toujours pas comment elle a pu tout bazarder, tout ce que nous avions, à cause d'une simple petite... incartade. Un écart de conduite, en état d'ébriété, qui ne signifiait rien du tout. Absolument rien, merde ! Vous pouvez comprendre ça, vous ?

Lynn n'en était pas sûre. Quand on examinait froidement les faits, la réaction paraissait effectivement disproportionnée, mais elle pensait néanmoins pouvoir comprendre. Si leur vie commune avait été aussi riche, aussi épanouissante que le prétendait Foley, peut-être suffisait-il d'une seule petite fissure pour sentir que tout l'édifice était en danger de s'effondrer.

– Hein, est-ce que vous réagiriez comme ça ? insista Foley. Dans la situation de Chris ?

Réagirait-elle ainsi ? se demanda-t-elle. Si elle découvrait que Charlie franchissait la ligne jaune ? Elle n'en savait rien. Elle n'y avait jamais vraiment réfléchi.

– Vous avez essayé de la faire changer d'avis, dit-elle.

– Et comment que j'ai essayé, bon Dieu ! Seulement elle avait déjà rencontré l'autre, là, ce foutu Schofield.

– Qu'avez-vous ressenti, à ce moment-là ? Christine qui rencontrait un autre homme ?

– À votre avis ? Je me suis fait l'effet d'une merde qu'un enfoiré essuyait de sa foutue godasse.

– Ça vous a mis en colère, donc ?

– Évidemment que ça m'a foutu en pétard !

– Contre elle ?

Foley fit un signe de dénégation.

– Au début, je me suis dit que c'était… un prêté pour un rendu, voyez ? La réponse du berger à la bergère. Mais ensuite, ça a été plus loin. Là, j'étais furax pour de bon.

– Ça ne vous plaisait pas.

Il la regarda comme si c'était une question qui ne méritait pas de réponse.

– Vous avez continué à tenter de persuader Christine de vous revenir. Bagarres en public. Cris. Disputes.

– Elle ne me laissait pas entrer dans la maison.

– Vous en étiez donc réduit à lui crier après dans la rue.

– C'était le seul moyen de la ramener à la raison.

– Pas seulement dans la rue, mais aussi dans les boutiques, au supermarché…

– C'était sa faute, elle me fermait la porte au nez !

– Elle était dans son droit.

– Et mon droit à moi ?

– Vous l'aviez menacée.

– Jamais de la vie ! J'ai crié, peut-être. Perdu mon sang-froid, d'accord. Mais jamais je n'ai levé la main sur elle. Et je n'ai jamais menacé de la frapper, jamais !

– « Si je ne peux pas t'avoir, bordel, aucun autre salopard ne t'aura ! »

– Pardon ?

– C'est ce que vous avez dit.

– Quand ça ? Où ça ?

– Un soir, devant la maison. Un peu plus d'une semaine avant qu'elle ne soit tuée.

– Non.

– « Si je ne peux pas t'avoir, bordel, aucun autre salopard ne t'aura ! »

– C'est n'importe quoi. N'importe quoi, putain ! Je ne lui aurais jamais dit ça, pas à elle. Plutôt crever !

– On vous a entendu.

– Ah oui ? Qui donc ?

Lynn prit sur la table une copie de la déposition.

– Une voisine. Evelyn Byers. Elle habite en face.

– Une sale fouineuse.

– Jeudi soir. La semaine qui a précédé le meurtre. Elle sait que c'était un jeudi, parce que c'est le soir où sa fille vient toujours lui rendre visite. En entendant les éclats de voix, elle est allée à sa fenêtre pour voir ce qui sc passait.

– Ça ne m'étonne pas d'elle !

– Et c'est là qu'elle vous a entendu.

– Et c'était quand, vous dites ? Jeudi ? Le jeudi précédent ?

– Oui.

– Alors, non. Impossible. Elle a peut-être entendu quelqu'un, mais ce n'était pas moi. J'étais à Portsmouth. Pour un job. Un nouveau job, un changement de décor. Habiter si près de Chris, ça me rendait dingue. Je suis parti ce jour-là, le jeudi matin. En voiture. Entretien d'embauche l'après-midi, dîner le soir avec le directeur des ventes et deux membres du personnel. Tenez… (Il sortit de la poche intérieure de sa veste un agenda électronique.) Voilà les noms et les numéros, vous pourrez vérifier.

– Et ça s'est vérifié ? s'enquit Resnick.

– Jusque dans les moindres détails, dit Lynn.

145

Il était un peu plus de huit heures et demie du soir. Ni l'un ni l'autre n'ayant eu le temps ni l'envie de faire la cuisine, ils se partageaient un repas livré par l'un des restaurants indiens de Mansfield Road : agneau pasanda et poulet korma, saag aloo et brinjal bhajee, riz cantonais et pain naan, plus un assortiment de *pickles* provenant du placard et du frigo. Comme il n'y avait plus de Worthington White Shield, ils buvaient à eux deux une grande bouteille de Hoegaarden.

– C'est à se demander, dit Resnick, pourquoi on ne s'en est pas aperçu plus tôt ?

Lynn haussa les épaules.

– Personne n'a posé la bonne question. J'ai visionné la cassette de l'interrogatoire original. La phrase que le témoin affirme avoir entendue n'a jamais été imputée directement à Foley.

– Bon, et maintenant ?

– Nous procédons aux vérifications. Mais je suis allée sur place. Il doit y avoir au moins vingt ou vingt-cinq mètres entre la fenêtre du témoin, au premier étage, et l'allée de la maison des Foley. En plus, il devait faire nuit. Le réverbère le plus proche est à une bonne trentaine de mètres.

– Et ce témoin, dit Resnick en reprenant de l'agneau, elle a quel âge ?

– La soixantaine.

– Donc, sa vue n'est plus ce qu'elle était.

– Exactement.

– Ç'aurait pu être n'importe quel individu ayant une prise de bec avec la victime. Un individu correspondant au signalement de base.

– Ce qui est le cas, apparemment, du nouveau petit ami. Plus jeune, mais à peu près de la même taille, avec les mêmes cheveux bruns coupés ras.

Resnick embrocha avec sa fourchette un morceau de poulet.

– Tu vas l'interroger, lui aussi ?

– Dès demain.

– Tu comptes manger le morceau de naan qui reste ?

– Non, vas-y.

– Ça va, prends-le. Il est à toi.

– Bon sang, prends-le !

– D'accord. Merci.

– La prochaine fois, il faudra peut-être commander deux repas.

– On a déjà essayé. Résultat, la plus grande partie de la deuxième portion a fini à la poubelle.

Lynn se versa une autre rasade de bière.

– Commander un repas indien, c'est une science inexacte.

– Comme le travail de police, donc.

Elle sourit.

– Du nouveau, pour l'incendie ?

– Pas encore. Demain, vraisemblablement.

Lynn hocha la tête. Demain. Un autre jour.

16

Certains des vieux bâtiments industriels du centre-ville, abandonnés autrefois à un lent délabrement, n'abritaient plus guère aujourd'hui que des planchers encroûtés de fientes de pigeons, des multitudes de rats et, à l'occasion, un corps carbonisé, presque impossible à identifier. D'autres avaient été reconvertis en appartements de luxe et en guinguettes au bord de l'eau, ou encore en clubs de remise en forme avec des cybercafés et des solariums, des coaches personnels et des offres spéciales pour les entreprises.

Le club où travaillait Dan Schofield se trouvait dans l'un des anciens bâtiments bas de la gare de chemin de fer, près du canal. Il n'avait hésité qu'un bref instant quand Lynn lui avait téléphoné : onze heures et demie, ce serait parfait.

Elle croisa plusieurs jeunes femmes qui allaient effectuer pendant une heure des exercices ergonomiquement calibrés — aquagym dans la piscine, peut-être, ou un peu de taï chi chuan — et qui, toutes, étaient habillées à la dernière mode, leur maquillage impeccable. Dans son jean bleu-noir, son haut en coton noir qu'elle avait depuis des lustres, son blouson court en velours côtelé et ses godillots, Lynn avait l'impression de détonner un brin.

Au-delà du bureau d'accueil, un individu tanné, vêtu d'un maillot de corps officiel du club et d'un short moulant à vous faire saliver, bandait ses muscles pour le bénéfice des éventuels spectateurs.

– Dan Schofield ?

Il secoua la tête sans même transpirer.

– Il est quelque part par là. Demandez donc à la réception.

Ce qu'elle fit. Un appel au micro et Schofield apparut. Entre vingt-huit et trente ans. À peu près l'âge de Christine Foley à sa mort. Autant l'homme qu'elle avait vu en arrivant n'était que muscles surdéveloppés et poils noirs bouclés, autant Dan Schofield était soigné et athlétique dans son survêtement d'uniforme, pas très grand, même pas trois centimètres de plus que Lynn, rasé de près, les cheveux courts. S'il jouait au football, se dit-elle — encore une chose à laquelle Resnick l'avait partiellement initiée —, il serait libero, un meneur de jeu qui n'aurait pas peur de mettre son pied sur le ballon, de lever les yeux, puis de faire une passe pénétrante vers le haut du terrain.

– Y a-t-il un endroit, demanda Lynn, où nous pourrions parler tranquillement ?

– Il y a bien le bar à jus, mais il a tendance à être pris d'assaut à cette heure-ci. Sinon, on peut aller dehors.

À pied, London Road et l'entrée du canal n'étaient pas loin.

Comme ils descendaient les marches vers la berge, un bateau étroit, peint de couleurs vives, passa en crachotant, un chien brun et blanc allongé sur le pont, un homme aux bras couverts de tatouages assis à la barre, plongé avec satisfaction dans la lecture d'un livre. Il aurait suffi que le soleil transperce la couverture de nuages gris ou que les détritus entassés sur la rive opposée disparaissent, et ç'aurait été une scène idéale, un moment parfait dans la journée.

– Je suis sincèrement navrée, dit Lynn, de ce qui est arrivé à Christine.

– Merci.

– Ça a dû être un choc terrible.

– Oui, en effet.

– Vous la connaissiez depuis longtemps ?

– On vivait ensemble depuis cinq mois, à peu près. Si c'est bien le sens de votre question. Mais je la connaissais depuis plus long-temps que ça. Au moins un an et demi.

– Et vous l'aviez rencontrée où ?

– Ici, au club. Elle venait suivre des cours. Juste le premier au début, mais plus souvent après ça.

– Vos cours ?

– Certains, pas tous. Mais dans l'ensemble, oui.

– Et c'est à ce moment-là que vous avez fait connaissance ?

– Oui, comme je vous l'ai dit. On bavardait parfois après la séance, on papotait, quoi. Rien d'extraordinaire.

Ils s'arrêtèrent et s'assirent sur un banc en bordure du chemin de halage.

– Elle était très seule, Christine, reprit Schofield. Du moins, c'est l'impression qu'elle donnait. Je veux dire, d'accord, elle avait une vie occupée, avec sa petite fille et tout, un job à temps partiel, la maison, mais tout de même on sentait qu'elle avait besoin d'autre chose. De quelqu'un avec qui parler.

– En dehors de son compagnon.

Schofield eut un demi-sourire.

– Vous l'avez rencontré ? Foley ?

– Une seule fois.

– Alors vous aurez peut-être compris qu'on ne parle pas avec Tony. Il vous parle. Vous écoutez.

Elle commençait à percevoir dans la voix de Schofield les vestiges d'un accent de Tyneside. Ils restèrent silencieux un moment à regarder passer un couple de cygnes fantomatiques.

– Votre amitié avec Christine, donc, reprit Lynn, avait commencé bien avant leur rupture.

– Oui, mais ça n'a eu aucune incidence sur la suite. Ce qui est arrivé, c'était entièrement la faute de Foley. Aller sauter une bimbo quelconque, à son travail ! Christine, ça l'a anéantie. Elle disait qu'elle ne pourrait plus jamais le regarder de la même manière.

– Mais vous avez aidé, si j'ose dire.

– Comment ça ?

– Ma foi… Quelqu'un avec qui parler, sur l'épaule de qui pleurer.

– Vous pouvez présenter les choses comme ça si vous voulez.

– Et vous n'avez pas eu de regrets.

– Comment ça ?

– Quand ils ont rompu.

– J'ai eu des regrets pour elle.

– Ça signifiait que la voie était libre.

– À vous entendre, on dirait… je ne sais pas… que c'était mal.

– Votre amitié pouvait aller plus loin. C'est tout ce que je dis.

– Nous étions déjà proches. Et quand Foley est parti, nous sommes devenus encore plus proches. Ce n'est pas un crime.

– Et vous n'avez jamais pensé qu'elle pourrait retourner vivre avec lui ?

– Avec Foley ? Jamais de la vie ! Pourquoi l'aurait-elle fait ?

– Je ne sais pas. À cause de la petite, peut-être. Susie. Elle devait être bouleversée par le départ de son père.

– Peut-être, un peu. (Il secoua la tête.) Je ne suis pas certain qu'ils passaient tellement de temps ensemble.

– Et vous vous entendiez bien avec elle ?

– Susie ? Oui, très bien.

Lynn sourit.

– Une famille clés en main, quoi.

– On pourrait voir les choses comme ça.

– Un coup de chance, diraient certains.

– Je serais le premier à le dire, ne vous y trompez pas ! rétorqua Schofield avec fougue. Ces quelques mois… (Il détourna les yeux.) Ce que vous avez dit sur Susie, sur la famille que nous formions. Je n'avais jamais… jamais vraiment pensé avoir des enfants, vous savez ? Être papa. J'étais heureux de la vie que je menais : des amis, des petites copines… Pas de pénurie à craindre de ce côté-là, vu l'endroit où je travaille. Les femmes viennent à vous. Comme je vous l'ai dit, je n'avais pas envisagé de m'installer, mais plus je passais du temps avec Christine, plus c'était ce que j'avais envie de faire. Ce que *nous* avions envie de faire.

– Et ça marchait bien ? La vie commune ?

– Oui. Mais oui, bien sûr.

– Pas de problèmes ?

– Pas vraiment, non. C'était super. C'était chouette.

Lynn sourit.

– Après coup, on ne se souvient que des bons moments.

– Ils étaient tous bons.

– Vous avez bien eu des disputes ? Au moins une ou deux. C'est naturel.

Schofield secouait la tête.

– Je ne crois pas, non.

– Pas une seule ?

– Pas une seule.

– Et la fois où, en rentrant à la maison, vous avez trouvé Foley en train de parler avec Christine ?

Son expression se modifia, sa voix se durcit.

– Là, c'était différent.

– En quoi ?

– J'étais en colère contre lui, pas contre elle.

– Vous en êtes sûr ?

– Évidemment !

151

– Vous ne vous êtes pas engueulé avec Christine, dans la rue, après le départ de Foley ?

– Dans la rue ? Devant la maison ?

– Oui.

– Non, pas du tout.

– Vous ne l'avez pas menacée ?

Il éclata d'un rire incrédule.

– Christine ? Absolument pas !

– Vous n'avez pas déclaré que si vous ne pouviez pas l'avoir, personne d'autre ne l'aurait non plus ?

– Non.

– « Si je ne peux pas t'avoir, bordel, aucun autre salopard ne t'aura ! »

Schofield émit un son rauque, mi-grognement mi-rire.

– Écoutez, c'est ridicule ! Je ne sais pas qui vous a raconté ça, mais qui que ce soit, c'est un mensonge. OK ? Un mensonge ! (Il se leva rapidement et recula d'un pas, puis de deux.) Maintenant, si ça ne vous ennuie pas, je dois retourner travailler. J'ai une séance qui va commencer.

– Certainement, dit Lynn. Merci pour votre coopération.

Il hésita encore un moment avant de rebrousser chemin d'un pas vif le long du canal, Lynn restant à la même place, pensive, à le suivre des yeux.

Terry Brook prit contact avec Resnick sans attendre le rapport de l'enquêteur sur les causes du sinistre. L'hypothèse d'un incendie d'origine accidentelle pouvait d'ores et déjà être écartée. On avait utilisé des cocktails Molotov de fabrication artisanale qu'on avait balancés à travers les fenêtres de la maison, sur le devant comme à l'arrière, plus ou moins simultanément.

Le jeune homme chez qui Marcus Brent était censé avoir dormi à même le sol s'appelait Jason Price ; il étudiait actuellement la musique et la technologie du son au collège de South Notts et avait déjà eu, par deux fois, maille à partir avec la police. Tous les samedis et pendant les temps libres qu'ils arrivaient à grappiller, les deux garçons travaillaient à la boutique de disques du père de Marcus. Celle-ci avait toujours en stock une certaine quantité de rap et de reggae, mais sa spécialité était le doublage, ce qui la différenciait des grandes chaînes de magasins et de la concurrence indépendante : les vinyles rares côtoyaient des versions remixées de King Tubby, un classique, ou les nouveaux enregistrements réalisés par des orchestres tels que Groundation et Bedouin Soundclash.

Quand Anil Khan lui rendit visite, Price se montra tour à tour grincheux et affable : lui et Marcus étaient sortis avec des potes, histoire de tuer le temps, d'acc ? Ils étaient allés au Stealth — DJ Squigley et Mista Jam. Il savait rien de rien sur cet incendie ou ce Billy Alston... que dalle. Sauf après coup, évidemment, OK ? Marcus était revenu et avait pieuté ici, comme ça lui arrivait parfois. Quelle heure, mec ? J'en sais rien, moi, à quelle heure, mais tard, quoi, tard, d'acc ? OK, mec ?

Question alibi, c'était vague à l'extrême. Ils les emmenèrent pour les interroger, tous les deux, en mettant la pression là où ils le pouvaient. Pendant ce temps-là, des policiers fouillaient l'appartement de Price à la recherche de n'importe quoi de compromettant, dans l'espoir de trouver, à défaut de quelque chose d'aussi évident qu'un bidon d'essence vide ou une bouteille de diluant pour peinture, au moins un chiffon qui aurait été imprégné d'essence ou qui recèlerait encore une odeur de fumée.

Rien.

Marcus et Jason s'en tinrent l'un et l'autre à leur version des faits.

Déçu, Khan les remercia de leur coopération, en faisant un gros effort pour ne pas réagir à leurs sourires goguenards.

Bill Berry intercepta Resnick sur le chemin de la sortie et insista pour qu'ils fassent le point devant une bière. Deux, en fait. Lorsque Resnick rentra chez lui, Lynn était endormie sur le canapé du salon, la tête dodelinant d'un côté, un mug à moitié rempli de thé refroidi posé par terre.

Resnick resta debout à l'observer, et les sentiments qu'il éprouvait pour elle étaient tellement forts que, si elle s'était réveillée à ce moment-là et les avait lus sur son visage, elle aurait pu être effrayée par ce qu'ils révélaient. Ils ne parlaient pas beaucoup de leurs émotions personnelles, ni l'un ni l'autre.

C'était « mon chéri » par-ci et « mon cœur » par-là, un baiser en passant et une pression de la main, une brève accolade ou une caresse rapide, mais la vérité de leurs sentiments profonds était enfouie sous le train-train quotidien. Quelques semaines plus tôt, en apprenant par téléphone qu'on avait tiré sur Lynn, il avait cru l'avoir perdue : en cet instant, sa vie s'était arrêtée, le sang avait refusé de circuler dans son corps.

Elle remua et bougea la tête, ce qui eut pour effet de faire couler sur sa joue un petit filet de salive. Sortant un mouchoir de sa poche, Resnick se pencha pour l'essuyer.

– Charlie ?

Elle se réveilla en clignant des paupières, comme si elle émergeait d'un rêve.

– Je suis désolée, j'ai dû m'assoupir.

– Pas de mal.

Avec un sourire, il écarta les cheveux du visage de Lynn.

– Tu veux manger quelque chose ? demanda-t-il.

– Je devrais peut-être.

Avec un petit grognement, elle se mit sur son séant.

– Je vais voir ce que je peux trouver, dit-il.

Des restes. Des rogatons divers et variés. Des petits bols recouverts d'un film transparent et poussés au fond du frigo. Il fit frire quelques patates cuites avec de l'ail et des oignons, ajouta une demi-boîte de haricots rouges et quelques pois décongelés, puis découpa en rondelles une saucisse de porc qui datait de Dieu sait quand. Dans un saladier, il battit des œufs avec du poivre noir et une bonne dose de Tabasco, puis, quand le contenu de la poêle commença à grésiller, il versa le mélange par-dessus. Le résultat, servi avec de grosses tranches de pain et les dernières gouttes d'une bouteille de Shiraz, s'apparentait à un petit festin.

– Tu es un prodige, Charlie.

– C'est ce qu'on dit.

– En cuisine, tout au moins.

– Oui, chef.

Pendant quelques minutes, on n'entendit que les bruits satisfaits de deux personnes en train de manger, avec à l'occasion les miaulements affamés de l'un ou l'autre chat et, en fond sonore, le saxophone de Lester Young, un morceau que Resnick avait mis sur la platine : Lester avec Teddy Wilson, *Prisoner of Love*.

– J'ai parlé à Dan Schofield aujourd'hui, dit Lynn. L'homme qui vivait avec Christine Foley quand elle a été tuée.

– Et ?

Lynn marqua une pause, sa fourchette à mi-chemin de sa bouche.

– Un type plutôt sympa. En apparence, tout au moins.

– Tu crois qu'il pourrait être impliqué ?

– Je ne sais pas trop. Si c'est le cas, je ne vois pas comment.

– Il a un alibi ?

– Oui. En béton armé, pour l'instant. (Elle s'adjugea un morceau de saucisse.) Tu sais ce que je trouve fascinant ? Nous avons cette femme, la victime, Christine. Séduisante dans un style conventionnel. Études raisonnables, un an ou deux d'université. Elle travaille pour une société de crédit immobilier jusqu'à la naissance de sa fille, puis elle met la petite à la crèche et prend un job à temps partiel derrière le comptoir d'une pharmacie, en songeant — pourquoi pas ? — à se recycler dans cette branche. Tout chez elle est parfaitement ordinaire, et pourtant voilà deux hommes, à peu près aussi différents l'un de l'autre que l'eau et le feu, tous deux amoureux d'elle, qui la considèrent comme ce qu'on a fait de mieux depuis des temps immémoriaux et qui ne supportent pas l'idée de vivre sans elle.

Un grand sourire fendit le visage de Resnick.

– Quoi ?

Toujours hilare, il secoua la tête sans répondre.

– Tu crois que c'est une histoire de sexe, hein ? dit Lynn. Qu'au plumard, c'était une créature incroyablement passionnée et imaginative ?

– En fait, je pensais que c'était peut-être une grande cuisinière. Tu sais, le genre de femme capable de te mitonner des plats étonnants à partir de presque rien…

Lynn éclata de rire. Resnick lui servit le fond de la bouteille de vin.

– Tu as une idée, dit-il, de ce que tu vas faire maintenant ?

– Je ne sais pas. Laver la vaisselle ? Faire du repassage ? Me coucher ?

– Je te parle de l'enquête.

– Oh, je vais parler à certaines amies de Christine Foley, je crois. Des collègues de travail, pour essayer d'avoir un point de vue différent.

Resnick se souleva à moitié de sa chaise et se pencha par-dessus la table pour l'embrasser sur les lèvres.

– En quel honneur ? demanda Lynn, surprise.

Souriant, Resnick haussa les épaules.

– Un gage de bonne chance ?

17

Ryan Gregan avait insisté pour qu'ils se retrouvent à l'Arboretum, près de l'étang et du kiosque à musique. Juste au-dessus de la route du cimetière, vous savez ?

Resnick savait.

Bien des fois, à l'époque où il était en poste à Canning Circus, lui et son adjoint, le redoutable Graham Millington, avaient mangé un sandwich sur le pouce en contemplant les pierres tombales ornementées et en échangeant des considérations sur l'enquête qui était au premier rang de leurs préoccupations. Aujourd'hui, Millington, plus jeune que Resnick de quelques années, s'était débrouillé pour se faire muter dans le Devon, d'où sa femme était originaire, et il parcourait sans doute les chemins à vélo, en cet instant même, à l'affût d'éventuels voleurs de moutons, tout en sifflotant le répertoire complet de Petula Clark.

Resnick frissonna à cette idée.

Pas seulement à cause des constantes répétitions de *Downtown* et *Don't Sleep in the Subway*, mais aussi à la pensée de toutes ces hautes haies sinueuses, ces champs et ces collines ondoyantes. Lynn avait raison : sauf pour un bref séjour, la campagne n'était pas pour lui. Dans son cas, l'herbe n'était pas du tout plus verte ailleurs.

Gregan était assis sur l'un des bancs, au-delà du kiosque, les épaules voûtées, occupé à rouler une cigarette. Il portait un jean bleu et une espèce de débardeur kaki, une casquette à visière de New York rabattue sur les yeux. Des tatouages, peut-être tout récents, ornaient le dos de ses mains.

Resnick avait amené Pike avec lui, le règlement stipulant que deux policiers devaient être présents lors de l'interrogatoire d'un informateur. Il avait choisi Pike, de préférence à Michaelson, car on

156

pouvait au moins faire confiance à Pike pour se tenir tranquille et ne pas ouvrir la bouche tant qu'on ne lui adressait pas directement la parole.

– Monsieur Resnick.

Resnick fit un signe de tête.

Gregan lança un coup d'œil à Pike, sans plus.

– J'ai pensé que la balade ne vous déplairait pas, dit-il. Le grand air, tout ça…

Les deux hommes s'assirent de chaque côté de Gregan et attendirent qu'il ait allumé une cigarette, quelques brins de tabac épars grésillant brièvement.

– Tu as quelque chose pour moi, dit Resnick.

Gregan sourit.

De l'autre côté de l'étang, un tram entama sa lente ascension le long de Waverley Street en direction du parc de loisirs. Un garçon de dix ou onze ans, pas plus, qui aurait dû être à l'école, passa devant eux en traînant un clebs efflanqué au bout d'une ficelle.

– Le meurtre de Kelly, reprit Resnick. Du nouveau ?

Gregan fit signe que non.

– Pareil qu'avant. D'après la rumeur, c'était le doigt de Billy Alston sur la détente.

– Et tu y crois ?

– Peut-être. Peut-être pas.

Gregan ralluma sa cigarette, qui s'était éteinte.

– Tu as des raisons de penser que ç'aurait pu être quelqu'un d'autre ?

Le jeune garçon secoua la tête.

– Alston, je suis pas sûr que ce soit le genre. Trop nerveux, voyez ? Tout-fou, quoi. Je suis pas certain qu'il ait ça en lui, sauf le côté fanfaron, évidemment.

– Il aurait donc fanfaronné ?

Gregan eut une moue de mépris.

– Grande gueule mais rien dans le pantalon, comme on dit. Pas de bouteille. Pas de corps. Faire croire aux gens que c'est lui qui a tiré, c'est bon pour sa réputation dans la rue. Un gros dur. (Gregan ricana.) Et puis, qui lui aurait procuré le revolver ? Pas moi, et j'ai eu beau me tuyauter, j'ai encore dégoté personne qui ait vendu à Billy Alston ne serait-ce qu'une putain de catapulte, encore moins un pistolet, que ce soit une copie ou pas.

– D'autres noms ont été cités ?

– Pas devant moi.

– Tu vas garder l'oreille collée au sol ?

– Absolument.

Resnick attendit. De toute évidence, Gregan n'avait pas terminé. À l'autre bout du banc, Pike agita nerveusement les pieds.

– Rapport à l'incendie…, finit par dire Gregan. La maison d'Alston. Vous croyez probablement que le paternel de Kelly Brent en a eu marre d'attendre que vous fassiez le boulot. Qu'il s'est fait justice lui-même.

Resnick ne dit rien, le laissa continuer.

– J'ai entendu un murmure. Si ça se trouve, y a rien de vrai. Mais Billy, il fourguait de la came. Juste des trucs de gamins. Des deals à cinq ou dix livres, voyez ? Apparemment, ça l'empêchait pas de carotter. Il accumulait, augmentait les prix et gardait le fric pour lui. Il avait reçu un avertissement, y a environ un mois, mais n'en avait pas tenu compte. Ce coup-ci, c'était le dernier mot, un message qu'il ne pouvait pas ignorer.

– L'incendie ?

– L'incendie.

– Ce ne sont pas des paroles en l'air ? Quelqu'un qui cherche à récupérer l'événement après coup ?

Gregan secoua la tête.

– C'est toujours possible, évidemment, mais je crois pas.

– Tu as des noms ?

– Un seul. Ritchie.

– Épelle-le.

Gregan obéit.

– Prénom ou nom de famille ? s'enquit Resnick.

– Prénom, je pense.

– Tu pourrais en découvrir davantage ?

Un sourire joua dans les prunelles de Gregan.

– Je peux essayer.

– Essaie plus fort.

Tandis qu'ils rebroussaient chemin à travers l'Arboretum, Resnick demanda à Pike ce qu'il en pensait.

– Est-ce qu'il dit la vérité ? C'est ça que vous me demandez, patron ?

Comme Resnick acquiesçait, il répondit :

– C'est possible, je ne sais pas. Je veux dire… s'il ment, s'il raconte des craques, à quoi ça l'avancerait ?

– Il pourrait trouver ça malin de nous mener en bateau. Ou alors, il pourrait faire une faveur à quelqu'un d'autre — à Brent, par exemple — en essayant de détourner notre attention.

– Qu'est-ce qu'on en sait ?

– On n'en sait rien. C'est pourquoi, dans toute la mesure du possible, on vérifie. Voyez jusqu'à quel point Gregan est fiable. Vous et Michaelson, renseignez-vous sur un dealer moyen nommé Ritchie. Posez des questions à droite et à gauche. Si ce n'est pas lui le fournisseur de Billy Alston, découvrez qui c'est. Peut-être que, pour une fois, en additionnant deux et deux, on obtiendra quatre.

Lesley McMaster avait connu Christine Foley — Christine Devonish, en fait — depuis l'école, plus précisément depuis l'école primaire. Nette et soignée dans son petit tailleur noir, mais les yeux cernés de rides soucieuses, Lesley ne voulait pas penser au nombre d'années exact que cela représentait.

Elles avaient travaillé ensemble à la société de crédit immobilier Shires, commençant le même jour, nerveuses comme tout. Christine avait été la première à s'habituer à son nouvel emploi ; peu après, on l'expédiait en stage et elle était pressentie pour une promotion. Digne de confiance, voilà ce qu'elle était. Et pas seulement ça. Pleine d'initiative, aussi. Elle serait directrice à l'heure qu'il est, si elle était restée, Lesley en était certaine. Si elle n'avait pas tout plaqué à la naissance du bébé. Même à ce moment-là, on l'avait suppliée de revenir, de reprendre son poste, mais Christine avait dit non, elle voulait du changement. Moyennant quoi, de l'avis de Lesley, c'était plutôt son Tony qui était derrière cette décision, préférant curieusement voir sa femme porter une blouse blanche à la pharmacie du coin, distribuer au compte-gouttes des médicaments contre le rhume et des serviettes hygiéniques au lieu d'avoir un poste à responsabilités, de gagner plus d'argent.

Une chose que Lynn devait dire par la suite au sujet de Lesley McMaster, c'est qu'elle parlait sans avoir besoin qu'on l'y encourage.

– Vous êtes donc restée en contact avec elle, après ? demanda Lynn.

159

– Oui. Enfin… moins souvent, peut-être, une fois qu'elle s'est mise en couple avec Dan Schofield. Ils étaient inséparables, ces deux-là, pas d'erreur. Au début, Christine, elle adorait ça, toute l'attention qu'il lui témoignait. Ils faisaient tout ensemble. Tandis qu'avec Tony, elle passait à peu près autant de temps à lui parler sur son portable, ou par texto, que face à face.

– Vous avez dit « au début », relança Lynn. Elle adorait ça au début.

Lesley sourit.

– Tony, malgré ses défauts, ça ne le gênait pas que Christine sorte boire un verre avec ses copines, du moment qu'il y avait quelqu'un pour s'occuper de Susie. À mon avis, il appréciait aussi la liberté d'action que ça *lui* donnait. Mais Dan, il était différent. Ça ne lui plaisait pas du tout. Il estimait que, si elle n'était pas dehors avec lui, elle devait être à la maison, et il faisait un tas de difficultés pour la laisser sortir toute seule. À la fin, elle devait pratiquement faire une scène. Taper du poing sur la table, quoi. Défendre ses droits. Après tout, ils n'étaient pas mariés ni rien. Et elle pouvait se montrer coriace, Christine, quand il le fallait.

– C'était donc une vraie cause de friction entre eux ? C'est bien ce que vous dites ?

– La dernière fois que je l'ai vue, déclara Lesley en baissant la voix comme si elle trahissait une confidence, elle m'a dit qu'elle se demandait si elle n'avait pas fait une erreur. Pas à cause de Dan lui-même, non. Je crois qu'elle l'aimait, je le crois vraiment. Elle pensait plutôt qu'elle n'aurait pas dû le laisser s'installer si vite chez elle, mais s'accorder d'abord une période de liberté. Après sa rupture avec Tony. « Par moments, Lesley, je me fais l'effet du lapin qui a échappé au chasseur pour se jeter tout droit dans la gueule du loup. »

– Elle vous a dit ça ?

– Mot pour mot.

– Et vous pensez qu'elle aurait pu le dire aussi à Dan ?

Lesley prit son temps avant de répondre.

– Oui, murmura-t-elle enfin. Oui, si c'était ce qu'elle ressentait fortement, c'est très possible.

De retour à son bureau, Lynn vérifia l'itinéraire sur l'ordinateur : de Newcastle-upon-Tyne à Nottingham, AI(M), M18, M1. 158,75 miles ; 255,5 kilomètres. En roulant à une vitesse raisonnable, il fallait compter un peu plus de trois heures ; mais de très bon matin, en roulant vite, on pouvait réduire le trajet à deux heures et demie dans l'un ou l'autre sens.

Elle se replongea dans les rapports.

Dan Schofield s'était rendu en voiture à Newcastle, plus tôt ce jour-là, où il avait retrouvé son frère et ses deux sœurs, divers oncles, tantes et cousins, tous réunis pour fêter le soixantième anniversaire de son père. La maison de ses parents à Heaton étant trop petite pour héberger ne serait-ce que la famille immédiate, Dan avait réservé une chambre pour Christine et lui à l'Holiday Inn ; néanmoins, comme il l'expliquait en s'excusant pour elle, Christine s'était réveillée ce matin-là avec de violentes douleurs d'estomac, sans doute quelque chose qu'elle avait mangé, et ne pourrait donc pas venir. Elle envoyait ses meilleurs vœux et toute son affection.

Après un apéritif à la maison, dix-neuf personnes s'étaient attablées pour le dîner, à huit heures pile, dans un hôtel-restaurant proche du centre-ville. Quelque part entre dix heures et dix heures et demie, une douzaine de convives, parmi lesquels Dan Schofield, s'étaient acheminés vers le bar et avaient continué à boire. Vers onze heures et demie, la jeune génération avait décidé de prolonger la soirée en boîte. Et c'était là que les témoignages commençaient à diverger : selon Peter Schofield — le frère aîné et l'un des instigateurs de la sortie en discothèque —, Dan s'était déclaré partant et avait bel et bien suivi le mouvement, même si, au bout d'un moment (vous savez ce que c'est, les boîtes de nuit), ils s'étaient perdus de vue, si bien que Peter ne pouvait préciser à quelle heure Dan était parti. La sœur cadette, pour sa part, se souvenait que Dan s'était montré rien moins qu'enthousiaste — juste un petit tour et je rentre à l'hôtel dormir un bon coup, je laisse ces distractions à vous autres gamins.

Christine Foley et sa fille avaient été tuées entre deux et quatre heures du matin. Si Dan Schofield avait regagné son hôtel vers... minuit et demi, disons, il aurait pu — en roulant à toute blinde — arriver à Nottingham pour trois heures.

Combien de temps fallait-il pour étouffer une fillette de quatre ans avec un oreiller, pour poignarder à mort une femme adulte ?

Il aurait pu être de retour à son hôtel de Newcastle, dans sa chambre, pour six heures. Six heures et demie au plus tard. Entre huit heures et demie et neuf heures, il avait téléphoné à ses parents pour leur dire au revoir, ajoutant, à en croire sa mère : « Nous viendrons bientôt vous voir tous les trois. »

Lynn repoussa sa chaise, ferma les yeux et essaya de se remémorer l'homme à qui elle avait parlé au bord du canal : soigné, maître de lui, apparemment si sincère quand il évoquait ses sentiments pour Christine Foley et sa fille. À quel stade de son amitié avec Christine, se demanda-t-elle, avait-il commencé à entrevoir la possibilité que celle-ci se transforme en autre chose ? À quel point avait-il commencé à réfléchir, à manœuvrer, à tout faire pour saper, peut-être, une relation qui battait déjà de l'aile ? Il affirmait que ce qui s'était passé entre lui et Christine n'avait rien eu à voir avec la rupture de la jeune femme avec Tony, pas la moindre incidence.

Lynn trouvait cela difficile à croire.

D'un autre côté, pouvait-elle croire que Schofield, plutôt que de perdre ce qu'il s'était donné tant de mal pour conquérir, aurait commis un meurtre ? Un meurtre de sang-froid, prémédité, qui plus est ?

Elle tenta d'imaginer la scène au cours de laquelle Christine essayait de lui expliquer le plus gentiment possible, avec ménagements, que ç'avait peut-être été un peu précipité, leur décision de vivre ensemble si vite après sa rupture avec Tony. Peut-être que s'ils prenaient leurs distances l'un avec l'autre, juste un petit moment, le temps qu'elle fasse le point…

Lynn tenta de se représenter la réaction de Dan Schofield, ce qu'il serait capable de dire ou de faire s'il voyait que ses arguments calmes, raisonnés, demeuraient sans effet sur sa compagne.

Si je ne peux pas t'avoir, bordel, aucun autre salopard ne t'aura !

Dirait-il une chose pareille ? Perdrait-il la tête ?

Mettrait-il sa menace à exécution ?

Par chance, ce n'était pas à elle d'en décider. Elle avait déjà réussi à établir le mobile, la cause possible, l'opportunité. De quoi soumettre l'alibi de Schofield à un examen plus poussé et le faire convoquer à nouveau pour interrogatoire. La décision ultime, coupable ou non coupable, ne lui appartenait pas.

Lynn communiqua ses trouvailles à l'officier responsable de l'enquête et, plus tard dans l'après-midi, elle eut une réunion avec lui et quatre de ses inspecteurs pour discuter des tenants et des aboutissants de l'affaire, en évitant soigneusement d'en rajouter et de donner à l'un ou l'autre des policiers présents des raisons de lui en vouloir. Elle revenait de cette séance quand elle avisa Stuart Daines dans le couloir, près de la porte du bureau qu'elle occupait.

– On rôde ? dit-elle.

– Pas du tout.

– Pur hasard ? J'en doute.

– J'ai attendu votre coup de téléphone.

– À quel sujet ?

– Votre témoin, vous vous rappelez ? Andreea Florescu.

– Eh bien ?

– Nous devions nous organiser pour aller la voir.

– J'ai été occupée.

– Je l'ai appris.

– Vous l'avez appris ?

– Il y a eu des éléments nouveaux dans ce double meurtre, mère et fille…

– Comment l'avez-vous ?…

Daines lui dédia son sourire désarmant.

– Quelle est l'explication ? L'oreille collée au sol ? L'oreille collée à la porte ? Dans l'un ou l'autre cas, j'ai découvert que ça payait. Les informations, on ne sait jamais quand elles se révéleront utiles.

– Et c'est ce que vous espérez obtenir d'Andreea ? Des informations ?

– Avec de la chance.

– Elles ne seront pas forcément utiles.

Le sourire changea, se fit plus compatissant, plus humain.

– Écoutez, je n'oublie pas ce que vous m'avez dit, comme quoi elle est nerveuse et tout. Croyez-moi, je n'insisterais pas pour la rencontrer si je ne pensais pas que ça peut donner des résultats.

– Bon, d'accord, mais je ne peux pas la joindre directement. Je dois passer par un ami. Ça risque de prendre deux jours à mettre sur pied.

– Parfait. Je garderai mon emploi du temps flexible en attendant votre appel. (Il hésita.) Kelvin Pearce… rien de ce côté-là, je suppose ?

– Vous savez fichtrement bien que non, dit Lynn. Dans le cas contraire, vous l'auriez probablement appris avant moi.

Daines s'éloigna en riant sous cape.

Assise à son bureau, Lynn se surprit à se demander exactement qui étaient les contacts de Daines, à quel niveau hiérarchique ils se situaient, à qui il avait bien pu parler pour découvrir si vite le retournement dans l'enquête de Bestwood. D'autre part, pourquoi s'intéressait-il tant à elle et à ses activités ? Était-ce parce qu'elle pouvait le conduire à Andreea et qu'il était extrêmement curieux de savoir où étaient les témoins cités dans l'affaire Zoukas ? Ou alors, y avait-il autre chose ? Un autre maillon de la chaîne, un autre bout de bois dans la tour qu'il ne cessait de construire et de reconstruire ? Et dans quel but ?

Après une hésitation des plus brèves, elle chercha dans son répertoire le numéro de l'ami d'Andreea, Alexander Bucur, et le composa.

18

Deux jours de plus. La température grimpa, puis retomba. Il y avait de l'orage dans l'air, des amas de nuages arrivaient de l'Atlantique. Les vérifications effectuées dans les affaires professionnelles de Howard Brent n'avaient rien donné, et quand la police de la route arrêta sa voiture pour la deuxième fois en trois jours, il porta plainte officiellement pour intimidation policière. Kelvin Pearce semblait avoir disparu de la surface de la terre. Interpellé pour interrogatoire, Dan Schofield se retrancha derrière une série de dénégations, assorties de « Je n'ai rien à dire » laconiques, et laissa de plus en plus à son avocat le soin d'intervenir. Le personnel de l'hôtel où il était descendu, ses amis et les membres de sa famille étaient de nouveau questionnés. Le trafic de drogue à petite échelle de Billy Alston avait bel et bien, apprit-on, fait l'objet d'un arrangement avec un dealer basé à Derby, un certain Richie — sans « t » —, et les deux hommes avaient eu des mots, Richie menaçant Alston de lui brûler la cervelle s'il s'avisait encore de le carotter. Déclaration faite devant une demi-douzaine de témoins, parmi lesquels trois, ô surprise, étaient apparemment disposés à l'affirmer sous serment. Richie, quant à lui, se révélait difficile à trouver. Selon l'un, il était à Glasgow, en visite chez une ex-petite amie ; selon un autre, dans le quartier de Chapeltown à Leeds.

Les investigations se poursuivaient.

Pearce. Schofield. Richie.

Le premier rendez-vous que Lynn avait pris pour rencontrer Andreea tombait en même temps qu'une réunion à laquelle Daines devait assister à New Scotland Yard.

– Pourquoi pas le lendemain ? suggéra-t-il. Dans la matinée. Je serai à Londres, de toute façon. J'y passerai la nuit.

Ils se retrouvèrent à la station de métro de Leyton. Lorsque Lynn émergea dans High Road, une fausse promesse de soleil pointait derrière les nuages gris et Daines était déjà là à l'attendre, un gobelet de café à la main.

– Tenez, dit-il en le tendant à la jeune femme. J'ai pris le mien.

Lynn refusa d'un signe de tête.

– Non, merci.

– Sage décision, dit-il. C'est du pipi de chat.

Et il jeta le gobelet dans la première poubelle venue.

La rue principale était un mélange hétéroclite : marchands de journaux et supérettes, friteries et cybercafés, coiffeurs, boutiques de mode et saunas ; bouchers qui vendaient de la viande halal et quatre petits poulets pour 4,99 livres ; pharmaciens et teinturiers ; centres discount Pound Plus et fournisseurs de pièces détachées pour automobiles ; libres-services de gros et magasins de meubles d'occasion ; bureaux de l'Association des invalides antillais, du Groupe de pression des Somaliens de Brava, du Centre d'aide aux réfugiés et du Club des conservateurs de Leyton.

Les pancartes, dans les vitrines, étaient rédigées en urdu ou en farsi, en bosniaque ou en serbe, en grec, en polonais ou en anglais piètrement orthographié. Une affiche représentant une fille souriante, en tenue légère, promettait une soirée polonaise dans l'un des pubs locaux tous les samedis sans exception, de vingt-deux heures jusqu'à l'aube.

Ils marchèrent pendant un quart d'heure, vingt minutes, échangeant à peine quelques mots, et suivirent l'itinéraire que Lynn avait étudié sur Multimap avant de partir. Lorsqu'ils eurent dépassé la station de métro de Leyton Midland Road, ils tournèrent dans la première de plusieurs routes parallèles, très rapprochées, bordées de petites maisons mitoyennes. Encore deux tournants, l'un à droite, l'autre à gauche, et ils s'arrêtèrent devant une maison recouverte d'un crépi granité qui, des années plus tôt, avait été peint d'un jaune bilieux, acide ; au rez-de-chaussée, les fenêtres étaient munies de grillages crasseux et, à l'étage, de rideaux dépareillés. Une bicyclette, pneu arrière à plat, était enchaînée à ce qui restait de la rampe métallique, sur le côté de la porte d'entrée.

Après une hésitation, Lynn appuya sur la plus haute des deux sonnettes.

Au bout de quelques instants, ils entendirent des pas approcher.

Alexander Bucur était grand, élancé, blond, beau — et circonspect, du moins jusqu'au moment où Lynn, imitée par Daines, lui montra sa carte de police. Alors il sourit, se présenta, puis s'effaça pour les inviter à entrer. Journaux gratuits, prospectus et courrier indésirable s'entassaient en piles branlantes contre le mur latéral. Le linoléum s'arrêtait un peu avant l'escalier, dont les marches étaient nues à part les taches de nourriture ou de boissons renversées et la poussière qui s'était accumulée dans les coins sous forme de moutons grisâtres.

La pièce dans laquelle il les introduisit était petite et encombrée : un canapé qui servait manifestement de lit, un bureau improvisé sur lequel trônaient un ordinateur et une imprimante, une table surchargée de livres, de documents et de reliefs du petit déjeuner, plusieurs chaises, d'autres livres sur des étagères « fabriquées maison », des vêtements qui séchaient devant un poêle à mazout, dans un coin, une affiche pour un festival du film roumain punaisée au mur, au-dessus d'une petite photographie en couleurs d'une enfant que Lynn avait déjà vue : Monica, la fille d'Andreea.

– Si vous voulez, dit Bucur, je peux préparer le thé.

– Pas la peine, dit Daines.

– Merci, contra Lynn, j'en prendrai volontiers.

– Très bien, dit Bucur. Je ne serai pas long.

La porte donnant sur la cuisine, exiguë et étroite, était ouverte derrière lui.

– Andreea, dit Daines. Elle est là ?

Bucur indiqua l'autre porte, qui était fermée.

– Elle est dans la chambre. Elle dormait. Elle ne sera pas longue.

Il parlait un anglais haché mais clair, sans accent prononcé.

Lynn s'assit sur l'une des chaises. Daines s'approcha de la fenêtre et regarda dans la rue. Les seuls bruits, à part ceux qui provenaient de la cuisine, étaient le vrombissement d'un avion passant à basse altitude, se dirigeant peut-être vers l'aéroport de Londres — et, plus près, un train Silverlink entrant dans la gare de Midland Road.

– Alors, qu'est-ce qu'on fait ? demanda Daines, agacé, en regardant vers la porte de la chambre à coucher. On la laisse roupiller toute la journée ?

– Soyez patient, lui dit Lynn.

Daines marmonna quelque chose qu'elle ne saisit pas.

Bucur apporta des mugs de thé, une brique de lait et une vieille boîte en métal marquée SUCRE.

– Elle ne vient pas avec nous ? dit Daines.

– Je vais voir.

Bucur entra dans la chambre et ferma la porte derrière lui.

– Quelle comédie ! maugréa Daines en remuant le sucre dans son thé.

Ils entendaient des voix derrière la porte, étouffées mais pressantes.

– Je crois qu'elle a peur de sortir, déclara Bucur à son retour.

– Peur de quoi, bon Dieu ? s'exclama Daines, laissant voir son exaspération.

Il était anormalement nerveux, pensa Lynn, et elle se demanda si cette visite avait pour unique but le jeu des questions-réponses qu'il avait évoqué.

– Laissez-moi lui parler, dit-elle en se levant. Je vais voir ce que je peux faire.

Elle frappa, s'annonça et entra.

Andreea était assise sur le lit défait, dos à la porte, le visage détourné. Ses cheveux étaient coupés court et teints dans une couleur étrange, un noir presque bleuté. Chaque fois que Lynn l'avait vue, depuis la nuit du meurtre, la jeune Roumaine s'était montrée de moins en moins séduisante, ce qui était certainement délibéré.

Elle se demanda si Alexander et elle étaient en couple et décida que non. Elle l'appela par son prénom et lui posa doucement une main sur l'épaule.

– Qu'est-ce qui ne va pas ?

Des ombres violacées cernaient les yeux d'Andreea et la peau était trop tendue sur ses pommettes ; sa pâleur était celle d'une feuille de papier laissée trop longtemps dans un tiroir.

– Je ne sais pas, répondit Andreea. Je suis fatiguée. Ce travail, le ménage, pendant la nuit… J'ai été à la maison seulement depuis quelques heures. Et toujours c'est difficile de dormir.

– Je suis désolée.

– Avant, dit Andreea avec un pâle sourire, c'était plus facile avant.

Lynn garda le silence.

– L'autre homme, reprit Andreea. Je dois lui parler ?

– Vous n'avez rien à craindre. Il veut juste vous poser quelques questions, vous montrer quelques photographies. C'est tout. Et je serai là. Venez. (Elle la prit par la main.) Venez, qu'on en finisse.

– Attendez. S'il vous plaît. Un moment. (Elle se tourna vers le miroir posé sur une vieille commode, contre le mur.) Vous pouvez partir, maintenant. Quelques minutes, et puis je viendrai.

Lynn sourit et regagna le salon en disant :

– Elle arrive.

– Trop aimable, grogna Daines.

– Elle est fatiguée. Épuisée, même, à voir sa mine.

– Elle travaille la nuit à un grand hôtel, expliqua Bucur. Dans le West End. Près de Park Lane. Douze heures, six nuits par semaine.

– Quand elle nous rejoindra, dit Lynn en s'adressant à Daines, soyez gentil avec elle.

La porte de la chambre s'ouvrit avec un petit grincement de la poignée et Andreea fit son entrée. Elle s'était brossé les cheveux de son mieux et s'était maquillée, mais son rouge à lèvres était trop vif et les traits qui soulignaient ses yeux baissés, trop sombres.

Quand elle leva la tête et vit Stuart Daines près de la fenêtre, un tressaillement la parcourut et, l'espace d'un instant, son corps tout entier parut se raidir.

– Andreea, dit Lynn en s'avançant vivement, asseyez-vous donc là-bas, à la table.

Si Daines avait remarqué quelque chose, il n'en laissa rien paraître. Prenant un siège à côté d'Andreea, il se montra le charme personnifié. Il était désolé de la savoir fatiguée, comprenait à quel point elle avait travaillé dur, c'était vraiment aimable à elle de prendre le temps de les aider. Ce qui l'intéressait, lui dit-il, c'était de savoir si elle avait vu l'un ou l'autre de ces hommes avec Viktor Zoukas au sauna de Nottingham, et il entreprit de lui montrer une série de photos.

Bucur retourna dans la cuisine préparer du thé.

À la dixième photographie, Andreea interrompit Daines.

– Cet homme, ici...

– Vous le connaissez ?

– Oui.

Sur le cliché en noir et blanc, granuleux, l'homme se tenait sur le seuil d'une boîte de nuit, la lumière de l'enseigne au néon éclairant son visage et la cicatrice qui partait du coin de l'œil gauche pour se perdre dans les ombres de sa barbe. Il semblait très grand, bien que ce fût difficile à dire avec certitude, un costaud au cou de taureau, aux mains grandes et larges. Il était brun, portait un costume foncé, une chemise pâle et une cravate sombre.

– Vous l'avez vu avec Zoukas ? demanda Daines.

Andreea fit non de la tête.

– Mais vous venez de dire…

– Ma maison. Où j'habitais à Nottingham. Avant. Il est venu là-bas. (Elle regarda Lynn.) Je vous ai parlé de lui.

– L'homme au couteau.

– Oui. Il me fait monter dans sa voiture, me conduit quelque part, me demande ce que j'ai dit à la police pour Nina. Et Viktor. Il dit qu'il me tuera si je dis quelque chose de mal sur Viktor. Quelque chose de plus que je dis déjà à la police… (Elle jeta de nouveau un coup d'œil à Lynn.) Maintenant, il saura. Il saura…

– Andreea, je vous le répète, il n'y a pas de danger. Vous êtes en sécurité ici.

– Cet homme, reprit Daines, l'avez-vous vu avec Viktor Zoukas ?

– Non. Non, jamais.

– Vous en êtes sûre ?

– Oui, naturellement.

– Ni au sauna ni ailleurs ?

– Non.

– Et quand il vous a menacée, était-il tout seul ?

– Non. Il y avait un autre homme dans la voiture. Il conduisait.

– Décrivez-le. Comment était-il ?

– Je n'ai pas vu.

– Vous avez bien dû voir quelque chose.

– Non. Il était dans la voiture. Il conduisait la voiture. C'était sombre.

– Bon, OK. Regardons les photos qui restent.

Andreea n'identifia aucun autre individu — du moins, pas formellement. Elle avait des doutes sur un ou deux, mais c'était trop vague pour être vraiment utile. Daines lui posa encore quelques questions sur Zoukas, mais il n'y avait pas grand-chose qu'elle puisse lui dire. Pas grand-chose qu'elle sache.

Au bout d'une bonne demi-heure, il en eut terminé.

– Merci, dit-il. Merci pour votre coopération. Croyez qu'elle est appréciée.

Encore quelques minutes — remerciements à Alexander Bucur pour le thé, bref échange de regards entre Lynn et Andreea, promesse de Daines que l'homme de la photo n'importunerait plus la jeune femme — et ils se retrouvèrent dans la rue.

– Alors, ça valait la peine ? demanda Lynn tandis qu'ils se dirigeaient vers High Road.

– Ça dépend. Moins fructueux que je l'espérais, mais quand même intéressant.

– L'homme qu'elle a reconnu, comment s'appelle-t-il ?

– Ivan Lazic. C'est un Serbe. Il a été membre des forces de sécurité serbes entre 1996 et 1998, date à laquelle il a été capturé par l'UCK, l'Armée de libération du Kosovo. Au lieu de le coller contre un mur et de le passer par les armes, les rebelles ont apparemment conclu un marché avec lui. Il a attiré notre attention — enfin, celle des douanes — en 99. Depuis cette époque, il semble être de mèche avec les Albanais.

– Mais maintenant, il a bien quitté le pays, comme vous l'avez dit ?

Daines lui lança un regard.

– Je n'en ai aucune idée. Mais je ne voulais pas que votre copine Andreea pique une nouvelle crise.

Lynn laissa passer quelques secondes avant de demander :

– Andreea, vous l'aviez déjà vue ?

– Non, jamais. Pourquoi cette question ?

Elle ne répondit pas.

Ils prirent ensemble la Central Line jusqu'à la station Bank, où ils changèrent : Daines devait prendre le train à St Pancras, tandis que Lynn empruntait l'autre embranchement de la Northern Line jusqu'à Kentish Town. Elle avait une amie, lui expliqua-t-elle, une inspectrice principale en poste à Holmes Road, avec qui elle devait déjeuner avant de rentrer à Nottingham par le train.

– Merci pour votre aide, lui dit Daines tandis que les passagers se bousculaient autour d'eux sur le quai.

– Pas de quoi, répondit Lynn avant de se perdre dans la foule.

À Camden Town, elle changea de quai et repartit en sens inverse : moins de dix stations entre Tottenham Court Road et Leyton. Elle avait appelé son amie Jackie Ferris pour se décommander, non sans se sentir paranoïaque, mais désireuse de ne rien laisser au hasard. Elle avait également téléphoné à Alexander Bucur pour s'assurer qu'Andreea serait encore là.

Quand elle arriva, Bucur était devant la maison, sur le point d'enfourcher sa bicyclette.

– Je dois partir. Andreea est là-haut.

Sur un sourire, il s'en fut.

Andreea avait enfilé un tee-shirt différent et s'était remaquillée. Elle regarda par-dessus l'épaule de Lynn d'un air anxieux pour vérifier que personne ne la suivait.

– Daines, dit Lynn, l'homme avec qui je suis venu tout à l'heure. Vous le connaissiez, n'est-ce pas ? Vous l'aviez déjà vu ?

Andreea hésita.

– Oui, finit-elle par répondre. Oui, oui.

Lynn s'assit à côté d'elle sur le canapé.

– OK. Dites-moi où.

– Attendez, s'il vous plaît. (Andreea prit un paquet de cigarettes et se leva pour ouvrir tout grand la fenêtre.) Alexander, il n'aime pas quand je fume ici, expliqua-t-elle en sortant un briquet de la poche de son jean.

– C'était à Londres, dit-elle après la première bouffée. Il y a deux… oui, deux ans.

– Mais dans quelles circonstances ?

– Quand je suis arrivée dans ce pays, j'habite chez des amis à Wembley au début. Là-bas, j'ai rencontré Viktor. Une des filles, elle travaillait dans un club qui était dirigé par un ami de Viktor. Danse érotique, vous savez ? Elle m'a dit qu'elle essaiera d'avoir pour moi un job là-bas. Alors le patron, il m'a dit que je dois danser pour son ami, Viktor. Il a dit que c'était mon… audition, c'est le mot ?

– Oui.

– Après, il me rit au nez et dit qu'il n'y a pas de job. Mais Viktor, il dit que si je suis prête de quitter Londres, je peux travailler pour lui. D'abord, je dois lui montrer ce que je sais faire. Je lui dis que j'ai déjà fait, mais il dit non, c'était différent. (Andreea souffla la fumée dans la direction approximative de la fenêtre ouverte.) C'était un sauna, salon de massage, il appartient à son frère, Valdemar. J'étais… pas choquée, non, je sais que ça existe, mais je ne voulais pas faire ça. Mais Viktor, il me dit que si je travaille pour son frère pendant un court moment, j'apprends le métier, et ensuite je pourrai diriger un autre sauna qu'il a ailleurs, mon travail sera simplement de surveiller les filles, les clients, prendre l'argent. (Elle secoua la tête.) Ce n'est pas ça qui arrive.

– Et c'est à ce moment-là que vous avez vu Daines, quand vous travailliez pour le frère de Viktor ?

– Chez Valdemar, oui.

– Et Daines était là à quel titre ?

Andreea la regarda comme si elle ne comprenait pas la question.

– Daines. Qu'est-ce qu'il faisait là ?

– Oh… d'abord j'ai cru, lui et Valdemar, c'était du business entre eux. Mais ensuite je pense, non, ils sont amis. Ils boivent ensemble et Valdemar le fait visiter, lui montre les filles. Il y a une, Marta, elle n'est pas plus jeune que moi, mais petite, vous voyez ? Petit visage, petit corps. Elle peut ressembler une écolière. Votre ami…

– Daines.

– Oui, Daines, il va avec elle. Plusieurs fois, pendant que je suis là-bas.

– Il revient ?

– Oui. Deux fois encore, je crois. Je le vois deux fois encore. Il ne me voit pas, je n'existe pas pour lui. Juste Marta. (Elle s'interrompit, comme si elle hésitait à poursuivre.) Une fois, il lui fait mal. J'entends Marta crier, hurler, et plus tard Valdemar est en colère. Lui et votre Daines, ils crient très fort et je crois qu'ils se battront, mais ensuite j'entends qu'ils rient. Valdemar, il dit que la prochaine fois ça lui coûtera plus cher et ils rient encore.

Lynn détourna la tête vers la fenêtre. Andreea tira longuement sur sa cigarette et retint la fumée dans ses poumons.

– Je n'ai pas revu Daines avant aujourd'hui, conclut-elle.

– Jamais à Nottingham, avec Viktor ?

– Non. Jamais. Avant aujourd'hui.

Lynn lui tapota la main.

– Merci, Andreea. Merci infiniment.

– Ça signifie quoi ? Ce qui est arrivé ?

– Je ne sais pas exactement. Je suppose qu'il travaillait sous couverture. Vous comprenez ? Il faisait semblant d'être quelqu'un d'autre. Parfois, c'est le seul moyen.

– Alors ce n'est rien de mal ?

– Non. Non, je ne pense pas.

173

Une fois dans la rue, Lynn appela Jackie Ferris sur son portable.

– Écoute, Jackie, désolée d'avoir dû me décommander tout à l'heure, mais est-ce qu'on pourrait se prendre un verre rapide en fin d'après-midi, si tu peux te libérer ? Vers six heures, disons… Six heures et demie. J'ai quelque chose à te demander. Tu peux ? Génial. Super. Dis-moi où.

19

C'était Resnick qui avait connu Jackie Ferris en premier, quand elle était jeune inspectrice à la Brigade de répression des vols d'antiquités et d'objets d'art, au Yard, et que lui était sur la piste d'un cambrioleur ayant un goût délicieusement développé pour les œuvres des impressionnistes britanniques mineurs. Ils s'étaient retrouvés à l'occasion de la recherche d'un séducteur en série qui se faisait une spécialité de draguer des femmes solitaires et de coucher avec elles avant de les dépouiller de tous leurs biens[1]. Curieusement — Lynn ne se rappelait plus les circonstances exactes —, les connaissances pointues et quasi encyclopédiques de Resnick en matière de jazzmen des années quarante et cinquante avaient contribué à démasquer le suspect. Difficile à croire, mais pourtant vrai.

Lynn avait d'abord croisé brièvement Jackie dans le cadre professionnel, puis, lorsque Resnick et elle avaient commencé à vivre ensemble, Jackie était venue à Nottingham en deux occasions et avait dormi chez eux : la première fois, pour une conférence sur l'îlotage ; la seconde, pour une réunion de l'Association des policiers gay et lesbiens, dont Jackie était membre.

Malgré sa répugnance à l'admettre, Lynn avait été ébranlée de découvrir que Jackie était gay, imaginant une femme qui, dès l'instant où elle quittait son service, devenait outrageusement hommasse ou, au contraire, ridiculement efféminée. Hommasse, plus vraisemblablement : Lynn ne se représentait pas Jackie en robe rose bonbon et fardée comme un pot de peinture. Mais quand elle s'était aperçue que Jackie n'était ni l'un ni l'autre, et quand elle avait découvert — son autre crainte — que Jackie n'était pas le moins du monde pré-

---

1. *Cœurs solitaires*, Rivages/Noir n° 144.

datrice, elle avait pu se détendre et apprécier sa compagnie sans arrière-pensée.

Sur la suggestion de Jackie, elles se retrouvèrent à l'Assembly House, un grand troquet à l'ancienne dans le quartier nord de Kentish Town, qui, comme tant d'autres, mais avec des résultats moins désastreux, s'était mis au goût du jour en abattant quelques cloisons et en passant les sols à la sableuse, avant d'ajouter une cuisine décente où le chef officiait sous les yeux de la clientèle.

À six heures du soir, ou peu après, le bar n'était pas encore pris d'assaut et elles s'assirent à une table d'angle, tournant le dos aux larges fenêtres et à la circulation laborieuse de l'heure de pointe.

– Désolée pour le déjeuner, dit Lynn lorsqu'elles furent installées. J'ai été dépassée par les événements.

Jackie balaya ces excuses d'un geste désinvolte.

– Ça arrive.

– Trop souvent.

– Raconte-moi tout, dit Jackie en buvant une solide rasade de son verre. Et d'abord, comment va Charlie ?

– Oh, tu le connais... Charlie, c'est Charlie.

– Il attend la retraite avec impatience ?

– Il n'arrête pas de regarder des documentaires sur ces éléphants qui s'enfoncent pesamment dans la jungle pour y mourir, quand ils savent que leurs jours sont comptés.

Jackie s'esclaffa.

– Ne te mets pas martel en tête, il s'en sortira très bien.

– Tu crois ? Je n'en suis pas si sûre. Je ne le vois pas acceptant un de ces jobs d'agents de sécurité, comme tant d'autres le font... mais je ne le vois pas non plus se tournant les pouces avec volupté. Remarque, nos effectifs étant actuellement au plus bas, on le suppliera de rester à son poste.

– Non, il faut savoir partir au bon moment. Se réinventer. C'est ce que je ferai quand mon tour viendra.

– Ah oui ? Et pour devenir quoi ?

– Trapéziste. Ou funambule, tu sais ? Je voudrais trouver un job dans un de ces petits cirques ambulants : Hampstead Heath, Clapham Common, ce genre-là.

– Tu plaisantes ?

– Non, pas du tout. En fait, j'ai déjà commencé à prendre des cours.

– Allons donc !

– Si, si, avec une Hongroise qui a travaillé autrefois dans un cirque en Russie. Elle et son partenaire, ils formaient les Karamazov Volants. Jusqu'au jour où il s'est cassé la colonne vertébrale en tombant.

– Affreux.

– Elle doit avoir soixante ans bien sonnés mais elle a encore un corps superbe.

– Tu es bien sûre que tu vas la voir pour apprendre le trapèze ?

– Très drôle.

– Une maîtresse plus âgée, plus expérimentée, ça peut avoir du bon.

– Un amant aussi. Tu es bien placée pour le savoir.

– Garce !

Jackie se remit à rire.

– Alors, dit-elle en levant son verre, quelle est cette affaire dont tu voulais me parler ?

Sans trop entrer dans les détails, Lynn expliqua la situation du mieux qu'elle put.

– Tu ne crois pas que cette fille — Andreea ? — a pu se tromper ? demanda Jackie.

– Elle semblait catégorique.

– Et la raison que tu lui as donnée pour expliquer la présence là-bas de ce type des Douanes, à savoir qu'il travaillait simplement sous couverture… tu n'y crois pas ?

– Si le reste de ce qu'elle m'a raconté est vrai, c'est difficile à avaler.

– Faut voir. S'il se fait passer pour un micheton, il est obligé de jouer le jeu. Il peut difficilement — comment disaient les journaux, dans le temps ? — s'excuser et prendre congé.

– Non, évidemment. Mais ce qu'a dit Andreea à propos de cette fille…

– Qu'il lui a fait mal ?

– Oui.

Jackie soupira.

– Il s'est peut-être laissé emporter, ce sont des choses qui arrivent. Surtout quand on a ce genre de penchants au départ. Ou alors, peut-être qu'Andreea avait des raisons d'exagérer, de ne pas dire la stricte vérité.

– C'est possible.

– Mais ce n'est pas ce que tu as envie de croire ?

Avec un sourire désabusé, Lynn secoua la tête.

– Je n'en sais rien.

Jackie termina sa bière et leva son verre vide.

– Ta tournée.

Lynn se fraya un chemin jusqu'au bar. Le pub était plus animé, à présent : il y avait un mélange de gens qui s'arrêtaient un moment avant de rentrer à la maison, de vieux habitués pour qui le bistrot était encore un second chez-soi, nonobstant le nouveau décor, et de femmes qui donnaient l'impression d'avoir passé la plus grande partie de la journée à se faire épiler les jambes à la cire et retoucher les mèches, sans parler d'améliorer leur bronzage. La musique — il devait y avoir, songea Lynn, une sorte de renouveau du ska — se mêlait aux conversations de plus en plus assourdissantes.

Le barman qui la servit était de type méditerranéen, avec des cheveux sombres un brin trop longs et des yeux qui, étrangement, évoquaient des caramels durs. Il portait un tee-shirt blanc et un jean qui, ni l'un ni l'autre, ne laissaient une grande place à l'imagination. « Canon », c'était bien le terme moderne pour qualifier ce genre d'Adonis ? « Appétissant », diraient d'autres.

– Le coup de foutre ? badina Jackie Ferris en indiquant le bar d'un signe de tête, quand Lynn revint.

– On a le droit de rêver, non ?

– Tant que tu ne parles pas dans ton sommeil…

Lynn éclata de rire et renversa un peu de bière en posant son verre. Elle aimait la compagnie de Jackie. Elle appréciait, pour changer, d'être hors des confins de Nottingham et de se retrouver dans la grande ville. Y avait-il encore des gens pour appeler Londres « The Smoke » ? À part Charlie.

– Alors, qu'est-ce que tu comptes faire ? demanda Jackie.

– Pour Daines ?

– C'est son nom ?

– Oui, Stuart Daines. Et je ne sais pas. Si je l'attaque de front, il se contentera de nier, de crâner, ce sera sa parole contre celle d'Andreea. Je vais peut-être me renseigner. En douce.

– Tu ne fais pas confiance à ce type, c'est clair.

– Il me met mal à l'aise.

– Comme l'autre, là, derrière le bar.

178

– Non, *pas du tout* comme le type derrière le bar.

Jackie souriait.

– Je vais me renseigner, moi aussi. Après tout, c'est plus facile pour moi que pour toi. Si je dégote quelque chose, je t'appelle.

– Merci, Jackie.

– Bon. Et maintenant, qu'est-ce qu'on peut faire exactement pour t'avoir un plan drague avec ce mec ?...

20

Le lundi de cette semaine-là, quelques jours plus tôt, à environ neuf heures et quart du matin, une Vauxhall Astra noire s'engagea sur la petite aire de stationnement du bureau de poste, à Lough-borough Road, et deux hommes — Garry Britton et Lee Williams — bondirent de la voiture, laissant un troisième larron au volant. Britton était noir, Williams blanc ; l'un était armé d'un fusil de chasse aux canons sciés, l'autre d'un pistolet, qu'ils braquèrent sur la dizaine de clients, pour la plupart âgés, qui faisaient la queue, en leur ordonnant de se coucher par terre.

Britton, brandissant le fusil, se fraya un chemin à coups d'épaule vers le comptoir de l'étroite boutique, où l'un des deux employés avait déjà appuyé sur le bouton d'alarme qui était relié au commissariat de Rectory Road, à moins de huit cents mètres de là. Il pressa le fusil contre la vitre renforcée et cria aux deux employés de lui remettre l'argent du tiroir-caisse.

Un homme en bleu de travail poussa la porte donnant sur la rue et, voyant ce qui se passait, fit promptement demi-tour.

– Vite ! Vite ! Plus vite, bordel !

Le fusil frappa violemment la vitre et l'un des employés hurla. Dehors, le conducteur de l'Astra klaxonnait.

Plusieurs clients, recroquevillés contre le mur latéral, pleuraient. Parmi eux, une femme en tailleur de tweed démodé, les cheveux gris ramassés en chignon, priait à haute voix.

– La ferme ! lui cria Williams en plein visage. Ferme-la, bordel !

Au lieu de quoi elle se mit à chanter un cantique.

Williams ramena son bras en arrière et abattit le pistolet vers le visage de la femme.

Les coups de klaxon se faisaient plus bruyants, plus insistants, et on entendait au loin les premières sirènes de police.

– Dehors ! Dehors ! On fout le camp, putain !

D'un geste rageur, Britton saisit une enveloppe contenant à peu près deux cents livres et courut vers la porte. Se tournant pour le suivre, Williams trébucha et tomba à moitié, sortit dans la rue en titubant tandis que l'Asiatique qui tenait le kiosque à journaux, quelques portes plus loin, l'empoignait par le bras.

– Connard de héros ! gronda Williams.

Et il tira à bout portant avant de sauter à l'arrière de la voiture qui avait déjà démarré.

L'Asiatique s'effondra contre la vitrine du bureau de poste, sa chemise blanche tachée de sang à l'endroit où la balle avait lacéré la chair, sur le flanc.

À l'extrémité de l'enfilade de boutiques, la sortie était partiellement bloquée et l'Astra grimpa sur le trottoir, manquant de peu un groupe d'enfants épars qui était en retard pour l'école, et s'engagea en dérapant sur Loughborough Road tandis qu'une voiture de police arrivait à toute allure en sens inverse. Le conducteur de l'Astra passa la marche arrière, fit une embardée et, pris de panique, fonça dans une route transversale qui menait simplement au parking du supermarché Asda, la voiture de police à ses trousses.

À cette heure encore matinale, moins d'un quart des places du parking étaient occupées. L'Astra accéléra à fond vers la vitrine verte du supermarché et, dans un hurlement de pneus, exécuta un virage serré à droite dans l'espoir de se retrouver face à la sortie, mais voici qu'une deuxième voiture de patrouille lui bloquait le passage. Le conducteur freina, braqua à mort et perdit le contrôle de l'Astra, qui heurta latéralement une camionnette de livraison en stationnement avant de s'encastrer, capot en premier, dans la remorque d'un poids lourd chargé de produits surgelés.

Les airbags automatiques sauvèrent la vie des deux hommes assis à l'avant, mais les retinrent prisonniers. Le troisième homme — Williams — fut projeté contre le siège du conducteur, sa tête heurtant la vitre au moment du rebond, et le pistolet fut éjecté de sa main. Il était à moitié affalé par la portière ouverte quand deux agents de police le saisirent par les bras pour le dégager, puis le firent pivoter et le plaquèrent contre l'aile de la voiture, les jambes écartées et les bras en croix.

181

Chopé, comme on dit.

Ce fut Catherine Njoroge qui, la première, s'aperçut que le revolver utilisé pour le hold-up était du même type que celui qui avait causé la mort de Kelly Brent : un Brocock ME38 Magnum. Elle alerta aussitôt Resnick, qui contacta le labo de l'Identité judiciaire à Huntingdon et, invoquant des faveurs passées, demanda que des comparaisons avec les marques sur les balles et les douilles provenant de la scène du meurtre soient effectuées le plus rapidement possible.

Pendant ce temps-là, Catherine visionna de nouveau, méticuleusement, le film de la caméra de surveillance de St Ann. Sur l'un des plans, Lee Williams était clairement visible au premier rang de la foule, juste avant les coups de feu. Et il portait, sans l'ombre d'un doute, les couleurs de Radford. Accompagnée d'Anil Khan, elle retourna interroger leurs sources d'origine : la présence de Williams à Cranmer Street au moment de la fusillade fut confirmée par trois témoins différents.

Les expertises balistiques, quand elles arrivèrent enfin, tard le vendredi soir, montrèrent que les rainures sur les côtés des deux balles, les éraflures consécutives à l'éjection des douilles et les indentations dans le culot métallique causées par le percuteur étaient rigoureusement identiques. L'arme utilisée pour le meurtre de Kelly Brent était la même que celle qui avait servi pour le braquage du bureau de poste.

De surcroît, une comparaison informatique avec des marques inhabituelles montra que le revolver avait été précédemment utilisé en deux occasions : des coups de feu tirés d'une voiture en marche à Birmingham, l'année précédente, et le hold-up d'un bureau de poste à Mansfield, juste huit semaines plus tôt.

Le casier judiciaire de Williams faisait état de délits juvéniles mineurs et d'un non-lieu pour détention illégale d'arme à feu. Il aurait bien du mal, pensa Resnick, à s'en tirer cette fois-ci.

Resnick se rendit chez les Brent le samedi matin, peu avant onze heures. Cette fois, il avait laissé Catherine Njoroge au commissariat pour venir seul. Ils n'étaient que tous les trois dans la pièce, laquelle semblait toujours aussi exiguë. Le plafond bas et l'unique fenêtre, petite, n'arrangeaient rien, pas plus que les meubles serrés les uns contre les autres.

La photographie de Kelly Brent trônait sur la cheminée, dans un nouveau cadre, avec un ruban violet foncé barrant l'un des coins ; les autres photos de famille avaient été reléguées ailleurs et quelques-unes des nombreuses cartes reçues par les Brent encerclaient le portrait de Kelly. Il y avait des fleurs, légèrement fanées à présent, disposées dans deux grands vases qui flanquaient l'âtre vide. Des messages de condoléances avaient été collés dans un grand album relié en similicuir, posé — ouvert — sur la table basse devant la télévision.

Malgré les signes d'usure normale, rien de particulier n'indiquait ici la pauvreté, ni la richesse non plus. Des gens normaux, des vies normales : un fils parti pour l'université, un autre au collège, une fille morte.

Tina Brent avait des cernes sombres autour des yeux et ses doigts tripotaient nerveusement un fil solitaire qui dépassait du bras de son fauteuil.

Howard Brent — sweat-shirt gris argenté, pantalon ample, baskets neuves gris argenté avec la marque rouge caractéristique de Nike sur les côtés et une bande noire sur le pourtour — regarda Resnick, puis la photo de sa fille, puis le plancher.

Personne n'avait parlé depuis plusieurs minutes, depuis que Resnick avait dit ce qu'il était venu leur dire. Brent, pour une fois, était à court de mots, peut-être décontenancé, surpris, incertain de la réaction à avoir, vidé de toute colère, le souffle coupé par la nouvelle, pour incomplète qu'elle fût encore.

– Je voulais juste vous faire savoir, dit Resnick, à cause de ce qui a pu se produire, à cause de ce que vous avez pu penser avant, que Billy Alston n'était pas directement impliqué dans la mort de Kelly. Nous en avons la certitude.

– Et ce jeune, là, dit Brent, celui qu'est en garde à vue. L'a avoué ?

– Non. (Resnick secoua la tête.) Pas encore.

– Mais il a été inculpé, hein ?

– Oh ! oui.

– De meurtre ?

– Oui.

– Du meurtre de notre fille.

– Oui.

Tina Brent émit un sanglot et enfouit son visage dans ses mains.

– Il a dit pourquoi, vous savez pourquoi, Kelly, il a tiré sur elle ? Pourquoi ? Pourquoi elle ?

De nouveau, Resnick secoua la tête.

– Non.

– Mais il est coupable, ouais ? Pas de doute ?

– Ce sera au tribunal d'en décider.

– Tribunal ! Décider ! (Brent repoussa violemment sa chaise contre le mur et se mit debout, chancelant.) Cette année ou l'année prochaine, hein, allez savoir, moi et Tina, on ira écouter tous les jours un avocat prétentiard débiter son bla-bla sur les circonstances atténuantes pendant que l'autre, là, le mec qu'a tué Kelly, celui qu'a tiré le coup de feu, il est assis là sans rien dire, et il rigole parce que le pire qui peut lui arriver, il le sait bien, il va aller en taule pour combien… quinze ans ? Quinze ans et il est libéré sur parole au bout de dix. J'vous demande un peu, mec, c'est quoi ça, dix ans ? Il a quel âge ? Pas encore vingt ans ? Il sera dehors, dans la rue, libre, à même pas trente ans… vingt-huit ou vingt-neuf. Et notre fille, elle, dix ans qu'elle est morte ! Dix ans dans la terre dure et froide, bordel !

Les doigts dans la bouche, Tina Brent émit un son étranglé.

– Vous savez l'effet que ça fait, monsieur Resnick ? Monsieur le policier ? Vous savez l'effet que ça fait ?

– Non, répondit Resnick. Non, je ne le sais pas.

– Alors, priez le bon Dieu de jamais le savoir !

Resnick se souleva du canapé.

– Un officier de police restera en contact avec vous. Vous serez informés au fur et à mesure des éventuels développements, des dispositions prises pour le procès, et cetera.

Il tendit la main à Brent, qui se détourna.

Tina Brent regardait fixement le mur. Sur son visage, les larmes séchaient.

– Au revoir, madame Brent, dit Resnick en se dirigeant vers la porte.

Brent le suivit dehors. Deux gamins tapaient dans un ballon sur le trottoir, l'envoyant par moments percuter les voitures garées à touche-touche.

– Vous savez, dit Brent, c'est seulement la moitié de l'histoire.

Resnick se retourna.

– Quel que soit celui qu'a appuyé sur la détente — Williams, Alston —, y a qu'une seule personne qu'a empoigné ma Kelly pour s'en servir comme bouclier.

Le visage de Resnick s'empourpra.

– Ce n'est pas…

– Pas quoi ?

– Pas la peine d'écouter ces insanités.

– N'empêche, faudra qu'elle paie.

– Il faudra que quoi ?

– Vous m'avez entendu. D'une façon ou d'une autre, faudra qu'elle paie pour ce qu'elle a fait.

– Menaces contre un officier de police, c'est un grave délit.

Brent tendit les bras, paumes en l'air.

– OK, arrêtez-moi, qu'est-ce que vous attendez ? Emmenez-moi.

Il éclata de rire en regardant Resnick s'éloigner.

21

Après un début laborieux, du moins pour Lynn, le lundi se révéla une bonne journée. L'un des employés de l'Holiday Inn de Newcastle-upon-Tyne, qui travaillait la nuit, s'était souvenu d'un détail qu'il avait omis de mentionner quand on l'avait interrogé : il avait vu Dan Schofield — ou un homme qui lui ressemblait beaucoup — rentrer sa voiture au parking de l'hôtel au moment où lui-même quittait son service. Quelque part entre six heures et quart et six heures et demie du matin. S'il ne pouvait pas être formel à cent pour cent en ce qui concernait Schofield, il était catégorique pour la voiture : la portière avant, côté passager, était d'un vert qui tranchait légèrement sur le reste de la carrosserie, soit qu'elle ait été repeinte ou carrément remplacée.

– En toute logique, déclara plus tard à Lynn Kellogg le policier responsable de l'enquête, je devrais vous en vouloir à mort de faire passer mon équipe pour une bande de vulgaires amateurs. Même pas foutus de voir ce qu'ils avaient sous leur nez !

– Simple coup de chance, dit Lynn.

Mais ils savaient, l'un comme l'autre, que ce n'était pas vrai.

– De toute façon, je tiens à vous payer un pot après le travail. Enfin… si vous ne conduisez pas.

– Schofield ne s'est pas encore mis à table. Vous êtes sûr que vous ne préférez pas attendre qu'il l'ait fait ?

– Non. Il le fera et, à ce moment-là, on organisera une fête digne de ce nom. Là, c'est juste vous et moi, tranquilles, ma façon de vous remercier.

Resnick était à l'autre bout du bar avec Pike, Michaelson et Anil Khan ; Anil, remarqua Lynn, s'en tenait à son habituel soda au citron vert. Elle était assise devant un demi, qu'elle faisait durer, tout en écoutant la conversation de son interlocuteur : spéculations sur ce qui avait pu pousser Schofield à commettre l'irréparable, considérations sur le prochain mariage de sa fille, sur l'état de son jardin ouvrier, en passant par d'autres sujets intermédiaires. Quand il lui demanda, en faisant un signe de tête vers le bar, ce que Resnick pensait de sa retraite imminente, elle répondit :

– Pourquoi vous ne lui posez pas la question vous-même, hmm ?

– Vaut mieux pas, dit-il, hilare. Il n'a peut-être pas envie qu'on lui rappelle cette échéance.

Lynn eut un sourire laissant entendre que c'était sans doute le cas.

– Vous en prendrez un autre ? proposa-t-il.

– Merci, mais non.

Ayant vidé sa chope, elle se mit debout.

– Vous rentrez à la maison préparer le dîner du vieux ? dit-il.

– C'est l'idée.

La voyant prête à partir, Resnick leva son verre récemment rempli, façon de lui indiquer qu'il en avait encore pour un petit moment. Lynn fit un signe de la main pour montrer qu'elle comprenait, se fraya un chemin jusqu'à la porte et sortit dans la rue. Sitôt dehors, elle sentit une présence derrière elle.

– On part tôt ? dit Daines.

Il se rapprocha lorsque Lynn se retourna.

– Qu'est-ce que ça peut bien vous faire ?

Elle sentait son haleine sur son visage.

– J'ai été tenté de me joindre à vous... et puis je me suis dit, non, elle se détend avec ses collègues, ses amis, son — comment dit-on, déjà ? — son concubin.

– Vous m'avez suivie ?

– Peut-être bien. (Le réverbère fit briller l'éclat vert de son œil quand il sourit.) Mais j'aurais tendance à dire que c'est plutôt vous qui me suivez.

– Vous vous trompez.

– Vraiment ? Vous posez des questions dans mon dos. Vous vous renseignez sur moi. Ça revient plus ou moins au même.

Lynn s'écarta d'un pas.

– C'est donc ce que j'ai fait ?

– Il paraît.

Lynn garda le silence.

– Si vous vouliez savoir quelque chose, reprit-il, pourquoi ne pas venir me le demander ? Directement ? Mais ce n'est peut-être pas votre méthode.

– Je l'avais déjà fait, dit Lynn.

– Pardon ?

– Vous connaissez Andreea.

– Qui ça ?

– Andreea Florescu. Vous la connaissez. Vous l'aviez déjà vue.

– Non.

– Vous en êtes sûr ?

– Absolument.

– En tout cas, elle vous connaît.

– Elle ment.

– Je ne pense pas.

– Cette pouffiasse d'étrangère, vous la croyez plutôt que moi ? (Daines exhala du fond de sa gorge un son railleur.) Elle ment probablement, aussi, quand elle prétend avoir vu Zoukas poignarder la fille.

– Pourquoi ferait-elle ça ?

– Qui sait ? (Un sourire fugace passa sur son visage.) Un petit conseil, entre professionnels… (D'un geste vif, il lui agrippa le bras.) Ne faites pas de moi votre ennemi.

– C'est une menace ?

– Si besoin est.

Elle se dégagea brusquement et s'écarta à l'instant même où la porte du pub s'ouvrait, livrant passage à Resnick. Daines le salua d'un bref signe de tête, lança à Lynn un dernier regard et s'éloigna rapidement.

– Qu'est-ce qui s'est passé ? s'enquit Resnick.

Elle lui rapporta l'essentiel de la conversation pendant qu'ils rentraient chez eux à pied, passant par le nord du centre-ville avant de couper par Woodborough Road.

– C'est à se demander, dit Resnick après avoir écouté Lynn, ce qu'il a à cacher.

– Quelque chose de personnel ? Tu penses que c'est ça, au fond ?

– Je n'en sais rien. Cette opération, elle est de grande envergure. Internationale. Si Daines peut contribuer à son succès, une belle carrière s'ouvrira devant lui. Il estime peut-être que tous les moyens sont bons pour y parvenir. Et ce qu'il veut éviter à tout prix, c'est qu'elle soit étalée au grand jour avant qu'il soit fin prêt.

– Ça ne me plaît pas, dit Lynn.

– C'est *lui* qui ne te plaît pas.

– Il y a une différence.

– Je sais.

Ils passèrent devant la mosquée, remontèrent vers Gorseyclose Gardens et Alexandra Park.

– Tu peux toujours signaler l'incident, dit Resnick. En parler au sous-directeur si nécessaire.

Lynn secoua la tête.

– Daines se contenterait de tout nier en bloc.

L'un des chats s'élança sur le trottoir pour les accueillir, les autres attendant sur le paillasson. Resnick tourna une première clé dans la serrure, puis l'autre. Le froid les enveloppa quand ils franchirent le seuil ; le chauffage s'était arrêté trop tôt. Malgré tout, c'était bon de se retrouver chez soi.

Il était trois heures moins le quart de l'après-midi, le lendemain mardi, lorsque Dan Schofield avoua avoir tué Christine et Susan Foley, plaidant par le biais de son avocat l'homicide involontaire commis dans un accès de folie passagère.

– Il a assez de cran pour poignarder une femme à mort avec un couteau de cuisine et étouffer une petite gamine dans son sommeil, commenta l'officier responsable de l'enquête, mais pas assez de couilles pour assumer son acte sans se cacher dans les jupons d'un satané psy !

Restait à savoir si son stratagème réussirait.

Lynn venait tout juste de regagner son bureau quand le téléphone sonna. C'était Alexander Bucur qui appelait de Londres, parlant à un débit rapide, nerveux, les mots se bousculant dans sa bouche : deux hommes étaient venus à l'appartement la veille au soir, cherchant Andreea. Il leur avait dit qu'elle n'était pas là, mais ils étaient entrés de force et avaient fouillé partout. Quand ils lui avaient demandé où elle était, il avait répondu qu'elle travaillait mais qu'il ne savait pas où. Ils reviendraient, avaient-ils promis. Ils reviendraient.

– Et Andreea ?

– Quand je lui ai dit, elle a paniqué. J'ai eu beaucoup de mal à l'empêcher de prendre ses affaires et fuir tout de suite. Elle est terrifiée.

– J'arrive, dit Lynn impulsivement. En attendant, parlez-lui.

– Vous êtes sûre ?

– Oh, que oui !

Elle consulta sa montre. En se dépêchant, elle pourrait attraper le train de 15 h 38. Juste le temps de passer la tête par la porte du bureau de Resnick avant de cavaler à la gare.

– Charlie, je pars pour Londres. Il y a eu du nouveau.

– Comment ça, du nouveau ?

– Alexander Bucur — l'ami chez qui habite Andreea. À Leyton. Il vient de m'appeler. Quelqu'un est passé le voir, cherchant Andreea. On dirait le même type qui l'a déjà menacée. Elle est morte de peur.

– Je ne vois pas…

– Charlie, il faut que je me sauve. À ce soir, OK ?

Resnick leva la main.

– Passe-moi un coup de fil.

– Je t'appellerai du train.

Sur ce, elle s'en fut.

Bucur l'accueillit à la porte. Un œil au beurre noir, qui passait du mauve au jaune, déparait son visage par ailleurs parfait.

– Qu'est-ce qui vous est arrivé ? demanda Lynn.

– Ça ? Hier soir. Quand je leur ai dit que je ne savais pas où Andreea travaille, ils ne m'ont pas cru, je pense. (Il sourit, ce qui le fit grimacer.) Entrez.

Elle le suivit à l'étage et dans l'appartement. L'expression de Bucur la renseigna avant même qu'il ait prononcé les mots :

– Elle est partie.

– Où ça ?

– Je ne sais pas. En Cornouailles, peut-être. Je ne sais pas.

– Racontez-moi.

– Je suis sorti, pas longtemps après que je vous ai téléphoné. Juste pour acheter du lait, quelques courses, c'est tout. Elle semblait calmée. Quand je suis rentré, elle avait disparu. Son sac à dos aussi. J'ai essayé d'appeler son portable, mais il était éteint. (Il soupira.) Je suis désolé.

– Ce n'est pas votre faute. Vous n'avez aucun reproche à vous faire.

Bucur débarrassa les papiers entassés sur l'une des chaises et les posa sur la table, avec tous les livres et le bazar.

– S'il vous plaît, asseyez-vous. Je vais préparer le thé.

Pendant qu'elle attendait, Lynn passa en revue les monumentales piles de livres. *The Image of the City* de Kevin Lynch. *Vers une architecture* de Le Corbusier. Aldo Rossi. Jane Jacobs. Mies van der Rohe.

– L'architecture, c'est ce que vous étudiez ? demanda-t-elle lorsqu'il revint dans la pièce.

– Oui. L'architecture. Le design urbain.

– Ça m'a l'air intéressant.

– Intéressant, oui. Mais au rythme où j'étudie, ça fera beaucoup d'années.

Le thé était fort et bien chaud.

– J'espère, reprit-il, que vous ne pensez pas que vous perdez votre temps avec moi, que je m'inquiète pour rien.

– Pas du tout.

– La première fois que je vous ai téléphoné, vous étiez occupée, alors j'ai appelé l'homme qui est venu ici avec vous...

– Daines.

– Oui, son numéro était dans la chambre d'Andreea. Une carte. Mais il n'était pas là non plus. Alors je vous ai rappelée et vous avez répondu. J'espère que j'ai bien fait.

Lynn le rassura sur ce point.

– Quand vous êtes rentré, dit-elle, et qu'Andreea n'était plus là, y avait-il des traces de lutte ? Des signes indiquant qu'elle avait été emmenée contre son gré ?

– Non. C'était comme maintenant. La chambre... quelques affaires traînaient, mais rien, vraiment.

– Elle est donc partie de son propre chef ?

– C'est ce que je veux croire. Mais je ne suis pas sûr.

– Et si elle est partie toute seule, vous pensez qu'elle est allée en Cornouailles ?

– Oui, peut-être. Elle avait parlé d'aller là-bas plus tard dans l'année, pour travailler.

– Quelle partie des Cornouailles ? Vous en avez une idée ?

– Oui, je crois... Sennen... Sennen quelque chose...

191

– Sennen Cove ?

– Oui, c'est ça.

Lynn connaissait la côte nord, près de Land's End, pour y avoir passé des vacances dans son enfance. Ils voyageaient à travers tout le pays, partant d'East Anglia, Lynn coincée sur la banquette arrière entre des monceaux de bagages, incapable de lire plus de vingt minutes d'affilée sans avoir mal au cœur, contemplant un paysage qui semblait à peine changer d'une heure sur l'autre.

Maman, papa, c'est encore loin ?

Tu verras bien.

– Cette amie, dit Lynn, vous connaissez son nom ?

– Nadia. C'est tout. Je ne connais pas son autre nom.

À moins que les choses n'aient beaucoup changé au fil des années, songea Lynn, ça ne devrait pas être trop difficile de retrouver une Nadia travaillant dans l'un des hôtels, ceux-ci étant relativement peu nombreux.

– Si ce n'est pas là-bas qu'elle est partie, dit-elle, vous ne voyez pas un autre endroit où elle pourrait être ?

– Non, je regrette. Pas du tout.

– Elle ne vous a pas parlé d'autres amis ? À l'hôtel où elle travaillait, par exemple ?

Bucur fit non de la tête.

– Ces deux hommes, reprit Lynn, ceux qui étaient à sa recherche. Pouvez-vous me les décrire ?

– Bien sûr. Ils étaient très grands, blousons de cuir, jeans. Un, celui qui a surtout parlé, il était plus vieux — trente, trente-cinq ans, je ne sais pas — et il avait une barbe foncée, presque noire, et une cicatrice, là…

Il fit courir son index sur le côté gauche de son visage.

– De quelle nationalité était-il, selon vous ?

Bucur réfléchit avant de répondre, essayant de se remémorer la voix de l'homme.

– Pas roumain. Slovaque, peut-être.

– Serbe ?

– Oui, c'est possible. Vous le connaissez ? ajouta-t-il, voyant Lynn changer d'expression.

– Ce pourrait être un dénommé Lazic. Ivan Lazic. Le signalement semble correspondre à l'homme qui a menacé Andreea avec un couteau.

Bucur n'était pas là lorsque son amie avait reconnu la photo de Lazic.

– Et l'autre homme ? demanda-t-elle.

– Je ne l'ai pas remarqué autant. Sauf quand il m'a frappé, bien sûr. (Il eut un bref sourire d'autodérision.) Il était jeune, mon âge, je suppose. Grand, je l'ai dit. Je n'ai pas entendu sa voix. Il n'a pas parlé du tout, je pense.

Lynn acquiesça.

– Si vous le connaissez, dit Bucur, cet homme, vous pouvez sûrement l'arrêter ?

– Pas sans motif valable. Et faudrait-il encore que nous sachions où il est.

Bucur s'adossa à son siège, goûta le thé et fronça les sourcils.

– Il est trop fort.

– Il est très bon.

Il ajouta du sucre dans sa tasse.

– Si ils reviennent, qu'est-ce que je fais ?

– S'ils reviennent, dit Lynn, ce sera bon signe. Ça voudra dire qu'ils ne savent toujours pas où est Andreea.

– Mais pas très bon signe pour moi, glissa Bucur avec un sourire.

– Fermez la porte à clé, ne les laissez pas entrer. Téléphonez à la police en expliquant que ces hommes vous ont déjà agressé. Je vais questionner les voisins, tant que je suis là, frapper à quelques portes. Quelqu'un a pu voir des inconnus traîner dans le coin. Je vais peut-être aussi passer au commissariat local. Il est dans l'une des rues qui partent de High Road, c'est bien ça ?

– Oui. À gauche après le stade. Francis Road. Ma bicyclette a été volée et j'ai dû aller là-bas pour ça.

Lynn jeta un rapide coup d'oeil sur sa montre et avala une dernière gorgée de thé.

– Je ferais mieux de me dépêcher. Vous me préviendrez dès que vous aurez des nouvelles ?

– Bien sûr.

– Moi de même. (Elle lui serra la main.) On la retrouvera, ne vous inquiétez pas. Elle est sans doute dans un car de la National Express, à l'heure qu'il est, en route vers l'ouest.

– J'espère.

Après la relative chaleur du petit appartement, Lynn eut froid quand elle sortit dans la rue. Des lumières brillaient derrière la plupart des rideaux, mais les voisins ne furent pas nombreux à lui ouvrir leur porte, et ceux qui le firent n'avaient pas grand-chose à raconter. Une femme rondelette, aux cheveux enserrés dans une serviette, expliqua avec une pointe d'accent irlandais qu'elle pensait avoir vu, plus tôt dans la journée, deux hommes qui ne faisaient rien, qui restaient juste là à observer la maison d'en face. Mais si l'un d'eux avait eu une barbe — à plus forte raison une cicatrice —, elle ne l'avait pas remarqué. Quand je suis retournée à la fenêtre, ils étaient partis.

Le sergent à qui Lynn eut affaire, au commissariat, écouta son histoire sans lui accorder une attention pleine et entière : c'était assez vague, tout ça, et quant à vouloir suivre à la trace une population fluctuante comme la leur…

Lynn le remercia, lui laissa son numéro, puis rebroussa chemin vers High Road et la station de métro. Avec un peu de chance, elle arriverait à St Pancras à temps pour le 20 h 55.

Elle appela Resnick du train, entendant en fond sonore un morceau de jazz pendant qu'elle parlait. Elle se le représenta, assis dans son fauteuil, peut-être avec l'un ou l'autre chat sur les genoux, un verre de whisky à portée de la main.

– Si tu veux mon avis, dit-il après l'avoir écoutée, elle est en Cornouailles en ce moment même. Le car l'aura déposée à Falmouth ou à Penzance.

– J'espère que tu as raison.

– Tu n'es pas responsable, tu sais. De la situation dans laquelle elle se trouve.

– Non ? Je ne peux pas m'empêcher de penser le contraire. Je l'ai mise en danger, Charlie.

– Tu lui as demandé de contribuer à mettre un homme dangereux derrière les barreaux. Ce n'est pas pareil.

– Ç'a été un fiasco complet, en plus.

– Pas par ta faute.

– Je sais.

– Tu veux que je vienne te chercher à la gare ?

– Pas la peine. Je prendrai un taxi.

– Tu es sûre ?

– Sûre.

Le CD terminé, Resnick posa de côté le livre qu'il avait fait semblant de lire, rechargea son verre et se mit en quête d'une réédition de Bob Brookmeyer qu'il avait achetée environ un mois plus tôt. Brookmeyer au trombone à pistons avec deux sections rythmiques différentes, en 1954, le son de l'instrument moins sinueux que fragile, avec une tonalité légèrement râpeuse. Rien de vraiment original, mais un morceau agréable, décontracté, qui évoluait avec un swing facile, réconfortant ; le trombone passait la mélodie au piano avant de se lancer dans une série de variations et de reprendre le thème final. *Body and Soul*[1]. *Last Chance*[2]. Quatre minutes et vingt-deux secondes de *There Will Never Be Another You*[3].

Par-dessus la musique, il entendit un taxi approcher le long de la route étroite, en mauvais état, qui menait à la maison. Un sourire se dessina sur son visage. Par la pensée, il vit Lynn se pencher en avant pour payer le chauffeur, échanger peut-être quelques mots avec lui, avant de descendre et de traverser la chaussée vers la maison, cependant que le taxi repartait. Dans quelques instants, il entendrait le cliquetis de la barrière. Le chat sauta de ses genoux quand Resnick se leva et se dirigea vers la porte.

Il crut d'abord, en sortant dans le hall, que le bruit qu'il entendait était une pétarade de moteur, puis il comprit, dans la foulée, que c'était tout autre chose.

---

1. *Corps et âme.*
2. *Dernière chance.*
3. *Il n'y en aura jamais d'autre comme toi.*

DEUXIÈME PARTIE

22

En se réveillant, Karen Shields tendit le bras, automatiquement, vers le verre d'eau posé sur sa table de chevet. Sa tête, quand elle la souleva de l'oreiller, lui fit l'effet d'un médecine-ball qu'on aurait lancé une fois de trop à travers la salle de gym. L'eau était tiède et avait mauvais goût ; Karen la fit tournoyer un instant dans sa bouche avant de la recracher dans le verre. Puis, retrouvant brusquement la mémoire, elle explora de la main l'espace à côté d'elle et, à son grand soulagement, ne toucha rien d'autre que des draps froissés, inoccupés. Dieu soit loué !

Lentement, avec des précautions extravagantes, elle reposa sa tête sur l'oreiller humide, qui empestait la transpiration. Cinq heures sept. Les bruits de la circulation se faisaient déjà entendre sur Essex Road, à deux rues de là. Dans un peu plus de vingt minutes, la chaudière entrerait en action, Karen repousserait les draps et balancerait ses longues jambes hors du lit. En attendant, elle ferma les yeux et tenta d'ignorer les douloureux martèlements qui résonnaient dans son crâne. Elle avait l'impression qu'on faisait rebondir sa tête sur un plancher en bois dur.

Ça avait débuté de manière assez inoffensive, comme souvent dans ce genre de soirée : deux verres avec des collègues après le service ; deux verres qui, l'air de rien, presque à son insu, en avaient généré deux autres. L'une des filles avait suggéré d'aller dans ce club qu'elle connaissait, à l'extrémité opposée d'Upper Street, pas vraiment un club, en fait, plutôt un bar, mais où il fallait montrer patte blanche à l'entrée. Entre les cocktails et la bière qu'elle avait bus, Karen était maintenant suffisamment éméchée pour avoir cette agréable sensation qu'on éprouve quand on est avec des copines, que les trottoirs sont encombrés de gens qui s'amusent et qu'on passe tous les trois mètres devant un bar ou un restaurant animés ; elles étaient là pour rigoler et plaisanter ensemble, laisser la tension du job, de la journée, s'évaporer dans une brume de lumières clignotantes et de voix bruyantes, tandis que la musique issue d'une dizaine de portes ouvertes se mêlait aux sons stridents des klaxons, des sirènes et des rires, avec, de temps à autre, un hurlement ou un cri de colère, un fracas de verre brisé.

Il l'observait, elle s'en rendait compte, pratiquement depuis l'instant où elles étaient entrées dans le club, lequel était déjà bourré à craquer, chaque trajet jusqu'au bar s'apparentant à une fouille au corps, voire davantage. Le string de Karen — le sous-vêtement à la mode, re-conçu comme un instrument de torture moyenâgeux — lui rentrait dans la chair, là où ça faisait mal.

– Salut, dit-il d'une voix qui était au diapason de sa peau couleur miel. Que sont devenues vos amies ?

– Vous ne les observiez donc pas, elles aussi ?

– Mais si, mais si.

Sur ce, le sourire. Trop étudié, pensa Karen, trop suave pour être honnête.

– Taylor, dit-il.

– Karen.

– Salut, Karen.

– Salut, vous.

– Qu'est-ce que vous buvez ?

– Trop ?

Il rit et se dirigea vers le bar, lui caressant légèrement le bras au passage.

– Ne bougez pas.

Une fois dans la rue, il la prit par la main.

– Vous mesurez combien ? Plus d'un mètre quatre-vingts, non ?

– Un mètre soixante-dix-huit.

– C'est tout ?

– Hmm-hmm.

– Pieds nus ?

– Pieds nus.

– Je voudrais bien voir ça.

Il l'embrassa alors et elle répondit à son baiser, la tête déjà cotonneuse, la main de Taylor fermement plaquée sur sa hanche.

Lorsqu'ils arrivèrent à l'appartement de Karen, celle-ci dut s'y reprendre à trois fois pour introduire sa clef dans la serrure.

– Laisse-moi faire, dit-il.

Mais elle secoua la tête et repoussa sa main.

Il y avait des livres par terre, des revues et des journaux empilés sur l'une des chaises, le dernier CD d'Amerie appuyé contre la chaîne stéréo. Le débardeur qu'elle comptait mettre le lendemain était accroché à la porte qui communiquait avec la salle de bains.

– Tu veux du café ? proposa-t-elle.

– Tu as autre chose ?

Il restait le tiers d'une bouteille de scotch ordinaire qu'ils se partagèrent sur le canapé, les pieds nus de Karen sur les genoux de Taylor, le bras de Taylor entre les cuisses de Karen.

– Tu n'as pas traîné pour me draguer, hein ? dit-il avec le sourire gourmand du chat qui n'est pas loin du bol de lait.

– C'est toi qui me reluquais, repartit Karen.

Il éclata de rire.

– Merde, ma jolie ! Une Noire d'un mètre quatre-vingts entre dans un bar, de ce côté-ci du fleuve, on n'est pas à Hackney ni à Dalston, qu'est-ce que tu aurais voulu que je fasse ?

Quelle était cette chanson de Bessie Smith que sa mère écoutait autrefois ? Un vieil album vinyle des plus grands hits de Bessie, tout grésillant, qui ne quittait jamais l'électrophone, à la maison, quand elle était enfant.

Do Your Duty[1] ?

Ma foi… Taylor avait fait son devoir, ce soir, Karen devait en convenir.

Taylor Coombes.

– Tu me jettes dehors ? protesta-t-il, le corps encore luisant de sueur à la faible lumière de la lampe de chevet. Après *ça* ?

Karen leva la tête vers lui.

– On peut généralement trouver un taxi au bout de la rue.

– Pourquoi tu ne me laisses pas rester ? (Il esquissa un sourire entendu.) Qui sait ? Le matin venu…

– Le matin venu, je devrai me lever tôt.

– Et alors ?

---

1. *Fais ton devoir.*

– Non, je veux dire vraiment tôt.

– Ah ouais ? Et c'est quoi ton job, au fait ?

– Allez, Taylor, on a passé un chouette moment. Ne va pas me foutre en rogne, OK ?

– D'accord, d'accord. (Soupir à fendre l'âme.) Je peux d'abord prendre une douche, au moins ?

– Fais comme chez toi.

Elle somnolait, à moitié endormie, quand il se pencha, tout habillé et imprégné du déodorant de son hôtesse, pour l'embrasser légèrement sur la bouche.

– Est-ce que je te reverrai ? demanda-t-il.

– Pas si je te vois la première.

La porte se referma avec un déclic satisfaisant. Karen roula sur le côté et ferma les yeux.

Comme dans un mauvais film, il avait écrit son numéro de portable sur le miroir de la salle de bains avec un bâton de rouge à lèvres qui traînait. En sortant de la douche, elle prit un gant de toilette humide et l'effaça. Amant d'une nuit, numéro tant. Le fait de les compter ne la faisait pas se sentir mieux. Ni plus mal, d'ailleurs.

« Quand est-ce que tu vas te fixer, petite ? » demandait rituellement sa grand-mère quand Karen, à Noël, allait voir toute sa famille à Spanish Town, à la Jamaïque. « Avoir des bébés à toi ? »

« Tu ne rajeunis pas, tu sais », ajoutait-elle ces derniers temps.

Karen se regarda dans la glace : ses seins étaient encore hauts et assez fermes pour leur taille, et son ventre, nonobstant tout ce qu'elle avait bu la veille au soir, disparaissait presque quand elle se tenait bien droite et retenait son souffle.

Malgré tout, Grandma avait raison, ses trente ans lui semblaient bien loin.

Elle s'essuya avec la serviette, frottant aussi énergiquement qu'elle le pouvait, puis se servit du séchoir ; ses cheveux étaient plus faciles à coiffer depuis qu'elle les avait fait couper court, quelques années auparavant, et avait eu le bon sens de les laisser ainsi. Sous-vêtements propres, café sur la cuisinière. Pas de pain pour faire des toasts. Le paquet de céréales, vide, avait pris le chemin du bac de recyclage trois jours plus tôt. Comme le disait sa sœur — celle de Southend, la mère des jumelles : « C'est heureux que tu sois un peu mieux organisée dans ton travail qu'à la maison, petite. Du moins, j'espère que tu l'es. »

Elle l'espérait aussi.

Il restait juste quelques gouttes de lait pour le café ; ce matin, confrontée à la perspective de le boire pratiquement noir, il lui fallut également du sucre. Elle s'achèterait un muffin au Café Nero, à Camden Parkway, avant de prendre son service. À la Brigade de répression des homicides et des crimes majeurs.

Deux jours plus tôt, ils avaient bouclé une enquête criminelle à une vitesse gratifiante. Une dispute qui avait éclaté dans un pub d'Euston s'était poursuivie sur la route, dehors, puis sur le parvis de la principale gare voisine. Une remarque fortuite sur l'équipe de football de Sunderland en général et sur son entraîneur, Roy Keane, en particulier, avait été saisie au vol par un trio de supporters, des habitants de Wearside, qui s'en étaient indignés. Poings, bouteilles, bottines et éclats de verre. L'homme qui avait exprimé ses opinions avec si peu de discernement avait traversé la rue à toutes jambes avant de s'engouffrer dans la gare, pris en chasse par les Wearsiders, éparpillant les passagers dans toutes les directions au cours de leur poursuite. Acculé contre le mur, entre un Burger King et une pizzeria, l'homme avait sorti de sa poche un couteau de l'armée suisse et en avait planté la plus longue lame dans le torse d'un de ses agresseurs. Malgré les efforts déployés par le personnel de la gare et par les urgentistes, le jeune de dix-neuf ans avait été déclaré mort deux heures plus tard à l'University College Hospital. Son meurtrier était en cavale.

Grâce à quelques questions judicieuses, l'équipe de Karen Shields n'avait pas tardé à établir que l'homme recherché fréquentait souvent le pub où l'incident avait éclaté, et aussi qu'il voyageait souvent, à Birmingham et à Manchester, pour l'exercice de son métier : fournisseur en gros d'articles de bureau, à la fois pour des chaînes de magasins et pour des boutiques indépendantes. Fréquemment, il s'arrêtait au pub pour boire une pinte ou deux avant d'emprunter la Northern Line jusqu'à Collier's Wood. Le couteau de l'armée suisse lui avait été offert par son fils de quatorze ans à l'occasion de son dernier anniversaire.

Quand le second de Karen, Mike Ramsden, se rendit à son domicile avec deux autres policiers, l'homme commença par nier toute implication, puis, pris de panique — et contre toute attente —, il essaya de mettre les bouts, tentative avortée par un coup de coude de Ramsden, juste sous le sternum, qui le stoppa net, lui coupant littéralement le souffle.

Provocation, légitime défense, un bon avocat l'encouragerait à plaider l'homicide involontaire. Si le procureur général allait dans le même sens, un juge compatissant lui infligerait probablement une sentence clémente et l'homme aurait réintégré la maison familiale avant que son aîné ne soit parti pour l'Université.

Considérations qui étaient d'un intérêt tout juste anecdotique pour Karen et son équipe. Un résultat était un résultat.

Aucune trace de Mike Ramsden ni de beaucoup d'autres quand elle entra dans le bureau, ce matin-là : Alan Sheridan, l'inspecteur qui faisait office de directeur administratif, était assis devant son ordinateur, tel un hibou, à croire qu'il avait passé toute la nuit sur place.

– Un message pour vous, lança-t-il. Urgent.

– D'où ?

– D'en haut.

– Harkin ?

– En personne.

– Qu'est-ce qui se passe ?

– Une nouvelle promotion, ça ne m'étonnerait pas. (Il sourit jusqu'aux oreilles.) Il faut voir comment vous prospérez, vous autres, dans les minorités ethniques.

– Allez vous faire foutre, Sherry !

– À vos ordres, chef.

Quand Karen avait été nommée inspectrice divisionnaire, trois ans plus tôt, presque quatre, les accusations de favoritisme, de discrimination positive, avaient fusé de toutes parts. C'est une femme, elle est noire, elle a gagné son avancement en faisant de la lèche. Il avait fallu que Ramsden monte au créneau, à la cantine, pour la défendre, décrétant qu'elle avait été promue parce que c'était un flic foutrement doué — mais n'allez surtout pas lui répéter que j'ai dit ça, hein !

Le bureau du commissaire divisionnaire Harkin, pensa Karen — qui n'y était pourtant pas entrée si souvent — sentait toujours le désodorisant et la lotion après-rasage. Comme dans la voiture d'un représentant de commerce. Pour un peu, elle se serait presque attendue à entendre Céline Dion ou Chris de Burgh, diffusés par des haut-parleurs discrètement placés sous la table de travail.

– Karen.

Il la regarda avec une sorte de surprise affairée, comme si elle était la dernière personne qu'il s'attendait à voir et qu'il ne pensait pas pouvoir trouver cinq minutes à lui consacrer.

– Monsieur.

Il avait la main tellement sèche que Karen crut un instant sentir sous ses doigts de minuscules particules de peau qui s'en détachaient.

– Cette affaire d'Euston, bon résultat.

– Merci, monsieur.

– Beaucoup de dossiers en cours ?

– Pas trop, monsieur.

Un père de trois enfants, poignardé à mort sur l'impériale du bus 24 alors qu'il cherchait à s'interposer entre deux groupes de jeunes Somaliens en guerre ; un homme âgé, non encore identifié, dont le corps en partie décomposé avait été retrouvé dans un bâtiment abandonné de la compagnie d'électricité, au bord du canal ; une jeune Asiatique dont la chute mortelle du septième étage d'un immeuble, à Gospel Oak, pourrait bien ne pas être le suicide qu'on soupçonnait au départ.

– Rien, donc, qui ne puisse être confié à quelqu'un d'autre ?

Des sonnettes d'alarme se déclenchèrent dans la tête de Karen.

– Sans doute pas, monsieur. D'un autre côté…

– Bon, tant mieux. Il s'est passé quelque chose d'intéressant. À Nottingham. Vous connaissez un peu Nottingham ?

– Robin des Bois, monsieur ?

– La reine des Midlands. Un peu défraîchie aujourd'hui, mais elle a de beaux restes. Trois femmes pour un homme, c'est ce qu'on disait dans le temps.

Si vous en veniez au but ? pensa Karen.

– Une inspectrice principale. Brigade criminelle. Tuée par balle devant chez elle, hier soir.

Un violent frisson la parcourut : compassion, surprise, le sentiment que ç'aurait pu être elle…

– Ils veulent qu'on leur envoie quelqu'un pour l'enquête.

– Mais ils ont certainement…

– En ce moment, ils sont cruellement en manque d'effectifs, trop d'affaires importantes…

– Quand même.

– Il y a des complications. La victime avait une relation avec un autre policier. Une relation sérieuse, durable. Un inspecteur principal. Toute sa vie dans la police. Il leur faut quelqu'un d'extérieur. Sans aucun lien. Ce sera plus facile sur tous les plans.

– Vous avez évoqué *des* complications.

D'un sourire, Harkin botta en touche.

– Il vaut mieux prendre ses renseignements à la source. Vous avez rendez-vous avec leur sous-directeur à treize heures trente. Ce qui vous laisse juste le temps de rentrer chez vous préparer une valise. Les trains partent de St Pancras, au rythme d'environ deux par heure. (Il jeta un coup d'œil sur sa montre.) Vous avez intérêt à ne pas traîner.

23

Resnick était agenouillé auprès d'elle lorsque l'ambulance arriva. Il avait du sang sur sa chemise, sur le visage, dans la bouche, sur la langue. La première balle avait atteint Lynn en pleine poitrine ; la seconde, tirée de plus près, lui avait arraché une partie du visage, exposant la mâchoire. Déjà il n'y avait plus aucun signe de respiration, aucune réaction. Après avoir appelé police secours d'une voix brisée, chevrotante, méconnaissable, Resnick se mit à genoux, inclina en arrière la tête de Lynn, lui pinça le nez et pratiqua le bouche-à-bouche. Il insuffla de l'air deux fois, pendant deux secondes, à l'affût d'un mouvement quelconque. Il recommença, plus fort, et vit la poitrine se soulever imperceptiblement ; au souffle suivant, la tête de Lynn tressauta une fois entre ses mains et elle toussa du sang dans la bouche de Resnick.

– Allez ! implora-t-il. Allez !

Elle avait les yeux ouverts, fixes, vitreux.

Changeant de position, il entrelaça les doigts et appuya ses mains au centre de la poitrine. Du sang suinta entre ses doigts comme s'il pressait une éponge.

Trente compressions, deux insufflations.

Encore trente compressions, puis le mugissement des sirènes.

Continue, continue.

Les sirènes hurlaient de plus en plus fort à ses oreilles, des lumières clignotaient et tournoyaient autour de sa tête comme sur un champ de foire. Trente compressions, deux insufflations, et ils durent faire levier sur ses mains pour l'obliger à lâcher prise. Ils le hissèrent sur ses pieds, le traînant et le tirant à moitié, et le poussèrent de côté afin de pouvoir intervenir avec leur matériel et commencer leur travail. L'un des urgentistes — Resnick s'en souviendrait jusqu'à son dernier jour — était jeune, avec des taches de rousseur sur le nez et sur les joues, même à cette époque de l'année, des taches de rousseur sur le visage et des cheveux blond vénitien, presque poil-de-carotte… pourquoi avait-il remarqué cela et non la lueur qui s'éteignait dans les yeux soudain révulsés de Lynn ?

D'autres gens, d'autres voitures. Quelqu'un lui mit entre les doigts un verre d'eau qui glissa et se brisa en mille morceaux sur le sol. Quelqu'un d'autre posa une main sur son bras, en un geste de réconfort, et il se dégagea. Plusieurs personnes prononcèrent des paroles qu'il ne comprit pas. Les urgentistes soulevaient Lynn et la transportaient vers l'ambulance ; Resnick se dépêcha de les suivre, trébuchant une fois, sans cesser d'appeler Lynn, de crier son prénom.

L'un des urgentistes l'aida à monter à l'arrière de l'ambulance et il resta assis près d'elle, penché en avant, la respiration hachée, oppressée, tenant la main de Lynn qui refroidissait dans les siennes.

Il ne put se rappeler, par la suite, comment il était descendu de l'ambulance ni entré dans l'hôpital. Il s'était retrouvé sans transition dans un couloir, face à un médecin qui tendait les bras comme pour l'empêcher de passer et qui parlait sans arrêt, donnant des explications, tandis que derrière lui on emmenait Lynn sur un chariot, en toute hâte, presque en courant.

Une infirmière le conduisit dans une pièce où il était censé attendre.

Une autre lui apporta une tasse de thé bien chaud, sucré, dont l'odeur et le goût, mêlés à l'odeur et au goût du sang, lui donnèrent des haut-le-cœur. L'infirmière l'escorta jusqu'aux toilettes pour hommes, où il vomit dans la cuvette des W.-C. avant de s'age-nouiller sur le sol humide, le front appuyé contre le bord en porce-laine, froid et souillé d'éclaboussures, à écouter sa respiration ralentir, ralentir, jusqu'au moment où il put — tout juste — se his-ser sur ses pieds et se retourner, prenant appui quelques instants contre la porte de la cabine, pour franchir les quatre longues enjam-bées qui le séparaient du lavabo et asperger d'eau froide, encore et encore, ce visage qui, dans la glace, ressemblait davantage à un masque qu'à son propre visage.

– Lynn, murmura-t-il. Lynn, Lynn…

L'infirmière attendait dehors, anxieuse, et elle le ramena dans la pièce où il y avait d'autres personnes qui attendaient, elles aussi, des visages qu'il connaissait et qu'il reconnut vaguement, des visages empreints de compassion et de sollicitude. Puis le médecin s'interposa entre lui et eux, et Resnick sut alors ce qu'il avait compris dès qu'il avait vu le corps de Lynn dans l'allée, un bras étendu, une jambe repliée sous elle — dès qu'il avait insufflé son haleine dans la cavité froide, ensanglantée, de sa bouche.

Lynn Alice Kellogg, déclarée officiellement morte à 23 h 35.

24

Le soleil se montra et rentra se cacher. Quelque part au sud de Leicester, alors que Karen était encore à une trentaine de minutes de sa destination, une brève averse fouetta la fenêtre du train, puis se calma peu à peu et, quand un rayon de soleil réapparut, Karen chercha en vain un arc-en-ciel. Un signe quelconque. Elle avait déjà dirigé une enquête sur la mort d'un autre officier de police. Une femme, là encore, une inspectrice de la Brigade de répression du crime organisé. On avait découvert son corps dans un enchevêtrement de broussailles, au bord d'une voie ferrée désaffectée. Multiples blessures au couteau : quarante ans et des poussières, encore la moitié de sa vie devant elle.

Et maintenant, ça.

Karen feuilleta de nouveau l'épaisse liasse de documents que Sherry avait imprimée à son intention, après des recherches sur le web, et qu'il lui avait fourrée dans les mains juste avant son départ. Outre des informations de base sur la structure des services de police de Nottingham et les deux rapports les plus récents de l'Autorité de contrôle de la police, quelques articles plus encourageants exaltaient l'héritage du comté, qui allait de Byron à Robin des Bois en passant par Paul Smith et Brian Clough, et qui avait engendré, entre autres spécialités notables, la sauce brune, l'Ibuprofène et la pomme Bramley. Eh bien ! pensa Karen, attention au ver…

À Radcliffe, quelques kilomètres avant la ville, la Trent en crue avait inondé les prairies avoisinantes et les vaches erraient, inconsolables, au bord de l'eau grise et froide, tandis que, près de la voie de chemin de fer, la centrale électrique crachait de la fumée dans le ciel déjà gris.

Karen sortit de son sac d'abord un miroir, puis un pinceau pour apporter quelques ultimes retouches à son maquillage. Chemisier en soie, tailleur noir de chez Max Mara — lequel avait envoyé sa ligne de crédit frôler dangereusement le rouge —, bottines aux talons suffisamment hauts pour la hisser au-dessus de la plupart des hommes qu'elle allait rencontrer et pour la mettre au niveau des autres : elle était prête à affronter ce que lui réservait le restant de la journée.

Dans une cafétéria, sur le parvis de la gare, elle commanda un expresso qu'elle avala rapidement.

Une voiture l'attendait pour la conduire au commissariat central, à Sherwood Lodge. Karen laissa le jeune agent de police mettre ses valises dans le coffre, s'assit et boucla sa ceinture de sécurité.

Un autre agent attendait à l'entrée pour l'escorter jusqu'au bureau du sous-directeur de la police. Celui-ci était flanqué de Bill Berry, vêtu d'un costume trois-pièces gris clair qui aurait pu avoir belle allure sur un homme plus jeune, et du commissaire divisionnaire responsable du secteur de Nottingham City. Le sous-directeur tendit la main à Karen en prononçant quelques mots de bienvenue et en formulant l'espoir qu'elle avait fait un bon voyage. Karen acquiesça, tout s'était bien passé ; elle refusa le café, mais accepta un verre d'eau. Puis elle s'assit et attendit.

– Bill, dit le sous-directeur, si vous exposiez les détails de l'affaire ?

Berry s'éclaircit la gorge et posa sa tasse. Les faits, tels qu'ils étaient connus, étaient brutaux et peu nombreux. Un officier de police tué, un autre endeuillé : une balle dans la partie supérieure du torse, une autre dans la tête. Deux douilles avaient été retrouvées sur les lieux. On avait questionné les voisins, interrogé le chauffeur de taxi qui avait ramené de la gare l'inspectrice principale Kellogg ; un véhicule, abandonné à plus d'un kilomètre de là, était en cours d'examen pour le cas où il aurait servi à la fuite du tueur. Une autopsie était prévue pour le lendemain matin.

– Des suspects ? demanda Karen en s'adressant directement au sous-directeur.

– Pas pour l'instant.

– Sauf…, commença Bill Berry.

– Sauf ?

D'un signe de tête, le sous-directeur encouragea Berry, qui se racla de nouveau la gorge.

– Il y a quelques semaines, une adolescente a été tuée par balle au cours d'un affrontement. L'inspectrice principale Kellogg avait été blessée lors du même incident. Le père de la victime a rendu Kellogg responsable de la mort de sa fille. Publiquement. Par la suite, lui et l'inspecteur principal Resnick ont eu deux altercations à ce sujet. Dont l'une, également en public. La presse locale s'est largement fait l'écho de l'hostilité entre les deux hommes.

– Ce Resnick, dit Karen, quel est son rôle là-dedans ?

– Il était mon second sur l'enquête, répondit Berry.

– Le meurtre de cette fille ?

– Oui.

Prenant la parole pour la première fois, le commissaire divisionnaire ajouta :

– Il était également le compagnon de Lynn Kellogg.

– Ils vivaient ensemble ?

– Oui.

– Ah…, fit Karen en hochant la tête.

Elle comprenait, à présent. « Des complications », c'était bien ce qu'avait dit Harkin ? Son patron n'était pas homme à parler à la légère.

– Le père, dit Karen. Celui dont vous avez parlé. On l'a interrogé ?

– Apparemment, il s'est volatilisé. La famille prétend ignorer où il est.

– Pratique, observa Karen d'un ton acide.

– Absolument. Remarquez, ce ne serait pas la première fois qu'il disparaîtrait sans prévenir. La dernière fois, il est revenu au bout de sept ans.

– Mais on cherche ?

– Oh ! oui, on cherche.

Ça commence bien, songeait Karen : le suspect numéro un prend la poudre d'escampette et personne ne sait où le trouver.

– Je crois comprendre, dit-elle, qu'une équipe est déjà formée ?

– Oui. La même, en gros, que celle qui travaillait sur le meurtre de la fille.

– Cette affaire-là est résolue ?

– Le ministère public est encore un chouia sceptique, mais… oui, le plus dur est fait. Un gars nommé Lee Williams. Arrêté pour vol à main armée dans un bureau de poste, à la lisière de la ville. Il nous est tombé tout rôti dans le bec, à vrai dire. (Il sourit de toutes ses dents.) Ça arrive parfois, avec un peu de chance. (Il laissa passer deux ou trois secondes.) Je suppose que vous voudrez avoir votre propre adjoint.

– Oui, monsieur. Sinon, je risque de me sentir un peu en exil.

– Est-ce un homme ? s'enquit Berry, réprimant un sourire.

– Oh ! ça oui.

Mike Ramsden aurait eu vite fait de balancer son poing dans la figure de quiconque affirmerait le contraire.

– Il y a une conférence de presse dans quarante minutes, dit le sous-directeur, et je vous prierai d'y être. Ça ne pose pas de problèmes ?

– Aucun, monsieur, répondit Karen.

L'intérêt médiatique fut considérable. Le meurtre d'un officier de police, surtout d'une femme, était encore suffisamment rare pour faire les gros titres. La presse nationale — écrite et télévisée — était là en force. La pièce était bondée, près de déborder. Après avoir exposé les détails bruts de l'assassinat, le sous-directeur de la police exprima la détermination de ses hommes à déférer les responsables aux autorités judiciaires.

– Dans ce but, dit-il, l'inspectrice divisionnaire Shields, de la police londonienne, Brigade de répression des homicides et des crimes majeurs, nous assistera pour l'enquête.

Karen leva la tête avec un demi-sourire qui fut immortalisé par une douzaine de caméras et d'appareils photo, puis reproduit par des sources aussi diverses que la chaîne de télévision EuroNews et le journal local *Ilkeston Advertiser*.

Le sous-directeur évoqua la vive émotion que la mort de l'inspectrice principale Kellogg avait suscitée chez ses collègues, avant de souligner les qualités et les talents dont elle avait témoigné dans l'exercice de sa profession.

– Lynn Kellogg, déclara-t-il, avait gravi les échelons à la force du poignet, manifestant en toutes circonstances un mélange d'ingéniosité et d'intelligence, le tout rehaussé par une bonne humeur et un bon sens inaltérables. Ainsi qu'elle l'a prouvé en de nombreuses occasions, c'était un officier extraordinairement brave, sans rivale dans son dévouement et son engagement pour défendre les plus hautes valeurs de la police, et c'est pour moi un honneur de l'avoir comptée parmi les membres de ma brigade.

Sous les yeux de Karen, un homme massif, large d'épaules, tout ébouriffé, les vêtements débraillés, se leva en titubant d'un des rangs du fond et, jouant des coudes pour écarter les badauds, sortit pesamment par les portes du fond.

– Mes collègues et moi-même, sur cette estrade, conclut le sous-directeur, ainsi que tous les membres de nos services, nous sommes fermement résolus à livrer à la justice, dans les plus brefs délais, les responsables de ce crime odieux : le meurtre de sang-froid d'un officier désarmé.

Lorsque Resnick était finalement rentré de l'hôpital, aux premières lueurs de l'aube, il avait erré à l'aveuglette dans la maison, trébuchant, ouvrant à la volée les portes de pièces qu'il reconnaissait à peine. À un moment, dans la salle de bains, il aperçut son reflet dans le miroir, les cheveux en désordre, le menton non rasé, les yeux caves, et il se demanda qui c'était. Dans la cuisine, avisant sur l'égouttoir les pièces de la machine à café, il entreprit de la remonter mais finit par abandonner, tâche insurmontable pour lui.

Lynn.

Lynn.

Le mot resta coincé dans sa gorge, comme une grosse boule impossible à avaler, et il crut qu'il allait s'étouffer.

À son insu, le temps passa.

Les chats, qui, en temps normal, se seraient frottés contre ses jambes, restaient à l'écart, comme conscients de sa détresse.

Seul dans le salon, abandonné, il trouva laborieusement son chemin jusqu'au meuble de la chaîne stéréo. Il sortit un CD de l'étagère mais ne le mit pas sur la platine.

« Tu veux que j'aille te chercher à la gare ? » avait-il demandé.

Et la voix de Lynn, rendue inaudible par le bruit du train en fond sonore :

« Pas la peine, je prendrai un taxi. »

Pas la peine. Pas la peine.

« Tu es sûre ? »

« Sûre. »

Oh, nom de Dieu ! Il eut l'impression que la lame d'un couteau, dans toute sa froideur, se glissait contre son cœur. S'il y était allé, s'il y était allé… si, au lieu d'écouter et d'accepter ce qu'elle disait — content de la voir refuser, pour être honnête, ou du moins à moitié content : pas la peine de quitter son fauteuil confortable pour s'aventurer dans l'air nocturne relativement froid, pas la peine d'interrompre le trombone aigre de Brookmeyer qui savourait les accords, les mélodies de *There Will Never Be Another You* — si, au lieu de ça, il avait précipitamment quitté la maison et pris la voiture pour être certain de se trouver à la gare bien avant l'arrivée du train — comme il n'aurait pas manqué de le faire dans l'ivresse des débuts de leur relation —, s'il avait attendu en haut de l'escalier, regardant monter vers lui la masse grouillante des passagers, cherchant le visage de Lynn, le sourire qu'elle aurait en voyant que, finalement, il était venu, l'expression de plaisir qui se muerait en baiser, en étreinte, ses bras noués autour de lui, son corps plaqué contre le sien... s'il avait fait tout cela, Lynn serait vraisemblablement encore en vie.

Mais...

Pas la peine, je prendrai un taxi.

Tu es sûre ?

Sûre.

Oh, Seigneur Dieu ! Bordel de bordel de merde ! Qu'avait-il fait ? Que n'avait-il pas fait ?

Il resta là, engourdi et frissonnant, égaré au milieu de la pièce, tandis que le chagrin déferlait sur lui comme autant de vagues glacées qui se brisaient sur son cœur meurtri.

Karen avait passé l'après-midi et le début de la soirée à tâter le terrain, à trouver ses marques. Elle s'entretint brièvement avec l'officier responsable de l'enquête sur laquelle Lynn Kellogg avait travaillé juste avant sa mort, le double meurtre de Bestwood, se demandant s'il pouvait y avoir un lien. Puis elle réunit, autant que faire se pouvait, l'équipe ayant enquêté sur la mort de Kelly Brent — Anil Khan, Catherine Njoroge, Frank Michaelson, Steven Pike — et se fit préciser les détails de l'affaire, les accusations portées par la famille de la victime, les circonstances ayant abouti, par hasard, à l'arrestation de Lee Williams.

Après avoir passé en revue tous les éléments connus concernant le meurtre de Lynn Kellogg, elle s'assit à la cantine avec le jeune agent de police qui avait été le premier à arriver sur les lieux, encore chamboulé par ce qu'il avait découvert. Ensuite, sur un ordinateur d'emprunt, elle étudia une carte de la zone spécifique,

215

l'étroite route sinueuse — à peine plus qu'un chemin de terre — qui, partant de Woodborough Road, menait à la maison où Kellogg et Resnick avaient vécu ensemble — et où elle était morte.

Deux balles.

La tête et le cœur.

Boulot de professionnel, pensa Karen. Un contrat. Payé, organisé à l'avance. Ou alors, un coup de chance. D'aussi près, et à condition d'avoir la main ferme, il aurait été difficile de manquer sa cible.

La réponse viendrait avec le temps.

Elle déclina plusieurs propositions à dîner dans tel ou tel restaurant et opta pour le room-service de l'hôtel, toujours aussi étonnée de constater que la plupart des cuisines dignes de ce nom avaient besoin de pratiquement une heure pour préparer un croque-monsieur. Sa chambre, petite mais propre, n'était manifestement pas conçue pour une femme de près d'un mètre quatre-vingts : ses pieds dépasseraient du lit, à tous les coups, et elle dut presque se courber en deux pour passer la tête sous la douche. En outre, celui ou celle qui avait jugé qu'un couvre-lit framboise à motifs beiges s'harmonisait avec des rideaux violet vif, un tapis rubis et des murs couleur biscuit, aurait eu besoin de repasser son examen de décoration intérieure. Mais au moins, comme le proclamait fièrement la brochure de l'hôtel, celui-ci se trouvait à seulement deux minutes à pied de la gare. Pratique, si jamais elle changeait d'avis.

À partir de demain, lui avait-on promis, elle aurait un appartement de fonction avec une cuisine tout équipée, une télévision à écran plasma, l'Internet haut débit et une vue époustouflante sur la ville.

Karen avait hâte d'y être.

Elle avait téléphoné à Mike Ramsden, plus tôt dans la soirée, pour lui annoncer la bonne nouvelle : il y avait un train qui partait de St Pancras à 6 h 35 et qui le déposerait à Nottingham à 8 h 29. La première réunion avec l'équipe d'enquêteurs était prévue à neuf heures du matin.

– Vous savez ce que vous êtes, hein ? gronda Ramsden.

– À part votre boss ?

– Ouais, à part ça.

Karen éclata de rire.

– À demain, Mike. Vous aurez intérêt à prendre votre petit déjeuner dans le train.

Avec toutes les pensées qui lui trottaient dans la tête, elle ne s'attendait pas à trouver facilement le sommeil, en quoi elle avait raison. Après s'être tournée et retournée dans son lit pendant un quart d'heure, elle rejeta les couvertures, s'aspergea le visage d'eau froide, se rinça la bouche, se passa un peigne rigide dans les cheveux et enfila un pull, un jean et un blouson molletonné. Aux pieds, des baskets New Balance neuves. Elle put vérifier que la gare était bien à deux minutes de l'hôtel.

Le chauffeur de taxi, en tête de la courte file de véhicules, était assis au volant, portière ouverte, et lisait le journal pour la quatrième ou cinquième fois tout en écoutant la station de radio locale.

Karen lui donna l'adresse et monta à l'arrière. Juste le temps de boucler sa ceinture de sécurité et ils s'engagèrent dans Carrington Street, puis sur le pont qui enjambait le canal. L'itinéraire même que Lynn Kellogg avait dû suivre le soir de sa mort.

Des rubans de plastique jaune étaient encore tendus devant la maison pour protéger la scène du crime. La maison elle-même était plongée dans l'obscurité, les rideaux en partie tirés, mais une faible lumière filtrait à travers l'une des fenêtres de derrière.

Le taxi avait disparu.

On entendait quelques signes de vie, plus haut dans la rue.

Les bruits de la circulation, sur la grand-route, semblaient plus distants qu'ils ne l'étaient en réalité.

Karen remonta complètcment la fermeture-éclair de son blouson, se dirigea à pas lents vers la maison, puis s'arrêta. À l'une des fenêtres de l'étage, quelqu'un regardait au-dehors. Une silhouette d'homme, massive, se découpait en ombre chinoise sur la vitre. Elle distingua juste les contours du visage, la peau qui formait une tache plus pâle. Elle resta là un moment, le regard fixé sur la fenêtre, puis elle leva la main en une sorte de salut et tourna les talons.

Elle trouva assez facilement un autre taxi, qui regagnait la ville après une course. Dans sa chambre du cinquième étage, Karen s'assit sur le lit et sirota lentement une vodka tonic fournie par le minibar, songeant à l'homme seul dans cette maison et essayant — sans y parvenir — de s'insinuer dans son esprit, de sentir ce qu'il devait penser, endurer.

Quand sa tête toucha enfin l'oreiller, elle s'endormit presque aussitôt.

25

Le train de Mike arriva à l'heure. Lorsque le policier fit son entrée au commissariat central, il bouillait encore de colère après avoir lu dans le journal le compte rendu du meurtre d'un jeune agent, qui, appelé sur les lieux d'un incident, la veille de tôt matin, avait tenté de maîtriser un homme qui avait déjà attaqué deux personnes à coups de couteau. Poignardé au cou et à l'épaule, son gilet pare-balles ne lui avait servi à rien ; moins de trois ans de service, il laissait derrière lui une jeune veuve et un bébé. Tout ça à sept heures du matin, dans un banal centre commercial d'une ville tout aussi banale. Putain de merde, pensait Ramsden, mais où allait donc cette saleté de monde ? *Son* morceau de monde. Il y avait de quoi vous donner envie de pleurer.

Pourtant, Ramsden n'était pas du genre à pleurer.

Il avait des yeux sombres, une bouche charnue, un nez aquilin tordu d'un côté à force d'avoir été cassé.

Aujourd'hui, comme la plupart des autres jours, il portait un jean et des chaussures noires rarement cirées, un tee-shirt gris sous un blouson de cuir éraflé, et ses cheveux gris fer auraient eu besoin d'un bon coup de peigne. Avec Karen à côté de lui, élégante quoique décontractée dans un tailleur-pantalon bleu marine et un haut en coton bleu, ils faisaient penser à une étrange combinaison de la Belle et la Bête.

Karen s'était levée avant six heures pour parcourir les notes qu'elle avait prises la veille, s'assurant que les détails de la scène du crime, les faits connus, étaient bien clairs dans son esprit. Plus tard dans la matinée, il lui faudrait mettre au point le carnet de route pour l'enquête, déterminer toutes les voies d'investigation à explorer et ce qu'elle espérait accomplir avec son équipe. Mais avant cela, elle devait s'adresser à ses gars, les motiver et les mettre de son côté, l'une des principales tâches de Ramsden consistant à veiller à ce qu'ils y restent. Et si jamais il y avait des murmures de mécontentement, il devrait en faire part à Karen pour qu'elle puisse y remédier avant que la situation ne dégénère.

Lorsque tout le monde fut rassemblé, elle s'avança, se présenta et dit :

– Bon, venons-en aux choses sérieuses. Je crois avoir une idée assez nette de la situation de base, mais si quelque chose m'échappe, si je suis à côté de la plaque, je compte sur vous pour me remettre sur la bonne voie. OK ? De préférence, en me donnant l'impression que vous ne m'apprenez rien.

Quelques sourires, pas de rires.

– Donc, l'inspectrice principale Kellogg est partie de Londres par le train de 20 h 55, qui est arrivé ici à l'heure prévue, 22 h 39. Elle a pris un taxi à la gare pour regagner la maison qu'elle partageait avec l'inspecteur principal Resnick, où elle est arrivée entre dix et quinze minutes plus tard, c'est-à-dire vers onze heures moins dix, moins cinq. Elle paie le chauffeur, traverse la rue, franchit la barrière et s'engage dans l'allée qui mène à la porte d'entrée, et c'est à ce moment-là qu'elle est touchée deux fois, à courte portée, de deux balles presque certainement tirées par quelqu'un qui l'attendait sur le côté de la maison.

« Alerté par les détonations, Resnick se précipite dehors, appelle police secours, tente la réanimation cardio-pulmonaire. L'inspectrice principale Kellogg est transportée à l'hôpital en ambulance et déclarée morte, sans avoir repris connaissance, peu après son arrivée.

Silence dans la pièce.

– Bien, reprit Karen. Anil, vous avez assuré la liaison avec les experts de l'Identité judiciaire.

Un peu emprunté, Khan se mit debout.

– Il n'y a pas grand-chose à dire, madame, j'en ai peur. Pas pour l'instant. Deux douilles ont été récupérées à l'angle de la maison. L'une des balles, vraisemblablement celle qui a touché l'inspectrice principale Kellogg à la tête, a été retrouvée dans le carré d'herbe devant la maison. Elle semble avoir ricoché sur le muret en briques qui sépare le jardin du trottoir. Le tout a été transmis au labo de Huntingdon.

– Quand peut-on espérer les résultats ? Vous en avez une idée ?

– Non, madame.

– OK, accélérez le mouvement, voulez-vous ?

– Oui, madame.

– Et, Anil…

– Madame ?

– Moins de « madame », si ça ne vous ennuie pas. J'ai l'impression d'être votre grand-mère. Appelez-moi « boss » si vous y tenez absolument, mais n'en abusez pas. OK ?

Khan acquiesça. Malgré la couleur naturelle de sa peau, sa rougeur était évidente.

– Quelqu'un a autre chose ? demanda Karen en parcourant l'assistance du regard.

– Des mégots de cigarettes, répondit Pike. Trois. Retrouvés plus loin, près de l'entrée latérale. Aucun moyen de savoir s'ils ont été laissés là par le tireur.

– Par Resnick ou Kellogg, peut-être ?

Pike secoua la tête.

– Aucun des deux ne fumait, boss.

– Pas d'empreintes de pas ? intervint Ramsden.

– Une partielle, c'est tout. L'allée est couverte de gravier et il n'avait pratiquement pas plu ce jour-là, juste une petite averse, donc le sol était quasiment sec. Les experts ne nous ont guère laissé d'espoirs.

Karen consulta ses notes.

– Et cette voiture abandonnée ?

– Un break Peugeot 307, boss, dit Khan. Volé ce même jour, en début de soirée, sur le parking d'Arnold. Près du centre de loisirs. Quand on l'a retrouvé, la vignette manquait et en plus il y avait plein d'éraflures sur l'aile gauche, comme si le conducteur avait pris un virage trop serré et heurté un mur. Le meurtrier a pu l'utiliser pour s'enfuir avant de l'échanger contre une autre voiture planquée à l'avance. De là-bas, on est vite sorti de la ville : la M1 n'est pas bien loin.

– Et c'était où, au juste ?

– À Old Basford. À environ un kilomètre et demi de l'endroit où les coups de feu ont été tirés. Ce patelin est un véritable labyrinthe. Rues étroites, sens interdits, vieux ateliers et entrepôts, usines, certaines encore en activité, d'autres non. On passe la voiture au peigne fin pour d'éventuelles empreintes, des traces d'ADN.

– Des chances qu'elle ait été filmée par la vidéosurveillance ? s'enquit Karen.

– Près du centre de loisirs, où elle a été volée, oui, il y a de fortes chances. Mais à Basford, c'est moins probable.

– Et plus près de la scène ?

– C'est mieux, dit Khan. Sur la petite route qui mène directement à la maison, il n'y a rien. Mais sur la route principale, le Centre de gestion du trafic a fait installer un grand nombre de caméras.

– OK, vérifions tout ce que nous pourrons. C'est un boulot fastidieux, je sais, comme de regarder un film étranger intello sans les sous-titres. Mais ça doit être fait.

– Qui a interrogé le chauffeur de taxi ? demanda Ramsden. Celui qui a déposé Kellogg ?

Michaelson leva la main.

– Quelque chose d'intéressant ?

– Pas vraiment, non. Il a laissé entendre que, quand il avait déposé sa passagère, il avait vu une voiture garée plus loin, mais c'était assez flou. Très confus, même, pour tout dire.

– Convoquons-le encore. Voyons si on ne peut pas lui tirer les vers du nez. Lui rafraîchir la mémoire.

– D'acc.

– Et prévenez-moi quand ça aura lieu, j'assisterai à la séance.

Michaelson ne sut s'il devait s'en réjouir ou s'en inquiéter.

– Même chose avec les voisins, dit Karen. Revenons à la charge, essayons encore. Si j'ai bien compris, ils ne sont pas si nombreux à habiter sur cette portion de route, et ils ne peuvent pas tous s'être couchés tôt. Quelqu'un a bien dû entendre ou voir quelque chose.

Murmures d'agrément, bruits divers tandis que les officiers de police changeaient de position. Ils en avaient assez de rester assis, ils avaient hâte de passer à l'action.

– Bon, dit Karen, une chose paraît claire. Il ne s'agit pas d'un crime gratuit ni d'un vol. Il s'agit d'un meurtre de sang-froid. D'un assassinat, si vous préférez. Lynn Kellogg était la cible désignée ; ce que nous devons découvrir, c'est pourquoi.

– Foutrement exact, opina quelqu'un.

– La réponse pourrait bien se trouver dans les enquêtes, récentes ou plus anciennes, auxquelles elle a été mêlée. Quelqu'un qui aurait voulu se venger d'elle. Ce qui nous amène — je sais, je sais — à la mort de Kelly Brent, dont le père, apparemment, a proféré diverses menaces et a accusé l'inspectrice principale Kellogg d'avoir joué un rôle déterminant dans la mort de sa fille. De toute évidence, nous aurons besoin de lui parler dès que possible, et le fait qu'il ait disparu de la circulation rend la chose d'autant plus urgente. Donc, redoublons d'efforts pour l'appréhender. Vérifions tous ses contacts, ses relations, tout ce que vous pourrez. Mais… mais… en attendant, n'allons pas nous imaginer que, si nous le retrouvons, nous aurons un résultat. Examinons les autres affaires sur lesquelles l'inspectrice principale Kellogg avait travaillé, creusons à droite et à gauche, découvrons le maximum de choses.

Le bruit augmenta de façon perceptible, certains membres de l'équipe interprétant cela comme le signal du départ.

– Une dernière chose, importante. Peut-être vitale. Les faits et gestes de l'inspectrice principale Kellogg le soir de sa mort. Elle rentrait de Londres. Pourquoi ? Qu'était-elle allée faire là-bas ? Était-ce un déplacement professionnel ou personnel ? Qui a-t-elle vu ? Qui connaissait l'horaire de son retour ? Anil, ça vous revient. J'espère parler à l'inspecteur principal Resnick dans le courant de la journée, et si j'apprends quelque chose d'utile, je vous en ferai part. OK ?

– Oui, boss.

– Et pour vous autres, il y a encore une question. Pourquoi le meurtre a-t-il été commis à cet endroit-là ? Pourquoi choisir de la tuer juste devant chez elle ?

Karen leur laissa le temps de la réflexion avant de poursuivre :

– Ce court trajet à pied entre l'autre côté de la rue et la porte d'entrée, c'était le seul point de l'itinéraire, ce soir-là, où Lynn Kellogg avait des chances d'être seule, sans personne autour d'elle. Non seulement cela, mais la rue elle-même est tranquille, étroite, rarement utilisée sauf par les résidents, et il n'y a pas un seul bâtiment à l'arrière, de sorte que le tueur pouvait guetter sans être observé. (Elle leva les yeux, parcourut la pièce du regard.) Ces raisons sont-elles suffisantes ? Qu'en pensez-vous ?

Toussotements, murmures feutrés, coups d'œil interrogateurs. Catherine Njoroge fit un pas en avant, incertain.

– Oui, Catherine ?

– Je ne sais pas si c'est important, boss, mais je me disais, celui qui a tiré sur Lynn, il devait sans doute savoir que l'inspecteur principal Resnick était là, dans la maison. Et dans ce cas, il devait également savoir qu'il serait le premier à découvrir le corps.

– Continuez.

– Eh bien… ce qui est arrivé, ça lui était peut-être aussi destiné. Pour lui faire mal. Et si ça se trouve — je ne sais pas, c'est peut-être aller trop loin —, est-ce que ça ne se voulait pas, en même temps, une sorte d'avertissement ? Du genre : « Vous n'êtes à l'abri nulle part, nous pouvons vous atteindre n'importe où, même chez vous, là où croyez être le plus en sécurité. »

– « Nous », répéta Karen. Qui est ce « nous » ?

Catherine secoua la tête.

– Je n'en sais rien, boss. Ça pourrait être Howard Brent, après ce qu'il a dit, mais je ne sais pas.

– D'accord. Et merci, Catherine, bonne remarque. Nous allons donc devoir examiner également les enquêtes de l'inspecteur principal Resnick, en dehors des plus récentes, j'entends. Des malfaiteurs qu'il aura envoyés derrière les barreaux…

– Des centaines, dit quelqu'un.

– Un type récemment libéré de prison qui pourrait avoir une dent contre lui. Cherchez de ce côté-là. Et bonne chance, OK ? Avec des yeux perçants, du boulot acharné et de la chance, on y arrivera.

Une fois l'équipe congédiée, Karen tint conciliabule avec Mike Ramsden, Anil Khan et le directeur administratif pour mettre au point les tableaux de service, les plannings, et pour s'assurer que les procédures étaient en place afin de traiter en priorité les informations à mesure qu'elles arriveraient.

Ayant réglé ces questions, elle refit le même chemin que la veille au soir.

26

À cinq heures et quart, Resnick avait commencé à remuer dans son lit, frissonnant, et il était réveillé depuis ce moment-là. L'oreiller et le drap-housse étaient trempés de sueur et ses cheveux emmêlés étaient collés à son crâne. Le plus jeune des chats avait dormi sur l'édredon, comme il le faisait avant l'installation à demeure de Lynn. Quand Resnick se redressa lentement et fit pivoter ses jambes pour se lever, le matou poussa un miaulement strident en signe de protestation et sauta par terre de mauvaise grâce.

Les lunettes de lecture de Lynn, celles qu'on lui avait prescrites mais qu'elle utilisait rarement, étaient posées sur sa table de chevet, avec plusieurs serre-tête de différentes couleurs, un verre à eau vide, la lotion qu'elle appliquait tous les soirs sur ses mains et le livre en cours de lecture qu'elle ne terminerait jamais.

Ce livre vous sauvera la vie.

Non, plus maintenant.

D'un revers de main, Resnick envoya le volume valdinguer sur le plancher.

Dehors, il faisait encore nuit et, pendant quelques instants, il se demanda combien de temps s'était écoulé depuis la mort de Lynn. Combien d'heures ? Combien de jours ?

À travers la fenêtre, il voyait les ombres projetées par la lueur distante d'un réverbère, il distinguait les silhouettes des arbres et, dessous, le mur de pierre, l'allée de gravier et l'herbe du jardin, tous délimités par du ruban en plastique.

Lâchez-la.

Le jeune urgentiste au visage ardent, constellé de taches de rousseur, s'agenouillait près de Resnick, qui avait toujours les mains entrelacées sur la poitrine de Lynn.

Vous devez la lâcher, maintenant. Lâchez-la.

Dans la salle de bains, il se mit sous la douche et ouvrit le robinet à plein, laissant l'eau cingler son corps ; il resta ainsi jusqu'à ce qu'elle refroidisse, puis il sortit et s'essuya avec une serviette, soulagé que la buée cache son reflet dans la glace.

De retour dans la chambre, il s'habilla lentement, avec les mêmes vêtements que la veille. Lorsque Lynn s'était installée ici, il l'avait taquinée sur la quantité de vêtements qu'elle apportait avec elle — de quoi, avait-il dit, remplir toute la penderie et nécessiter en plus une commode pour elle toute seule.

– Mais enfin, que vas-tu faire de toutes ces fringues ? avait-il demandé. Tu comptes ouvrir une boutique ?

Et puis, plus tard, alors qu'elle vivait chez lui depuis quelque temps : « Pourquoi tu ne te décides pas à faire le tri et à en bazarder une partie ? D'autant que, pour la plupart, tu ne les mets jamais. Donne-les à l'Armée du Salut ou je ne sais quoi. Ça prend de la place, c'est tout. »

Comme si ça avait de l'importance.

Comme si c'était la place qui leur manquait.

En fait, c'était le temps. Mais ça, il ne l'avait pas pressenti.

Le tissu de la robe en coton bleu qu'elle avait portée pendant les vacances lui brûla la main comme de la soie.

Il avait eu beau enfiler un gros pull-over sur sa chemise et un vieux cardigan usé par-dessus, il avait encore froid. La fenêtre de la cuisine, qu'il avait coutume d'ouvrir dès qu'il arrivait en bas, sauf temps exécrable, était fermée au verrou. Le thermostat du chauffage central était réglé au plus haut. Et ç'avait été la même chose la veille, cette froidure qui lui irritait les os ; en même temps, à certains moments, il sentait son visage s'empourprer, sa peau le picoter et, sans aucune raison, il se mettait à transpirer.

Ce matin, il parvint à faire fonctionner la cafetière mais pas le grille-pain.

La carte qu'elle lui avait offerte était encore là, les coins cornés, un peu tachée de graisse, coincée entre le sucre et la farine.

Toujours là, Charlie, contre toute attente.

Hélas, non…

Les larmes lui montèrent aux yeux et il dut se cramponner au plan de travail pour réprimer ses tremblements.

La tasse, quand il la prit sur l'étagère, lui échappa des doigts et se brisa par terre.

Il ne pouvait pas continuer comme ça.

Il ne pouvait pas.

Froid ou pas, il ouvrit la porte de derrière et sortit dans le jardin, sous le ciel strié de violet, de rouge et de gris. Les bruits de la circulation, mêlés aux gazouillis des oiseaux ; les aboiements d'un chien, aigus et insistants, de l'autre côté des jardins ouvriers ; au loin, le cri apeuré d'un enfant.

Il avait des choses à faire, des décisions à prendre, des coups de fil à donner. Il frotta son pouce contre le mur rugueux, à la lisière du jardin, jusqu'à ce qu'il se mette à saigner.

En définitive, ce fut une belle matinée de début de printemps, avec un pâle soleil et un ciel bleu piqueté çà et là de nuages effilochés. La météo avait annoncé des nuages orageux en provenance de l'Atlantique, susceptibles de modifier rapidement le temps, mais aujourd'hui on n'en voyait aucun signe. On était trop loin à l'intérieur des terres.

Karen avait caressé l'idée de se faire accompagner, mais finalement elle était venue seule. N'étant pas sûre que la sonnette marchait, elle avait frappé plusieurs fois, appelé par la fente de la boîte aux lettres, recommencé à sonner. Tournant les talons, elle avait déjà atteint la barrière quand la porte d'entrée s'ouvrit : Resnick, son cardigan boutonné de travers, sortit sur le seuil, clignant des yeux à la lumière.

– Bonjour, dit-elle en s'approchant. Je suis Karen…

– Vous êtes Karen Shields.

– Oui.

– Inspectrice divisionnaire.

– Oui.

Ils se serrèrent la main.

– Bill Berry m'a fait un topo.

– C'est naturel.

– Vous êtes passée hier soir, dit Resnick.

Karen se borna à acquiescer.

– En reconnaissance.

– Oui.

Elle faisait l'impossible pour ne pas regarder, sur le côté, le carré d'herbe où Lynn Kellogg avait trouvé la mort.

– Vous avez pris un taxi à la gare. Suivi le même itinéraire que Lynn ce soir-là.

– Oui.

Resnick approuva du chef.

– C'est ce qu'elle aurait fait.

– Ce que vous lui aviez appris.

– Vous pensez ?

– Vous étiez son patron quand elle est entrée au CID.

Le visage de Resnick trahit une vague surprise.

– J'ai parlé hier avec Anil, dit Karen. Anil Khan. Il a travaillé avec vous, lui aussi. À Canning Circus, je crois.

Resnick hocha la tête.

– Vous feriez mieux d'entrer. Il y a des choses que vous voudrez savoir.

Les meubles de la pièce du devant étaient mastoc, le tissu qui recouvrait les sièges était trop orné et commençait à passer. La table à abattants semblait provenir d'un autre âge. Karen se demanda dans quelle mesure Lynn avait éprouvé le besoin de changer la décoration, après son installation, et si elle avait rencontré une résistance quelconque.

– Vous habitez ici depuis longtemps ? demanda-t-elle.

– Sacrément trop longtemps, répondit Resnick — mais avec le sourire.

Certaines femmes, pensa Karen, seraient séduites par ce bref sourire d'autodérision, seraient attirées par cet homme, déborderaient de compassion. Elles lui reboutonneraient correctement son cardigan. Elles lui tapoteraient la main.

Pas moi.

– Je peux faire du café, proposa Resnick. Mais sans lait.

– Noir, ce sera parfait.

Pendant qu'il était dans la cuisine, elle examina les livres de sa bibliothèque : *Sur les traces de Chet Baker*, *The Sound of the Trumpet*, *Straight Life*, plusieurs ouvrages sur Thelonious Monk ; rangés ensemble, une flopée de romans d'Alice Hoffman et d'Helen Dunmore en édition de poche, qui avaient dû appartenir à Lynn ; deux livres que Karen elle-même avait lus, *Beloved* et *La Nostalgie de l'ange*. *Beloved*, elle l'avait lu deux fois.

À côté des livres, plusieurs rangées de CD, essentiellement du jazz, agrémentés de quelques Prince, Madonna et Magazine, qui, devina-t-elle, avaient dû faire leur entrée dans la maison avec Lynn. Sa dot, en quelque sorte. Parmi plusieurs coffrets, elle en remarqua un de Bessie Smith ; elle le regardait, essayant sans succès de dégager le petit livret avec l'ongle de son index, quand Resnick revint, deux mugs de café dans les mains.

– Quatre CD, dit-elle. Vous devez être fana.

– À vrai dire, je l'ai acheté il y a deux mois et je ne crois pas l'avoir écouté plus d'une fois. Et encore, pas jusqu'au bout. (Il tendit à Karen l'un des mugs et posa le sien sur la table.) C'est une sale habitude chez moi. Je vois un coffret comme celui-là — quatre-vingt-dix morceaux pour douze livres, mettons — et ça me paraît une trop bonne affaire pour résister. Lynn trouve… (Il s'interrompit, se reprit :) Lynn disait toujours que, quand il s'agissait de jazz, j'avais plus d'argent que de bon sens.

Il se laissa choir lourdement dans son fauteuil habituel et Karen s'assit dans l'autre, dos à la fenêtre.

– Je suis sincèrement navrée de ce qui est arrivé à Lynn, dit-elle. J'aurais dû commencer par là, mais… je ne sais pas, les mots paraissent tellement… dérisoires. (Elle inspira un grand coup par le nez.) Nous attraperons son meurtrier, vous verrez. Quel qu'il soit.

– Je sais.

Le café était fort et un peu amer, trop chaud pour être bu rapidement.

– Ma mère adorait Bessie Smith, reprit Karen. D'autres chanteuses, aussi. Dinah Washington. Aretha. Mais sa préférée, c'était Bessie. (Elle sourit.) J'ai dû connaître les paroles de *A Good Man is Hard to Find*[1] avant de savoir réciter *Humpty Dumpty* ou *Little Bo-Peep*. Remarquez, ça ne m'a pas beaucoup aidée par la suite. L'avertissement, j'entends.

– Prenez le coffret, dit Resnick, je vous le prête. Vous me le rendrez à l'occasion.

– Merci, je ne dis pas non.

Si ce nouvel appartement où elle allait emménager était doté d'une télévision dernier cri, il aurait certainement aussi un lecteur de CD.

---

1. *C'est difficile de trouver un homme bien.*

– Vous devez avoir envie de savoir où nous en sommes, dit-elle. À moins que quelqu'un ne vous ait déjà renseigné ?

Resnick fit signe que non.

Elle lui exposa brièvement le peu d'éléments dont ils disposaient pour l'instant et les principales directions dans lesquelles allait s'orienter l'enquête.

– Voyez-vous quelque chose, conclut-elle, qui ait pu nous échapper ?

– Pas à première vue, non.

– Nous allons jeter un œil sur vos anciennes enquêtes, vous vous en doutez.

– Une vengeance ? On aurait voulu m'atteindre à travers Lynn ?

– C'est possible, non ?

– Un peu tiré par les cheveux, je dirais. Et puis, pourquoi s'en prendre à elle ? Pourquoi pas directement à moi ?

– Peut-être qu'on voulait vous voir souffrir. Vous faire mal.

– Howard Brent, par exemple ?

– C'est de ce côté-là que nous devrions commencer par chercher, selon vous ?

– Lui ou un de ses proches, oui. Outre les griefs qu'il a contre moi, il tenait Lynn pour responsable de la mort de sa fille.

– Ce coup de téléphone qu'il est censé avoir donné…

– « Surveille tes arrières, salope. »

– C'était le message ?

– Oui.

– Si j'ai bien compris, Lynn n'a pas reconnu la voix. Elle n'a pas pu affirmer avec certitude que c'était Brent.

– Pas avec certitude, non.

– Et nous n'avons toujours aucune preuve. Nous ne savons pas si c'était vraiment lui.

Resnick se pencha brusquement en avant.

– Écoutez, il était convaincu que Lynn s'était servie de sa fille comme bouclier. Il l'a dit, c'est dans le dossier. « D'une façon ou d'une autre, faudra qu'elle paie pour ce qu'elle a fait. » Ses propres mots. D'une façon ou d'une autre, il faudra qu'elle paie.

– Sous le coup de la colère, les gens disent beaucoup de choses, vous le savez bien. Le plus souvent, c'est juste des paroles en l'air, une façon de se défouler.

– Lynn est morte. Ça, ce ne sont pas des mots. C'est un fait.

– Et vous pensez que Howard Brent est responsable ? Directement ? Je veux juste que ce soit clair.

– Directement ? Personnellement responsable ? (Resnick secoua la tête.) Ce n'est pas impossible, mais… non, ça m'étonnerait qu'il ait appuyé lui-même sur la détente.

– Vous pensez qu'il lui a tendu un piège, alors ? Qu'il a payé quelqu'un pour la tuer à sa place ?

– Payé, soudoyé, incité. Et qu'ensuite, sachant ce qui allait arriver, il a pris le large. Pour se forger un alibi.

Karen s'adossa à son siège. Howard Brent avait quel âge ? Entre quarante-cinq et cinquante ans ? Il avait un casier pour violences, elle le savait. Pour drogues, aussi, mais seulement possession, pas trafic, et ça remontait à 1989. À l'époque où la première vague sérieuse de crack battait son plein en Angleterre et où les gangs débarquaient en grand nombre de la Jamaïque. Même en supposant qu'il se soit racheté une conduite, si Brent avait commandité le meurtre de Lynn Kellogg, il avait sans doute utilisé les contacts qu'il avait noués par le passé. Et il y avait des exemples, preuves à l'appui, de tueurs à gages qu'on avait fait venir dans le pays grâce à un faux passeport et qui avaient exécuté deux contrats avant de repartir en avion vingt-quatre heures plus tard.

– Encore du café ? proposa Resnick.

– Non, merci, ça ira.

– Vous en êtes sûre ? dit-il, déjà à moitié levé.

– Bon, d'accord, allez-y. Mais si je me mets ensuite à grimper aux murs, on saura à qui s'en prendre.

Dès que Karen entra dans la cuisine, sur les talons de Resnick, les deux chats qui attendaient près de leurs bols firent volte-face et détalèrent.

– Un cas patent de préjugé racial ou je ne m'y connais pas, observa Karen, amusée.

– Ils ne sont pas habitués aux grandes femmes autoritaires.

Elle se mit à rire.

– Je suis donc autoritaire ?

– Vous avez une allure qui en impose.

– Dieu sait si j'en ai besoin, certains jours ! Il y a encore pas mal d'hommes qui n'aiment pas recevoir des ordres d'une femme. Surtout d'une Noire. Même si certains d'entre eux n'iront jamais l'admettre.

Resnick, qui rinçait la cafetière sous le robinet, fit signe qu'il comprenait.

– Et Lynn ? reprit Karen. C'était une femme à responsabilités. Comment s'en sortait-elle ?

– Au mieux, je crois. Les gens l'aimaient bien, elle gagnait leur respect.

– Elle avait eu sa promotion rapidement.

– C'était mérité.

– Il n'y avait pas de tensions entre vous deux ? Sur le plan professionnel ?

Resnick posa de côté la base de la cafetière.

– Vous me demandez si j'étais jaloux, c'est ça ?

– En quelque sorte, oui. Enfin, je veux dire — corrigez-moi si je me trompe — mais vous étiez déjà inspecteur principal quand elle a débuté…

– Et j'en suis toujours là, au même point, tandis qu'elle… (Les mots s'étranglèrent dans sa gorge.) Elle avait le même grade que moi et aurait probablement grimpé encore plus haut.

– Oui.

– Et vous voulez savoir l'effet que ça me faisait ?

– Oui.

– Ça me rendait fier. Ça ne me rendait pas jaloux ni aigri. Ça ne me rendait pas honteux, comme si j'étais fini ou mis au rancart. OK ? Ça ne me donnait pas le sentiment d'être menacé dans ma virilité, et ça ne me rendait pas incapable de bander.

À deux doigts de se mettre en colère, il fixa sur elle un regard dur.

– C'est bien ce que vous vouliez savoir, n'est-ce pas ? Une des questions que vous vouliez me poser ? Comment ça marchait entre nous ? Est-ce que je prenais du Viagra ? Est-ce que j'arrivais à la satisfaire ? Ou alors, était-elle allée voir ailleurs, avait-elle une liaison ? Et moi, est-ce que je la trompais ? Peut-être qu'elle allait me quitter, tout plaquer ? Pour la deuxième fois de ma vie. De quoi me faire perdre les pédales, qui sait ? De quoi la supprimer ?

Le sang lui était monté au visage et il parlait d'une voix forte, mal assurée. Il avait encore les poings serrés, mais à ses côtés.

– Vous avez raison, dit Karen. Je dois savoir. Je dois vous poser ces questions. À ma place, vous agiriez de même.

Resnick se passa nerveusement les mains dans les cheveux.

– Je sais.

– Et entre vous, ça collait bien ?

– Je pense que nous étions assez heureux, oui. Ce n'était plus le bonheur extatique des débuts. Celui-là ne dure pas. Et puis on travaillait dur, tous les deux — surtout Lynn. Longues journées, stress, pas beaucoup de temps à soi. Inutile de vous faire un dessin. Mais bon, il n'y avait pas de grosses crises. En cas de petits différends, on les aplanissait. Un couple ordinaire, quoi, comme beaucoup d'autres.

– Les couples ordinaires… (Karen eut un sourire désabusé.) Je me demande s'ils existent vraiment.

– Si oui, nous en étions un.

Le café était prêt. Resnick exhuma deux chaises pliantes et les emporta dans le jardin. Le soleil chauffait davantage, à présent, et seuls subsistaient les nuages les plus fins. Non loin de là, quelqu'un manœuvrait une tondeuse à gazon électrique, s'attaquait de bonne heure à sa pelouse.

– Cet aller-retour à Londres que Lynn a fait, l'après-midi du meurtre…, dit Karen.

Resnick lui en expliqua la raison, lui donnant tous les détails qu'il jugeait utile de lui faire connaître.

– Vous dites qu'elle se sentait responsable, dit Karen après avoir écouté. Pour cette Andreea.

– Elle pensait lui avoir fait des promesses qu'elle ne pourrait pas tenir, oui. Elle se sentait coupable.

– Vous ne savez pas ce qui s'est passé quand elle était là-bas ? Avec la fille ?

Resnick lui lança un bref coup d'œil, regarda par terre.

– Nous n'avons pas eu l'occasion d'en discuter.

– Excusez-moi.

– Pas grave.

– Chaque fois que j'ouvre la bouche…

– C'est OK. Je pense même que ça m'aide, d'une certaine manière. Parler d'elle comme si… (Il détourna les yeux.) Je ne veux pas accepter le fait qu'elle ne soit plus là. Je veux croire que le téléphone va sonner d'une minute à l'autre et que ce sera elle, pour dire qu'elle est désolée d'être en retard, qu'elle a eu un contretemps et sera bientôt à la maison.

Il détourna brusquement la tête. Karen ne bougea pas, sachant bien qu'il pleurait mais ne sachant que faire ni que dire, sauf qu'il n'y avait probablement rien à dire, en tout cas pas maintenant. Elle attendit donc qu'il se ressaisisse, se demandant s'il y avait eu des nouvelles du labo, si on avait fait des progrès avec les empreintes relevées dans la voiture abandonnée, si quelqu'un avait réussi à retrouver la trace de Howard Brent.

– L'endroit où elle est allée à Londres — Leyton, si je me souviens bien —, vous n'auriez pas une adresse ?

– Elle doit être quelque part. Dans son calepin, vraisemblablement.

– J'ai demandé à Anil Khan de reconstituer ses faits et gestes.

– C'est un bon policier. Méticuleux.

Ils se levèrent en même temps.

– Parmi les gens qu'elle a contribué à envoyer en prison, dit Karen, vous ne voyez personne qui aurait pu lui garder rancune, chercher à se venger ?

– Non.

– Cette histoire de procès, celui qui a été abandonné… L'agent de la SOCA qui est dans le coup, vous ne savez pas s'il est encore dans les parages ?

– Daines ? C'est possible. Probable. (Un sourire ironique effleura le visage de Resnick.) Il lui avait envoyé des fleurs. À Lynn. À sa sortie de l'hôpital. Après l'affaire Kelly Brent.

– Il la connaissait bien, donc ?

– Ils s'étaient rencontrés à une conférence quelconque.

Karen le regarda, une autre question sur les lèvres, mais elle laissa courir.

– Il faut que j'y aille.

– Vous me tiendrez au courant ? dit Resnick. Faites-moi savoir…

– Bien sûr.

Son portable sonna alors qu'elle montait en voiture. Howard Brent avait pris, au départ de Londres Gatwick, un vol de la Virgin Atlantic à destination de la Jamaïque, le dimanche 4 mars, soit deux jours avant le meurtre de Lynn Kellogg.

27

Dans l'après-midi, Karen avait convoqué Catherine Njoroge. Celle-ci, qui visionnait avec plusieurs autres collègues les vidéos des caméras de surveillance, fut trop heureuse d'avoir un prétexte valable pour prendre une pause.

– Howard Brent, vous êtes déjà allée chez lui, pas vrai ?

– Une fois, oui. Avec l'inspecteur principal Resnick.

– Bien. Cette fois, vous viendrez avec moi.

Tina Brent prit son temps pour leur ouvrir la porte et, en les voyant, elle secoua la tête.

– Si vous vendez des bibles, j'en ai déjà une.

Elle portait un ample pantalon de survêtement orné d'une large bande sur les côtés et un haut à manches courtes avec un col en V. Si elle reconnut Catherine, elle n'en montra rien.

– Nous voudrions parler de votre mari, dit Karen en déclinant son identité.

– Encore ? J'ai déjà causé à un de vous autres. J'ai aucune idée de l'endroit où il est.

Elles la suivirent à l'intérieur. D'après l'état des lieux, Tina s'était mis dans l'idée de faire un grand nettoyage de printemps et s'était découragée en cours de route. La pièce dans laquelle elle les introduisit manquait d'air et empestait le tabac. Karen remarqua sur la cheminée la photographie de la morte et, à côté, les fleurs qui commençaient à piquer du nez et à perdre leurs pétales, éparpillés dans l'âtre.

– Tout ça, c'est pour l'inspectrice qui s'est fait tirer dessus, hein ? dit Tina, une nette pointe d'agacement dans la voix.

Karen répondit par l'affirmative.

– Tout ce que je peux dire, c'est que c'est bien dommage que vous en ayez pas fait autant quand ma Kelly a été tuée. Là, vous vous êtes pas mis en quatre, hein ?

– Madame Brent, intervint Catherine Njoroge, je ne pense pas que ce soit vrai.

Tina la regarda comme si elle la jugeait indigne de son mépris.

– Selon vos déclarations, dit Karen, votre mari est parti, comme ça, sans excuse ni explication, sans laisser un mot, rien ?

– Ouais. C'est ça.

– Il ne vous a donné aucune indication ?…

– Seigneur ! Combien de fois il faudra vous le répéter ? C'est Howard, d'accord ? Il est comme ça. Il l'a déjà fait et il le fera encore. (Elle attrapa le paquet de cigarettes posé sur l'accoudoir du fauteuil le plus proche.) Une fois, il n'est revenu qu'au bout de cinq ans, bordel !

– Vous n'êtes pas inquiète, donc ? De savoir où il pourrait être ?

Tina ricana.

– Si je devais m'inquiéter de tout ce que ce salopard traficote, je me serais flinguée depuis belle lurette !

Elle alluma une cigarette et en tira une longue bouffée, retenant la fumée dans ses poumons.

– Votre mari, il est originaire de la Jamaïque ? demanda Karen.

Tina la regarda de travers.

– Et alors ?

– Il a encore des contacts là-bas, donc ? Des amis ? De la famille ?

– Des amis, oui. Sa famille et lui, je crois pas qu'ils se soient parlé depuis des années.

– Et vous pensez qu'il pourrait être allé là-bas ? Voir ces amis à la Jamaïque ?

– Voir des amis à Tombouctou, même, pour ce que j'en sais !

– D'après nos informations, votre mari s'est envolé pour la Jamaïque dimanche dernier. Pour Montego Bay.

– Si vous le savez déjà, pourquoi continuer à m'embêter avec ça ?

– Nous pensions que vous pourriez nous dire où il est exactement. Où il séjourne. Pour que nous prenions contact avec lui.

– Vous plaisantez, là ?

– Un numéro où on pourrait le joindre…

Le rire de Tina se fêla, se mua en toux sèche.

– Je suis la dernière personne à qui il le donnerait, son foutu numéro ! Il est là-bas avec une garce à qui il a fait un marmot, probable, et tant pis pour les gosses qu'il a ici. S'il avait passé plus de temps avec Kelly, s'il l'avait élevée correctement, s'il avait montré un peu l'exemple, elle serait peut-être pas morte, bordel !

La colère tordait son petit visage crispé.

Karen se dit qu'elle n'obtiendrait rien de plus ; elle n'était même pas sûre d'avoir obtenu quoi que ce soit, à part peut-être d'avoir secoué un peu Tina Brent.

– Si, par hasard, vous l'avez au téléphone… si, pour une raison quelconque, il prend contact avec vous, veuillez lui dire que nous souhaitons lui parler. S'il n'est pas impliqué, ni de près ni de loin, dans la mort de l'inspectrice principale Kellogg, alors nous pourrons l'éliminer de la liste des suspects et poursuivre notre enquête. OK ?

Tina rentra les joues.

– OK, Tina ?

– Ouais, OK.

Elles se dirigeaient vers la porte d'entrée quand Catherine pensa à demander si Marcus était au collège aujourd'hui.

– Pas cet après-midi, répondit Tina. Il fait un remplacement à la boutique de son père, à Hockley. Mais vous perdrez votre temps à l'assommer de questions. Il en sait encore moins que moi.

Une fois dehors, Karen dit à sa compagne :

– Allez le voir, Catherine. Moi, il faut que je retourne au bureau.

La boutique était située dans l'une des rues étroites partant de Goose Gate, non loin du sauna-salon de massage où Nina Simic avait été assassinée l'année précédente. Catherine reconnut la musique qui s'en échappait par la porte ouverte : *King Tubby Meets the Rockers Uptown*, d'Augustus Pablo. Quelques années plus tôt, elle avait suivi un stage de formation avec un professeur qui passait ce morceau en boucle.

L'intérieur était sombre et encombré : rangée après rangée d'albums et de 45 tours le long des murs latéraux, bacs de CD au centre. Affiches sur les murs. Marcus se tenait au comptoir, vêtu d'un tee-shirt trop grand pour lui avec le slogan PRÊT À BAISER POUR DE LA DROGUE imprimé en grosses lettres blanches.

Pathétique, pensa Catherine.

Il n'y avait pas d'autres clients.

Marcus la regarda, l'ébauche d'un sourire sur les lèvres.

Un instant plus tard, il baissa le volume de la stéréo, juste de quoi s'entendre parler.

– Super, hein ? King Tubby ? Comment vous trouvez ? Z'avez vu ça ? (Il souleva un CD posé sur le comptoir.) Une nouveauté. *Essential Dub.* Quatorze titres, rien que ça ! Traditionnel, jazz-rock, hardcore. Virgin, HMV, prix normal : 6,99 £. Minimum. Je vous le fais cinq livres. OK ?

La tête penchée un peu de côté, il présenta le disque à Catherine.

– Je ne suis pas intéressée, dit-elle. Merci quand même.

– Non ? Vous cherchez quoi, alors ?

– Vous avez du Benga ?

– Bangra ?

– Non, non. Benga. C'est de la musique d'Afrique orientale, là d'où je viens. Le Kenya. Suzzana Owiyo, c'est une de mes préférées. Jane Nyambura, aussi… la Reine Jane.

Marcus la regarda d'un air ahuri.

– Votre père, dit Catherine, nous voudrions entrer en contact avec lui.

Un froncement plissa le visage de Marcus.

Catherine lui montra sa carte de police, mais il y jeta à peine un coup d'œil.

– Nous pensons que vous pourriez savoir où il est, ajouta-t-elle.

– De quoi on parle, là ? Ça a un rapport avec la mort de Kelly ?

– D'une certaine manière.

– Je croyais que c'était réglé, dit Marcus.

– Ça l'est. Pratiquement.

Elle le regarda et il détourna les yeux. Il diminua le volume de la stéréo, puis le poussa de nouveau, de sorte que la musique remplit la boutique, la basse se répercutant sur les murs.

Catherine continua de le fixer, imperturbable, jusqu'à ce qu'il baisse le son.

– Merci, dit-elle.

Marcus se trémoussa nerveusement derrière le comptoir.

– Savez-vous où il est ? reprit Catherine. Votre père ? Nous devons lui parler, c'est très important.

– À la Jamaïque, non ?

– Vous savez où, exactement ? Où il pourrait séjourner ?

– Vous rigolez, là ? Comment que je le saurais ?

– Vous êtes son fils.

Marcus ricana.

– Pourquoi vous demandez pas plutôt à Michael, hein ? Si mon père l'a dit à quelqu'un, c'est à lui qu'y va le dire. Pas à moi. Il me fait pas confiance, pour rien.

– Je suis sûre que ce n'est pas vrai.

– Ah non ?

Catherine regarda autour d'elle.

– Il vous fait confiance pour ça.

– Ah ouais ? Je vais vous dire, moi, comment il me fait confiance. À la fin de la journée, un week-end où j'ai bossé ici, mettons, il se pointe et me demande si j'ai fait ma caisse. Je lui réponds que oui, je lui dis combien ça fait, le total, d'acc, alors il ouvre le tiroir-caisse, tout ça devant moi, juste devant mes potes, pour me faire honte, et il recompte lui-même jusqu'au dernier sou, putain ! Et vous croyez qu'y va me dire où il est alors qu'y veut que personne le sache ?

– Je suis désolée, dit Catherine.

Marcus lui décocha un regard dur.

– Et pourquoi vous seriez désolée ?

En début de soirée, Karen alla au pub avec Michaelson et quelques autres membres de l'équipe, paya une tournée, laissa de l'argent derrière le bar et entreprit avec Mike Ramsden de trouver un endroit où dîner. Quelqu'un lui avait recommandé un restaurant indien, près de la place, tellement peu engageant de l'extérieur que Ramsden le compara aux Wimpy Bars[1] de sa boutonneuse jeunesse.

– Vous allez voir, il y aura sur toutes les tables de grosses tomates en plastique remplies d'une sauce douteuse.

Heureusement, il se trompait sur à peu près tous les plans.

Certes, le cadre était quelconque, les murs largement dégarnis, pas de chichis ni de falbalas, le service sans prétention, mais la nourriture… la nourriture, convinrent-ils, était excellente.

---

1. Chaîne de fast-foods implantée au Royaume-Uni en 1954. *(N.d.T.)*

– Le meilleur restau indien depuis ma dernière incursion à Brick Lane[1], dit Ramsden en agitant un papadam.

Elle le reluqua d'un œil sceptique.

– Vous êtes déjà allé à Brick Lane ?

Ramsden sourit de toutes ses dents.

– Ça vous étonne, hein, la vie cosmopolite que je mène ? Le fait que je copine avec nos frères musulmans ?

Parfois, quand il était avec Karen, il adoptait le ton et les préjugés d'un beauf cockney pur et dur. C'était un terrain glissant sur lequel s'aventurer et, en plusieurs occasions, il avait été dangereusement près de franchir la ligne jaune.

– Fermez-la, dit Karen, et passez-moi les épinards.

Plus tôt dans la journée, Ramsden s'était joint à Frank Michaelson pour réinterroger le chauffeur de taxi qui avait pris en charge Lynn Kellogg à la gare.

Quand celui-ci avait déposé sa passagère à destination, il n'avait vu personne d'autre dans la rue, il en était certain. Personne devant la maison. Dès qu'elle était descendue de son taxi, il était reparti. Un client l'attendait à Mapperley Plains.

– Le temps, c'est de l'argent, conclut-il. Voyez ce que je veux dire ?

– Et les coups de feu ? avait demandé Ramsden. Deux coups de feu rapprochés. Vous les avez sûrement entendus ?

– Non, ou alors j'ai dû croire que c'était un moteur qui avait des ratés. J'ai pas fait attention.

Poussé dans ses retranchements, il confirma avoir vu une voiture garée plus loin, sur la droite. De couleur sombre, lui semblait-il. Bleu foncé ou noir. Une Ford Sierra ? Il y a tellement de voitures, de nos jours, elles se ressemblent toutes. Mais il croyait bien que c'était une Sierra.

– Vous croyez ? avait insisté Ramsden. Vous croyez ou vous êtes sûr ?

– Elle était foncée.

– Oui, ça, vous l'avez dit.

– Je ne pourrais pas jurer...

---

1. Rue située dans l'East End, qui constitue le cœur du quartier de la communauté bangladeshie de Londres. *(N.d.T.)*

– Vous n'avez pas besoin de jurer. Il vous suffit d'en être certain. Certain de ce que vous avez vu.

– Bon, alors c'était une Sierra.

– Vous en êtes sûr ?

Le danger, quand on bousculait un témoin — comme le rappela Karen à Ramsden —, c'est qu'il finissait par dire ce qu'il croyait que vous aviez envie d'entendre. Cependant, en l'absence d'autres éléments, ils miseraient sur la Sierra. Le nouveau logiciel d'identification des plaques d'immatriculation, relié à la Direction des polices urbaines, les aiderait à retrouver la trace des véhicules de cette marque ayant été dans le secteur trente minutes avant ou après le meurtre.

Une nouvelle enquête de voisinage n'avait pas donné grand-chose de neuf.

Ils avaient rayé le break Peugeot de leur liste comme possible voiture utilisée par le tueur pour s'enfuir : l'un des ados qui l'avaient emprunté pour une petite virée s'était présenté à contrecœur, après avoir regardé les informations, anxieux de s'affranchir de toute implication dans une fusillade fatale.

L'empreinte de pied partielle relevée sur les lieux était tout à fait caractéristique : semelle à crampons d'une basket Adidas, la bizarrement nommée ZX 500 Animal. Moyennant quoi, cette précision ne les avançait pas beaucoup dans la mesure où ils n'avaient pas encore de chaussure avec laquelle comparer.

Les experts du labo effectuaient encore des tests sur les balles et les douilles et le rapport promis n'était toujours pas arrivé.

Les progrès étaient lents.

– La bobonne de Brent, dit Ramsden en rompant un morceau de naan pour essuyer son assiette, et son gamin… vous les croyez quand ils affirment ne pas savoir où il est ?

Karen soupira.

– Qui sait ?

Ils avaient tenté de joindre Michael Brent à Londres, mais sans succès pour l'instant.

– Plutôt oui ou plutôt non ? insista Ramsden.

– Je ne sais pas, Mike, vraiment pas.

– Vous n'avez pas de contacts là-bas, vous-même ?

– Pas de ceux qui pourraient nous servir, non. Par contre, l'Unité Trident, de la police métropolitaine, a un service de renseignements

240

qui entretient d'excellents rapports avec la police jamaïcaine. Je pourrai probablement obtenir une ou deux faveurs de cet inspecteur que je connais…

– Je n'en doute pas.

– La ferme !

Ramsden se mit à rire et leva les mains en signe de reddition.

– Ça ne ferait pas de mal de demander si, à leur connaissance, un individu répondant au signalement de Brent est arrivé dans le pays aux alentours de la date où Kellogg a été assassinée. (Il cligna de l'œil.) À supposer, bien sûr, que vos faveurs aillent jusque-là.

– Votre grande bouche vous mettra dans le pétrin, un de ces jours.

Ramsden lui lança une œillade.

– Je voudrais bien.

La ligne jaune, toujours la ligne jaune…

L'appartement mis à la disposition de Karen se trouvait dans un ancien hôpital reconverti, à Ropewalk, avec vue sur le centre-ville, et n'était qu'à cinq minutes à pied du restaurant où elle avait dîné avec Mike Ramsden. Murs couleur sable, moquette neutre, tout était quasiment immaculé. Dans le salon, il y avait deux fauteuils en osier, passablement incongrus, qui semblaient provenir d'un jardin d'hiver, et un canapé à deux places, recouvert de tissu noir, qui avait l'air plus élégant que confortable. Sur une table basse, devant le canapé, la direction avait laissé une bouteille de vin rouge et deux verres — le second verre pour le cas, vraisemblablement, où elle ferait une touche. Le lit, constata-t-elle avec plaisir, était d'une taille décente et agrémenté de draps en lin blanc ; un coussin rouge sombre, seul de son espèce, était assorti aux lampes de chevet. La salle de bains était fonctionnelle mais petite, de même que le coin-cuisine.

Karen trouva un tire-bouchon et ouvrit la bouteille, un shiraz australien suffisamment généreux pour s'accommoder de l'arrière-goût du repas indien. Elle resta un petit moment à la fenêtre, son verre à la main, à regarder au-dehors, à laisser les pensées de la journée se disputer la première place dans son esprit. De temps à autre, le léger bourdonnement de la ville était transpercé par le hurlement d'une sirène de police ou d'une ambulance fonçant vers une urgence. Elle pensa à Resnick, se demanda s'il était seul, supposa que oui : elle se le représenta, perdu, errant lourdement de pièce en pièce. Elle essaya d'imaginer l'effet que ça pouvait faire de voir la personne qu'on aime abattue plus ou moins sous ses yeux, mais elle n'y parvint pas. Quelle était cette chanson que Bessie Smith chantait autrefois ? Il y était question de se réveiller seule, le cœur transi.

Mettant sur la platine l'un des CD que Resnick lui avait prêtés, elle éclusa son verre. *Downhearted Blues*. Premier enregistrement de Bessie Smith, 1923. Bessie proclamant que les ennuis la suivraient jusque dans la tombe.

Dis la vérité, sœurette, pensa Karen, dis la vérité. Les ennuis liés au fait d'avoir la peau noire. Les ennuis liés à l'amour. Les ennuis liés aux hommes. Une fois, lui avait raconté sa mère, Bessie, ayant découvert que son mari la trompait avec l'une des chorus girls de son spectacle, avait tabassé la fille et l'avait éjectée du train à bord duquel ils voyageaient, puis elle avait poursuivi son mari le long de la voie ferrée en brandissant un revolver et en tirant au jugé. Cela dit, Bessie elle-même n'était pas contre une petite chorus girl de temps à autre.

La dernière pensée, ou presque, de Karen avant de s'endormir fit écho à celle qu'avait exprimée la veille Catherine Njoroge : « Vous n'êtes à l'abri nulle part, nous pouvons vous atteindre n'importe où, même chez vous, là où vous croyez être le plus en sécurité. » Non, songea-t-elle, on n'est plus à l'abri nulle part. Tandis que ses paupières se fermaient, la nuit fut déchirée, une fois de plus, par le mugissement des sirènes.

28

Resnick se réveilla baigné de sueur. Il avait cru entendre la voix de Lynn, puis, presque aussitôt après, quelque chose lui avait frôlé le visage. Il était un peu plus de quatre heures du matin, neuf ans auparavant, et la voix de Lynn, au téléphone, était nerveuse et hésitante : « Ici l'inspectrice adjointe Kellogg, monsieur. Désolée de vous déranger, mais je crois que vous feriez mieux de venir. »

C'était une maison située sur Devonshire Promenade, avec vue sur le parc. La lune était presque pleine et il faisait froid. Lynn et un autre policier étaient arrivés les premiers sur les lieux, et c'était elle qui avait remarqué que la porte donnant sur le jardin n'était pas bien fermée. Elle encore qui avait trouvé l'un des souliers de la femme, noir, à haut talon, souillé de boue, et puis la femme elle-même, à demi nue, un bras tendu vers un monticule de terre fraîchement retournée, l'autre bras formant une courbe gracieuse au-dessus de sa tête. Des traînées de sang lui faisaient des rubans sombres dans les cheveux.

Le temps que Resnick arrive, d'autres officiers et une ambulance étaient déjà sur la scène du crime. Dans la cuisine, quelqu'un avait préparé du thé. Il mit deux sucres dans la tasse qu'on lui offrait et l'emporta dans le salon.

Lynn se tenait près de la fenêtre, les épaules raidies.

– Tenez, avait-il dit.

Et elle avait pris la tasse dans ses mains tremblantes.

Le visage de la jeune femme, habituellement rose, avait semblé d'une pâleur anormale.

Resnick avait eu tout juste le temps de lui demander si ça allait ; elle avait basculé en avant, la tasse lui échappant des mains, et il avait instinctivement tendu les bras pour la rattraper, le visage de

Lynn pressé contre sa poitrine, les doigts de sa main tendue restant accrochés un instant au coin de la bouche de Resnick.

Dehors, au-delà des rideaux, seul le gyrophare bleu d'une voiture de police trouait l'obscurité. La main de Lynn contre son visage. La première fois qu'ils s'étaient vraiment touchés.

Il se réveilla de nouveau plus tard, transi, dans une chambre glaciale. Un autre jour. Un médecin du travail appartenant à la police était passé le voir la veille dans l'après-midi. Assistance psychologique. Gestion du stress. Une petite conversation animée et une tasse de thé, telle semblait être l'idée. Le deuil, lui expliqua-t-on, affectait les gens de manières différentes : il entraînait parfois une perte d'identité, le sentiment qu'on ne pouvait plus se comporter normalement, qu'on avait soi-même cessé d'exister ; plus communément, il y avait le refus de croire à ce qui s'était passé et d'accepter la réalité de la mort. Insomnie, agitation, diverses sortes d'anxiété, autant d'effets secondaires à prévoir. Changements subits de température et d'humeur.

– Imaginez, lui dit joyeusement le visiteur, qu'on place dans un sac tous les éléments de votre système nerveux et qu'on les secoue si violemment qu'ils ne savent plus où ils en sont. Certains d'entre eux, pendant quelque temps, risquent même de cesser carrément de fonctionner. C'est cette étape que vous traversez.

« Il est tout naturel, poursuivit-il, que vous soyez déprimé par le sentiment de perte que vous éprouvez. Absolument naturel. Et plus vous étiez proche de la défunte, plus vous dépendiez l'un de l'autre au quotidien, plus cette dépression sera forte. (Il eut un sourire rassurant.) Parlez-en à votre généraliste, il vous prescrira quelque chose pour vous aider à surmonter le pire. Et si ça peut vous aider de parler, que ce soit à moi ou à un autre conseiller, n'hésitez pas à me faire signe.

Il posa une carte sur la table, à côté de sa tasse.

Un petit homme propret dans un costume bleu propret.

Curieusement, cette visite avait donné à Resnick l'impulsion nécessaire pour passer le coup de téléphone qu'il redoutait. La mère de Lynn fut lente à décrocher et, quand elle le fit, elle fondit en larmes en entendant le prénom de sa fille.

Au moins, ce n'était pas lui qui avait eu la lourde tâche d'annoncer la nouvelle, mais un officier de liaison spécialement délégué pour faire ça et pour le faire bien, Resnick n'en doutait pas : une personne ayant reçu une formation adéquate, possédant le bon dosage de lucidité et de sollicitude.

Jugeant préférable de ne pas conduire, il prit le train de la mi-matinée pour un voyage apparemment interminable à travers la campagne — champs plats, essentiellement, et profonds fossés de drainage dans la terre noirâtre des Fens —, passant par Ely, Cambridge et ainsi de suite jusqu'à Norwich, où il changerait pour prendre le petit train local qui desservait Diss.

Il acheta un café tiède et un sandwich au buffet roulant et jeta un coup d'œil sur le journal de Nottingham qu'il avait pris avant de partir.

LA POLICE RECHERCHE UN PÈRE DISPARU

Les policiers qui enquêtent sur la mort de leur collègue, l'inspectrice principale Lynn Kellogg, abattue par un tireur inconnu devant son domicile d'Alexandra Park, s'efforçaient hier soir de localiser Howard Brent, dont la fille Kelly, âgée de seize ans, a été tuée par balle à St Ann le jour de la Saint-Valentin. On croit savoir que M. Brent aurait quitté le pays...

Il jeta le journal sur le siège.

De l'autre côté de l'allée, une femme entre deux âges l'observa un moment du coin de l'œil avant de détourner le regard.

Il avait fait un voyage similaire des années plus tôt, mais en voiture : direction la côte par l'itinéraire le plus détourné possible, tellement il était peu pressé d'arriver. Le corps de la fillette avait été découvert dans des sacs-poubelle noirs, sur le plancher d'un entrepôt désaffecté, non loin de la voie ferrée qu'il empruntait maintenant. La victime avait disparu depuis soixante-trois jours. C'était l'une des premières enquêtes de ce genre sur lesquelles Lynn et lui avaient travaillé en équipe[1]. Quand on avait annoncé à la mère de la petite qu'on avait retrouvé un corps susceptible d'être celui de sa fille, elle avait simplement dit : « Pas trop tôt, putain ! »

Chagrin limité, en l'occurrence.

La fillette avait été élevée principalement par sa grand-mère, qui, après la disparition — l'enlèvement — de l'enfant, avait quitté la

---

1. *Off minor*, Rivages/Noir n° 261.

ville pour se retirer dans un bungalow des années 30 sur la côte de Mablethorpe, coupée du monde extérieur, cloîtrée avec sa culpabilité. C'était elle qui avait laissé la petite dans le parc, à jouer sur les balançoires, juste cinq minutes, le temps de courir au tabac du coin. Resnick lui avait promis, dès le début, de lui annoncer personnellement la nouvelle.

– Écoutez, lui dit-il, ce qui est arrivé, ce n'est pas de votre faute.

– Ah non ? Et qui donc a déguerpi en la laissant seule ? Pour aller chercher un paquet de clopes au coin de la rue ? Qui, hein ?

Certains jours, avait pensé Resnick, elle devait avoir toutes les peines du monde à se retenir de traverser la vaste étendue de sable grisâtre pour s'enfoncer dans les eaux froides de la mer du Nord.

Lors de la première visite de Resnick, le père de Lynn lui avait fièrement fait faire le tour de ses poulaillers, suçotant la pipe qui servait à atténuer un peu la puanteur ambiante. Resnick, poli et désireux, sinon d'impressionner M. Kellogg, au moins de ne pas se le mettre à dos, par égard pour Lynn, avait gardé ses pensées pour lui et retenu sa respiration aussi longtemps qu'il l'avait pu.

De retour dans la ferme, la mère de Lynn n'avait pu se résoudre à lui adresser directement la parole.

« Est-ce qu'il prend du sucre ? » avait-elle demandé à Lynn, alors même que Resnick était assis là, à la table de la cuisine, parfaitement capable de répondre par lui-même. Son attitude envers lui ne s'était adoucie qu'au moment où son mari avait été à l'agonie, son cancer en phase terminale. « Veillez sur Lynn, avait-elle dit en lui étreignant les mains. Elle est tout ce qui me reste, à présent. »

L'élevage de poules avait été vendu, absorbé par quelque conglomérat géant, et Mme Kellogg avait acheté un petit appartement dans le bourg de Diss, où ses points d'ancrage étaient l'église méthodiste et l'Institut des femmes, les causeries littéraires à la bibliothèque municipale une fois par mois et, en juin, deux chorales du cru qui se produisaient dans « Une célébration de la chanson anglaise ».

Pour la venue de Resnick, elle avait confectionné des sandwiches au jambon et au concombre, acheté un gâteau au citron, enfilé une robe chasuble propre, mis la bouilloire à chauffer dès l'instant où elle avait entendu ses pas approcher de la porte.

Elle avait pris une résolution : ne pas pleurer. Elle ne pleurerait pas. Mais dès qu'elle vit le visage de Resnick, ses traits se décomposèrent. Il la tint contre lui pendant qu'elle sanglotait, sentant sous ses mains les petits os durs, fragiles ; le devant de sa chemise était humide de larmes.

Il finit de préparer le thé et sortit de la cuisine en emportant les tasses et les plus belles assiettes sur un plateau. Il se sentait emprunté, encombrant, dans les pièces passablement exiguës.

– Elle m'a dit, chevrota-t-elle, tasse et soucoupe instables dans sa main, la jeune femme qui est venue, elle m'a dit que tout s'était passé très vite. Que Lynn… qu'elle n'avait pas dû se rendre compte de ce qui lui arrivait.

– Non, dit Resnick, c'est exact.

– Elle n'a pas souffert, alors ?

Il revit la moitié inférieure du visage de Lynn, fracassée jusqu'à l'os de la mâchoire. Il sentit de nouveau l'odeur du sang.

– Non, dit-il, je ne pense pas.

– C'est déjà une bénédiction.

Ils restèrent assis avec leur thé, le gâteau et les sandwiches, cependant qu'une pendule quelque part sonnait le quart, puis la demie.

– J'ai essayé de penser à l'enterrement, dit-elle subitement. Je ne sais vraiment pas ce qui est le mieux.

Resnick eut un signe de tête évasif. Il savait que le corps ne serait pas rendu à la famille avant un certain temps. Le coroner, ayant ouvert l'enquête judiciaire et établi la cause du décès, ajournerait encore l'audience pendant que les investigations se poursuivaient. Si une arrestation avait lieu dans un délai raisonnable, les défenseurs de l'accusé auraient l'option d'une seconde autopsie ; à défaut, et sans arrestation en vue, le coroner pourrait organiser lui-même une seconde autopsie, indépendante, avant de restituer le corps, mais seulement avec une autorisation d'inhumation, pas de crémation.

– J'aimerais qu'elle repose près de son père, murmura Mme Kellogg. C'est ce qu'elle aurait voulu, vous ne croyez pas ?

– Ce serait très bien, dit Resnick.

– S'il vous plaît, dit-elle en indiquant la table, reprenez un bout de gâteau. Je l'ai acheté spécialement pour vous.

Il obéit, et ce fut comme s'il avait la bouche pleine de cendres.

Pendant le trajet de retour, il somnola par intermittence, la nuit venant à sa rencontre à travers les champs. En sortant de la gare, il se rendit dans le pub le plus proche, une ancienne hôtellerie, commanda un double scotch et l'emporta à une table, retardant le moment où il lui faudrait tourner la clé dans la serrure et franchir le seuil.

« Vous devriez vendre votre grande maison, lui avait conseillé la mère de Lynn avant son départ. Trouvez-vous un appartement comme celui-ci. Ce sera plus facile à entretenir, maintenant que vous êtes tout seul. » Et elle avait déposé un baiser, sec et rapide, sur la joue de Resnick.

Il prit un second whisky et resta au bar pour le boire. Un grand poste de télévision, fixé en hauteur dans un coin, diffusait un match de football de la *Liga* espagnole, avec un commentaire en arabe qui défilait en bas de l'écran. Assis à une table, juste en dessous, mais indifférent au spectacle, un homme aux cheveux gris, vêtu d'un costume trois-pièces vieillissant, sirotait une pinte de Guinness en parlant de temps à autre à une personne qui n'était plus là.

Les machines à sous alignées contre le mur du fond marchaient à plein régime.

Plus loin, accoudés au bar, deux chauffeurs de taxi, encore en uniforme, tenaient une conversation animée en polonais, pas suffisamment près pour que Resnick en saisisse chaque mot, mais qui semblait tourner autour des piètres aménagements de l'Autobahn à l'est de Hanovre.

– Je vous ressers ? s'enquit le barman.

Resnick secoua la tête.

– Vaut mieux pas.

Il passa devant la station d'autobus et emprunta le passage souterrain qui le mènerait à Lister Gate, d'où il remonterait vers Old Market Square.

Un vendeur de *Big Issue* que Resnick avait arrêté pour effraction, dans le temps, l'accosta alors qu'il traversait Upper Parliament Street, tout près du restaurant où Lynn et lui auraient dû fêter la Saint-Valentin. Dans une ville de cette taille, Lynn était partout.

– *Big Issue* ? (L'homme eut un large sourire qui dévoila des dents cassées.) Aidez les sans-abri. Ce sont les derniers numéros.

Resnick les acheta tous les trois.

Une dizaine de jeunes femmes à divers stades de déshabillage descendaient la rue vers lui, faisant les folles, envoyant des baisers et poussant des cris stridents : quelqu'un enterrait sa vie de jeune fille et la soirée ne faisait que commencer.

– Le tien ne me tente pas ! cria l'une d'elles dans un grand rire, tandis qu'une blonde en pantalon moulant et haut en soie entrait en collision avec Resnick et, déséquilibrée, se cramponnait à son bras pour ne pas s'étaler de tout son long.

Quand elle rejoignit ses copines en trébuchant, il s'aperçut qu'il avait de la poudre sur sa manche.

Comme il quittait la route principale pour s'engager sur la route étroite, en mauvais état, qui menait chez lui, un frisson lui glaça les os. Arrivé à moins de trente mètres de la maison, il crut voir quelque chose bouger dans les ombres, sur le côté, à quelques pas de la porte d'entrée, exactement à l'endroit où avait dû se tenir l'assassin de Lynn. Resnick s'arrêta, les bras et les jambes transformés en glace, le souffle coincé dans sa gorge. Encore un effet de son imagination, se dit-il, un de plus ? Il fit deux, trois pas, accéléra l'allure, se mit presque à courir, puis ralentit quand il eut atteint la barrière.

– Charlie…

Il reconnut la voix de Graham Millington avant même de l'avoir vu. Son ancien adjoint s'avançait pour l'accueillir, la main tendue.

– Charlie… J'ai eu envie de passer, histoire de voir comment ça allait.

29

Ce vendredi matin, le jour où Resnick faisait à contrecœur son voyage dans l'est pour rendre visite à la mère de Lynn, Karen avait rendez-vous avec Stuart Daines.

Ce n'était pas loin à pied de son appartement, à Wellington Circus, dans un immeuble anonyme qui se distinguait uniquement par son numéro. Daines avait assuré à Karen qu'il serait à son bureau pour huit heures et demie, neuf heures au plus tard, et il tint parole : quand elle arriva, il travaillait sur son ordinateur portable et la fit attendre quelques instants avant de sauvegarder ses fichiers. Il s'empressa ensuite de lui serrer la main, de lui avancer un siège et de la mettre à l'aise. Karen lui rendit brièvement son sourire, notant la chemise rose impeccable, aux poignets mousquetaires, la montre Tag Heuer, la tache verte dans le coin d'un œil.

– Le meurtre de l'inspectrice principale Kellogg, dit-il d'un ton aimable. Vous aviez quelque chose à me demander ?

– Juste une ou deux précisions, répondit Karen d'un ton presque détaché. Du background, en fait.

– Certainement, tout ce que vous voudrez. C'est affreux, ce qui lui est arrivé. Enfin… je ne la connaissais pas bien, mais elle semblait très impliquée dans ce qu'elle faisait. Efficace. Un bon officier de police. (Il se pencha un peu en avant.) Mais, encore une fois, je ne la connaissais pas plus que ça.

– Vous ne lui aviez pas envoyé des fleurs ?

– Pardon ?

– Des fleurs. Vous lui aviez envoyé des fleurs.

– Ah ! oui. J'avais oublié. À la suite de cet incident, il y a quelques semaines, où une fille a été tuée.

– Kelly Brent.

– Oui. Kellogg s'était retrouvée dans la mêlée, je ne sais comment, et avait elle-même reçu un pruneau. Dieu merci, elle portait un gilet pare-balles. Rien de trop grave, en définitive.

– Vous avez dit que vous ne la connaissiez pas bien, insista Karen.

– C'est exact.

– Alors ?…

Daines sourit.

– Nous nous étions rencontrés à un séminaire de la SOCA que j'avais contribué à organiser. Je l'avais encouragée, par plaisanterie, à quitter le navire pour rejoindre nos rangs. Un nouveau défi, d'une certaine manière. Et puis, quand nous nous sommes revus, c'était au sujet de l'affaire Zoukas, le procès… vous êtes au courant de cette histoire ?

– Un peu.

– Bon, vous pouvez imaginer. Après tout le travail qu'elle avait fourni, elle était assez remontée. Surtout contre moi. Les fleurs, c'était juste une façon de… comment dire ?… de jeter une passerelle entre nous.

– Après le renvoi du procès, vous êtes allé à Londres avec elle, je crois ? Pour parler à l'un des témoins ?

– Andreea Florescu, oui. J'espérais qu'elle pourrait identifier un ou deux individus qui nous intéressent.

– Dans quel cadre ?

– Une enquête en cours. De longue durée. Je cherchais une simple confirmation, en fait.

Nouveau sourire, disparu sitôt ébauché.

– Et elle a pu vous aider ?

– Elle a affirmé que non.

– Ce qui laisse à entendre que vous ne l'avez pas crue.

– Elle avait peur. Elle s'est peut-être dit que le silence était la meilleure option.

– Mais vous ne l'avez pas poussée dans ses retranchements ?

Daines croisa les jambes, une cheville sur l'autre.

– Je vous le répète, ce n'était pas crucial, juste histoire de mettre les points sur les i et les barres aux t.

– Étiez-vous au courant, s'enquit Karen, de la dernière visite qu'a faite l'inspectrice principale Kellogg le jour de sa mort ?

Daines parut déconcerté.

251

– Une visite ? Où ça ?

– À Londres. À l'appartement où séjournait cette Andreea. L'homme qui l'hébergeait se faisait du souci pour elle. Il pensait qu'elle risquait de partir, de disparaître.

– C'est courant, dit Daines, chez ces gens-là.

– Ces gens-là ?

– Oui, enfin… les immigrés. Les demandeurs d'asile. Ils veulent toujours avoir un coup d'avance sur les autorités.

– Je crois savoir qu'elle était ici en toute légalité, avec un visa d'étudiante.

– Il n'empêche.

– Vous n'avez pas l'air trop concerné.

Daines haussa les épaules.

– J'ai d'autres chats à fouetter, malheureusement.

– Donc, pour que ce soit bien clair, vous ne *saviez* pas que l'inspectrice principale Kellogg revenait de là-bas le soir où elle a été tuée ?

Daines secoua la tête avec impatience.

– Je ne vois pas en quoi c'est important, mais non. Je croyais l'avoir déjà dit.

Karen se leva.

– Et vous ne voyez rien d'autre qui pourrait avoir un rapport avec le meurtre ?

– Non, rien, je regrette. Mais bien entendu, si quelque chose me revient…

Karen lui dédia un sourire de pure forme et se tourna vers la porte.

– Et l'enquête, elle avance ? demanda Daines.

– Vous savez ce que c'est, dit Karen. Lentement mais sûrement.

– Bonne chance, en tout cas.

Karen n'avait pas quitté la pièce qu'il était déjà replongé dans son ordinateur.

Dehors, la journée promettait d'être plus agréable. Karen descendit à pied la rue escarpée et s'assit à la terrasse du café Playhouse, en face d'une imposante sculpture concave en métal qui reflétait de larges portions de soleil et de nuages. Hormis une femme vêtue d'un coûteux tailleur noir, très affairée sur son Blackberry, Karen avait l'endroit pour elle toute seule. Quand le serveur apparut, elle commanda un Americano avec un peu de lait froid à part, hésita entre une sorte de muffin ou peut-être un brownie au chocolat — « à tomber », lui dit le serveur, limite familier et en même temps un brin cabotin —, mais rejeta finalement l'un et l'autre. La vue de son reflet dans la glace, le matin même, avec un début de ventre trop apparent à son gré, l'incita à se restreindre.

Elle contemplait l'éclat métallique du ciel lorsque son café arriva, et elle se prit à regretter de ne plus fumer. Elle avait arrêté depuis maintenant pas mal d'années, et pourtant, dans des occasions comme celle-ci, elle était encore taraudée par un certain manque, léger mais insistant. La femme au Blackberry — une pro du marketing, d'après la conversation qu'elle venait d'avoir — choisit précisément cet instant pour allumer une cigarette et l'odeur de tabac, insidieuse, flotta dans l'air.

Karen versa un peu de lait dans sa tasse. Personne, songea-t-elle — du moins, aucun homme — n'irait envoyer des fleurs à une quasi-inconnue sans qu'il y ait dans son geste une connotation sexuelle ou, à tout le moins, romantique. Et Daines était du genre à se considérer comme un expert en matière de femmes : il suffisait de voir comment il avait reluqué Karen quand elle était entrée dans son bureau, pas exactement d'un œil lubrique, mais avec ostentation, fixant son regard sur les seins avant de descendre et de remonter, l'ombre d'un sourire jouant aux commissures de ses lèvres.

Donc, y avait-il eu quelque chose entre lui et Lynn Kellogg ? Pas impossible, Lynn étant engagée depuis peu dans une relation avec un homme passablement plus âgé, plus plan-plan. Et, si oui, était-ce un élément important ? Important dans le cadre de l'enquête ?

À première vue, elle ne voyait pas comment. Sauf si Resnick avait découvert leur liaison et, dans un accès de jalousie, avait décidé de se venger. Othello et Desdémone. Pour tout dire, elle n'arrivait pas à y croire.

Elle avait sur son portable le numéro de l'inspecteur qu'elle connaissait à l'Unité Trident — et, par un petit miracle, il répondit tout de suite.

– Karen ! s'exclama-t-il joyeusement. Longtemps qu'on ne s'est vus.

– Je me demandais s'il vous serait possible de me rendre un petit service.

– Ma foi, pourquoi pas ?

Elle lui expliqua ce qu'elle voulait.

– Ouais, dit-il, je peux faire ça. Passer quelques coups de fil. Nous avons quelqu'un en poste là-bas, à titre plus ou moins permanent. Mais vous voulez une réponse pour quand ?

– Le plus tôt possible ?

– OK. Je vous rappellerai.

Karen le remercia, promit de prendre un pot avec lui dès son retour à Londres et coupa la communication.

– Vous désirez autre chose ? s'enquit le serveur, se matérialisant à son épaule.

Karen secoua la tête.

– Juste l'addition, merci.

Elle laissa la petite monnaie sur la table.

Si elle se souvenait bien du plan de la ville, il ne lui faudrait qu'une dizaine de minutes, d'où elle était, pour se rendre à pied au commissariat central. À chaque centimètre du trajet, une pensée ne cessa de la tarabuster : deux meurtres par balle, deux attaques contre la même personne en l'espace de… combien de temps ? Un mois ? Fallait-il y voir une simple coïncidence ?

En entrant dans le bâtiment, elle se cogna contre Khan.

– Anil, je vous croyais à Londres ?

– J'y étais, boss. J'ai fait chou blanc.

– Comment ça ?

– Je suis allé à l'adresse indiquée, personne. J'ai parlé aux voisins, l'un d'eux a déclaré avoir vu l'homme partir il y a deux jours, une espèce de sac marin sur l'épaule. On ne l'a pas revu depuis.

– Et la femme ?

Khan secoua la tête sans répondre.

– Vous ne pensez pas…

– Dans l'appartement ? Je suis allé au poste de police local, un des collègues est revenu avec moi et a forcé une fenêtre. Personne à l'intérieur. On voyait à certains signes que la femme avait habité là, mais rien n'indique qu'elle y habite encore. L'homme — Bucur — a laissé une pile de livres, des vêtements… mais ses affaires de rasage et sa brosse à dents ont disparu.

Karen exhala lentement.

– Bon, tâchez d'obtenir des signalements et faites-les circuler. Témoins recherchés pour interrogatoire — vous connaissez le topo.

– D'acc, boss.

– À propos, Anil, l'homme inculpé du meurtre de Kelly Brent…
Williams, c'est bien ça ?

– Lee Williams, oui.

– Qui l'a interrogé ?

– L'inspecteur principal Resnick, je crois. Avec Catherine, une partie du temps. Et aussi Michaelson… ou Pike, je ne sais plus.

– Merci.

En un rien de temps, le directeur administratif exhuma les bandes de l'interrogatoire et une paire d'écouteurs pour permettre à Karen d'écouter sans être interrompue. Resnick s'était montré exhaustif et méthodique, agressif quand c'était nécessaire. Williams n'en démordait pas : s'il était allé à St Ann avec un flingue, c'était uniquement pour se protéger, le bruit ayant couru que plusieurs membres du gang adverse seraient armés. Qu'est-ce qu'il était censé faire d'autre, hein ? Et Kelly Brent ? Ben quoi, elle avait eu ce qu'elle méritait, la garce, non ? Aucun respect, comme toutes ces salopes noires.

Pas une once de regret dans la voix de Williams. Il ne se rendait même pas vraiment compte de ce qu'il avait fait.

– L'officier de police, dit Resnick. Elle a reçu une balle, elle aussi.

– Elle avait qu'à pas fourrer son nez dans nos affaires, répliqua Williams. Comme ça, elle aurait pas été blessée.

Resnick avait un peu insisté sur ce point, mais il était clair que Kelly Brent avait été l'unique cible de Williams et que Lynn Kellogg avait simplement eu le tort d'exercer son métier et de s'exposer au danger.

Karen écouta la bande jusqu'au bout : en dehors du fait que Kellogg était la victime dans les deux cas, elle ne put trouver aucun lien entre les deux fusillades.

Elle venait tout juste de restituer les bandes quand Mike Ramsden, qui la cherchait, arriva en brandissant le journal du matin, l'air indigné.

– Z'avez vu ça ? gronda-t-il, abattant sa main sur la page incriminée. Un gamin poignardé à mort dans le sud de Londres ! À Lewisham. Une bataille rangée dans la grand-rue, avec une trentaine de combattants impliqués. Ce môme a été roué de coups à la tête avant d'être poignardé quatorze fois. Quatorze fois, putain !

Il balança le journal sur le bureau le plus proche.

– Et cette fille qui s'est fait tirer dessus il y a quelques jours, devant un bar de Leeds. Elle faisait du gringue au mec qu'il ne fallait pas. Elle est morte hier soir. Sans avoir repris connaissance. C'est là-dedans, même journal, deux lignes en bas de la page neuf. Putain de pays ! Tout part en couille.

– Inspirez profondément, Mike, dit Karen. Comptez jusqu'à dix.

– OK, OK. Mais avouez que parfois…

– Je sais.

– Ce foutu monde donne l'impression de courir à la catastrophe dans un fauteuil roulant.

– En attendant…

– En attendant quoi, exactement ?

– En attendant, nous faisons notre boulot du mieux que nous pouvons.

– Vous croyez que ça fait un pet de différence ?

– Je crois que, peut-être, ça retarde d'autant la catastrophe.

Ramsden pencha la tête de côté.

– Vous savez ce que c'est, votre problème ?

– Je suis sûre que vous allez me le dire.

– Vous êtes une incurable optimiste, voilà ! Sous un putain d'orage à tout casser, avec tonnerre et éclairs, dans le noir le plus absolu, vous serez là à vous abriter sous un pathétique petit parapluie en gazouillant « Ce n'est rien, ce n'est rien, juste une petite averse… ».

Karen rit de bon coeur.

– Bon, d'accord, donnez-moi de quoi alimenter mon optimisme.

– Pas facile.

– Essayez quand même.

Ramsden se percha sur le coin d'un bureau.

– On a passé en revue les enquêtes menées par Kellogg. Deux ou trois valaient la peine d'y regarder de plus près, mais bon… rien qui saute aux yeux et qui fasse tilt. Sinon, pour la chaussure, la marque de la basket est confirmée, mais ça ne nous avance très précisément à rien. *Idem* pour les mégots de cigarettes : probable qu'ils étaient là plusieurs jours avant le meurtre, jetés d'une voiture et emportés par le vent, que sais-je.

Karen fit la moue.

– Du nouveau, côté labo ?

Ramsden secoua la tête.

– Ils ont fait machine arrière.
– Mais encore ?
– Ils disent demain.
– Sans faute ?
– Juste demain.
– Et la Sierra disparue ?
– *L'hypothétique* Sierra.
– D'accord, *l'hypothétique* Sierra.
– Toujours disparue.
– Mais on s'en occupe ?
– Oh ! oui.
Karen émit un profond soupir.
– Seigneur, Mike, où allons-nous comme ça ?
Ramsden haussa les épaules, sourire aux lèvres.
– À Nottingham ?

30

Graham Millington avait apporté une bouteille d'excellent scotch, un single malt Springbank, pas précisément bon marché. Après un premier quart d'heure un peu contraint, Resnick et lui s'assirent et bavardèrent avec décontraction du bon vieux temps et de la situation actuelle dans le Devon. Millington aimait son travail de policier, mais il exposa avec véhémence les périls qu'il y avait à vivre si près de ses beaux-parents : la mère de Madeleine, quand elle était lancée à pleins gaz — pour reprendre son expression — se révélait plus dangereuse qu'une Kawasaki avec side-car fonçant à contresens dans une rue à sens unique. Simple boutade fondée sur des préjugés antédiluviens et sur des clichés démodés concernant les belles-mères, aurait peut-être pensé Resnick s'il n'avait rencontré un jour la bonne dame en question. Rien qu'à ce souvenir, il rentra la tête dans les épaules.

– Vous savez, dit Millington, quand elle a rejoint nos rangs, la petite Lynn... (La bouteille était maintenant suffisamment descendue pour qu'il puisse aborder le sujet sans embarras.)... pour être honnête, je n'étais pas sûr qu'elle tiendrait la distance. Pas au CID. Elle était brillante, ça oui. Enthousiaste, aussi. Pas du genre à se défiler. Mais réservée, introvertie. Elle venait du fin fond de la cambrousse, vous me direz. Et vu comment était la brigade à l'époque, avant que cette connerie de « politiquement correct » ne fasse des ravages, ce n'était pas facile pour une femme de s'intégrer — surtout pour elle, qui était seule de son espèce dans l'équipe. Mais il y a eu la fois où elle a tenu tête à Divine, vous vous rappelez ?

Resnick s'en souvenait bel et bien. Mark Divine, un joueur de rugby bien baraqué qui n'était plus aujourd'hui dans la police, avait été un inspecteur adjoint mal dégrossi, jamais le dernier quand il s'agissait d'ouvrir sa grande gueule, et ce jour-là il avait fait connaître son opinion sur l'épouse d'un collègue qui souffrait d'une forte dépression post-natale. L'insensibilité cynique de Divine avait atteint un point où Lynn s'était sentie tenue d'intervenir, sur quoi il avait renchéri avec quelques remarques malvenues sur la vie amoureuse — ou l'absence de vie amoureuse — de Lynn, laissant entendre que, pour qu'un mec ait envie d'elle, il faudrait que ça se passe dans le noir complet ou qu'elle se mette sur la tête le sac proverbial.

Sans hésitation, elle l'avait giflé à toute volée, avec suffisamment de force pour le faire vaciller sur ses talons, laissant sur sa joue l'empreinte bien nette de ses doigts.

Resnick et un autre policier avaient dû empêcher Divine d'user de représailles, et il avait fallu par la suite une sévère réprimande pour qu'il se tienne à carreau. Mais Lynn avait marqué un point. Et même davantage. C'était peut-être regrettable qu'elle ait dû en arriver là pour se faire accepter, mais c'était ainsi.

— Vous avez eu de la chance, Charlie, dit Millington, vous en êtes bien conscient, hein ? Je ne vous parle pas de maintenant, évidemment... je ne souhaiterais pas à mon pire ennemi ce qui vous est arrivé. Non, je parle du moment où elle s'est entichée de vous. Sacré veinard !

Resnick acquiesça, sachant que c'était la vérité.

— Vous étiez un sinistre enquiquineur par moments, reprit Millington. À force de vivre tout seul pendant des années, après que votre bourgeoise a pris ses cliques et ses claques. Pas tellement au travail, non, c'est vrai, mais après le service, quand vous restiez planté devant une pinte, l'air renfrogné, avant de regagner vos pénates, la queue entre les jambes, pour nourrir vos satanés chats et écouter bêler je ne sais quelle vieille bique, une de ces chanteuses de jazz dont vous raffolez, Billie Machinchouette...

Il rit avant d'enchaîner :

— Je n'ai jamais compris ce que Lynn vous trouvait, mais elle était mordue, et ça a redonné un semblant de sourire à votre figure, un peu de ressort à votre démarche. Elle vous a donné une deuxième chance, Charlie, voilà ce qu'elle a fait. Une deuxième chance de connaître le bonheur. Alors, soyez-en reconnaissant. Pas maintenant, la blessure est encore trop récente, trop à vif, mais plus tard. Quand vous pourrez, quand vous en serez capable. Elle a été une formidable compagne et elle vous aimait comme pas possible, même si je suis toujours infoutu de piger pourquoi.

Il versa encore un peu de scotch dans le verre de Resnick, puis dans le sien.

– Il y a un match demain, vous savez ? J'ai pensé que ça pourrait vous tenter, avant que je reparte. Vous et moi à Meadow Lane, comme au bon vieux temps, à regarder perdre ces andouilles.

Peut-être, songea Resnick, peut-être. Ces temps-ci, le football avait été très éloigné de son esprit. Et il pensait encore à ce que lui avait dit Millington : un sacré veinard, voilà donc ce qu'il était ?

Ma foi, oui, se dit-il en buvant une gorgée. Veinard et malchanceux à la fois.

Lorsque Elaine l'avait quitté pour ce faux cul d'agent immobilier et l'avait persuadé de consentir au divorce, il avait eu deux liaisons de courte durée, rien de plus, et il s'était imaginé sans grand enthousiasme passant le restant de sa vie en sa seule compagnie. Sans compter les chats. Et puis Lynn s'était mise à le regarder d'une façon différente, et il s'était demandé, comme Millington, ce qu'elle pouvait bien lui trouver de si spécial. Il s'en était étonné. Émerveillé. Il avait passé les six premiers mois dans une sorte d'hébétude, terrifié à l'idée qu'elle se réveille en sursaut, consciente de l'erreur qu'elle avait commise, qu'elle boucle ses valises et prenne la porte. Puis, comme ses craintes ne se réalisaient pas, il avait fini par se détendre, par admettre que tout allait pour le mieux, que c'était bien réel, qu'elle était là pour rester.

En quelques secondes, tout avait changé.

Elle n'était plus là.

Il eut de nouveau froid, puis chaud. Au moins, depuis plusieurs heures, il n'avait pas fondu en larmes sans avertissement. Avec un soupir, il leva son verre et le vida. Bon scotch ou pas, il aurait sacrément mal aux cheveux en se réveillant.

Dans la cuisine, il leur prépara des toasts au fromage avec de la moutarde et de la sauce au soja, en donnant les croûtes de fromage à ses chats. Millington insista pour prendre les siens avec du thé, assez fort pour que la cuiller tienne à la verticale dans sa tasse. Le lit de la chambre d'amis était déjà fait. Resnick expédia Millington à l'étage et s'affaira un moment dans la cuisine, à mettre de l'ordre. Il caressa la pensée de rester encore un peu en bas, tout seul, pour écouter « une de ces vieilles biques », comme disait Millington.

Mais finalement, il monta à son tour. S'il arrivait à dormir au-delà de quatre heures du matin, il s'estimerait heureux.

Pour la première fois depuis longtemps, Resnick ne sentit pas son cœur s'emballer à l'approche du terrain de foot, tandis que Graham Millington et lui, au milieu d'une petite foule, quittaient London Road pour traverser le canal. Le ciel était brillant mais l'air suffisamment froid pour leur couper le souffle. Une fois à l'intérieur du stade, Millington, qui avait ses petites habitudes — encore plus que Resnick lui-même —, fit la queue pour acheter des tasses de Bovril[1] et deux tourtes à la viande et aux pommes de terre. Ils étaient placés à proximité de la ligne médiane, au dixième ou douzième rang, et l'herbe d'un vert presque phosphorescent promettait un spectacle extraordinaire, voire magique.

Les quinze premières minutes, festival de tacles malencontreux et de passes ratées, ne tardèrent pas à démentir cette première impression, le public réservant le gros de ses invectives — officiels mis à part — à ce qu'il considérait comme les défauts de son équipe. Celle-ci ne fut jamais mauvaise au point de donner l'occasion aux spectateurs d'entonner en chœur *You're Not Fit to Wear the Shirt*[2], mais pas loin. D'un autre côté, les visiteurs n'étaient guère plus brillants, mélange de vieux bourrins dépassés et de jeunots appliqués qui ne manifestaient pas beaucoup d'initiative ni d'ambition. Jusqu'au moment où, peu avant la pause, ils frôlèrent l'exploit avec un tir à vingt-cinq mètres que le gardien de Notts fut bien inspiré de dévier au-dessus de la barre.

– Nom de Dieu ! s'exclama Millington. Il n'est pas passé loin ! (Jetant un regard en coin, il ajouta :) Allons, Charlie... ils jouent mal, mais quand même pas à ce point-là.

Resnick était assis, les épaules voûtées, des larmes silencieuses coulant sur ses joues.

La seconde période fut de meilleure qualité, les recommandations de l'entraîneur semblèrent porter leurs fruits. Le ballon, au lieu d'être indéfiniment renvoyé haut, en plein cœur de la défense, fut joué sur les ailes puis botté en travers du terrain, Jason Lee faisant sentir sa présence dans la surface de réparation, les coudes et

---

1. Genre de Viandox. *(N.d.T.)*
2. *Vous n'êtes pas dignes de porter le maillot. (N.d.T.)*

l'expérience comptant à égalité. Notts semblait bien parti pour marquer — une tête de Lee qui rebondit sur le poteau, un tir contré de justesse par une jambe tendue — et puis, à moins de cinq minutes de la fin, à la suite d'un corner, il y eut une certaine confusion dans la surface de réparation de l'équipe locale et le ballon s'échappa, franchissant la ligne de justesse.

Les supporters des visiteurs, rassemblés derrière le but adverse, se mirent à scander des slogans et à lancer des quolibets. Certains fans de Notts répondirent par des gesticulations et des lazzis, tandis que d'autres, tête basse, commençaient à partir. Resnick et Millington, stoïques, restèrent pour boire le calice jusqu'à la lie.

– C'est réconfortant de voir que certaines choses ne changent pas, déclara Millington lorsqu'ils quittèrent le stade. Ils savent encore se prendre trois points dans les gencives juste avant le coup de sifflet final.

À la gare, ils se serrèrent la main. Millington prenait le train pour Leicester, où il devait retrouver un autre ancien collègue avant de repartir le lendemain pour le Devon.

– Prenez soin de vous, dit-il.

Resnick acquiesça, se força à sourire.

– Je ferai de mon mieux.

Au lieu de prendre l'un des taxis qui attendaient, il opta pour la marche.

31

Resnick ne comprit pas pourquoi les bruits de la circulation, sur la route principale, étaient si audibles, ni pourquoi la lumière qui filtrait à travers les rideaux était si éclatante — jusqu'au moment où, consultant son réveil, il s'aperçut qu'il était onze heures moins cinq. Sa première vraie nuit de sommeil depuis des lustres.

En plus, il avait faim.

Après une douche revigorante, il étala des bandes de bacon sur le gril, battit des œufs dans un bol, ajouta du poivre, du sel et deux giclées de Tabasco, et pendant que l'omelette chauffait, il mit la cafetière sur la cuisinière.

Son petit déjeuner terminé — ou plutôt le déjeuner ? —, il téléphona pour se renseigner sur la restitution du corps de Lynn en vue de l'enterrement. Compte tenu des circonstances et du fait que la cause de la mort n'était guère sujette à caution, le coroner déclara qu'il serait heureux de s'occuper lui-même d'une seconde autopsie, après quoi l'inhumation pourrait avoir lieu. Tout ce qu'il lui fallait, c'était le feu vert de l'officier responsable de l'enquête, confirmant qu'il n'y avait pas d'arrestation imminente.

Resnick le remercia et composa le numéro du commissariat central pour parler à Karen Shields, mais il dut se contenter de laisser un message. Bill Berry prit son appel suivant, mais il paraissait si gêné, si mal à l'aise, que Resnick inventa un prétexte pour raccrocher.

Il ne lui restait plus qu'à aller en ville à pied.

Le marché couvert du Victoria Centre avait frisé la fermeture à plusieurs reprises, la moitié des échoppes étant restées inoccupées ou ayant changé de mains. En définitive, un effort de dernière minute et une nouvelle couche de peinture avaient empêché de justesse toute l'entreprise de s'effondrer complètement. La brûlerie italienne que Resnick avait fréquentée pendant un nombre respectable d'années avait aujourd'hui un air abandonné, et les rares clients qui étaient assis aux tables, l'air abattu, faisaient penser à des passagers en rade dans un aéroport d'où ne partait plus aucun avion.

Il but lentement son expresso en lisant le compte rendu du match dans le journal de la veille au soir. *Notts malheureux jusqu'au bout.* Il se rappelait une époque où il n'en avait pas toujours été ainsi, mais ce souvenir s'estompait rapidement.

Son portable sonnait si rarement qu'il ne se rendit pas compte, sur le moment, que c'était le sien. Karen Shields le rappelait : s'il ne faisait rien de particulier, pouvait-il passer au commissariat, qu'elle le tienne au courant ?

En entrant dans le bâtiment, il se fit l'effet d'un pestiféré. Des policiers qu'il connaissait de vue et qui le connaissaient au moins de nom tournèrent les talons en le voyant approcher et s'affairèrent ailleurs. D'autres lui serrèrent la main et présentèrent leurs condoléances, mais sans le regarder une seule fois dans les yeux. Seule Catherine Njoroge se fit un devoir de venir à sa rencontre pour lui demander comment il s'en sortait, puis d'écouter sa réponse comme si elle y attachait de l'importance.

Karen Shields, nota-t-il, avait punaisé au-dessus de son bureau la photographie d'une femme qui, d'après la ressemblance, devait être sa mère, à côté d'un tirage photo granuleux de Bessie Smith réalisé sur ordinateur.

– Comment ça s'est passé ? demanda-t-elle. Le retour ?

Resnick haussa lourdement les épaules.

– Je ne m'étais pas rendu compte qu'un deuil était une maladie contagieuse.

– Les gens sont embarrassés. Ils ne savent pas quoi dire, alors ils finissent par ne rien dire du tout.

Il prit une chaise et s'assit en face de Karen, qui remarqua les ombres foncées autour de ses yeux.

– Vous n'avez pas dormi.

– Pas jusqu'à cette nuit.

– Ça passera.

Le temps, imaginait-il, lui donnerait raison : ce qui était extraordinaire deviendrait normal et il continuerait d'avancer.

– J'ai parlé tout à l'heure au coroner, dit-il. Votre feu vert est nécessaire avant de pouvoir prendre des dispositions pour l'enterrement.

Karen opina du chef.

– Nous sommes encore loin de procéder à une arrestation. D'autre part, je ne vois aucun élément particulier que pourrait exploiter éventuellement un avocat de la défense. Donc, j'appellerai le coroner dès que possible.

– Merci.

– Vous devez trouver ça frustrant, de ne pas pouvoir participer à l'enquête en cours.

– Au début, non, ça m'était égal. Je pense que j'étais incapable de me concentrer sur quoi que ce soit. Incapable même de penser clairement.

– Et maintenant ?

– Vous pourriez me mettre à l'épreuve.

Elle prit un dossier qu'elle fit glisser sur le bureau.

– Ceci est arrivé hier soir, tard.

C'était un tirage sur papier du rapport de Huntingdon. Les marques identifiaient l'arme utilisée comme étant un pistolet Baikal IZH-79 9 mm et confirmaient que les deux balles avaient été tirées par la même arme.

– S'ils ont retardé leur rapport d'un jour, expliqua Karen, c'est parce qu'ils comparaient les marques avec la base de données. Un lot de revolvers identiques a été saisi au printemps dernier lors d'une descente de police.

– Un lot saisi par la police londonienne ?

– En association avec les Douanes.

– La SOCA, donc ?

– Pas exactement. Du moins, je ne crois pas. La SOCA n'a été lancée qu'en avril et cette opération, qui a eu lieu en mai, avait dû être préparée longtemps à l'avance.

– Vous suivez la piste ?

Karen acquiesça.

– J'ai parlé à l'un des policiers concernés et il a transmis un message à l'inspecteur divisionnaire qui dirigeait l'opération, côté Londres. Il est en ce moment à un séminaire je ne sais où mais il a promis de me rappeler. Si j'ai bien compris, plusieurs petits lots de ces armes ont été introduits dans le pays depuis dix-huit mois ou plus. Certains ont été interceptés, mais pas tous.

– Et ceux qui ne l'ont pas été peuvent être n'importe où à l'heure qu'il est.

– Exactement.

– Aucune rumeur comme quoi le tireur viendrait de la rue ? demanda Resnick.

– Pas pour l'instant.

– Si quelqu'un avait des tuyaux, on peut supposer que ça aurait déjà filtré.

– Une des entreprises locales a proposé d'offrir une récompense pour toute information.

– Ça peut aider. Difficile à dire. Le danger, c'est que le standard soit pris d'assaut par des gens qui ne savent pratiquement rien, mais qui en rajouteront dans l'espoir d'empocher l'argent.

– Je sais bien.

Resnick changea de position sur sa chaise.

– Toujours aucun signe de Brent, je présume ?

– Rien. Pour autant que nous sachions, il est encore à la Jamaïque. Nous sommes en liaison quasi permanente avec la police locale, mais ce n'est pas facile. Et il n'est pas le seul à avoir disparu.

– Comment ça ?

– Alexander Bucur et Andreea Florescu. On ne les a pas revus, semble-t-il, depuis le lendemain du meurtre.

– Vous pensez qu'il y a un lien ?

Karen sourit.

– Ça dépend jusqu'à quel point vous croyez aux coïncidences.

– Si Lynn est allée à Londres, c'est parce qu'Andreea avait peur. Je sais, d'après ce que m'a dit Lynn, qu'elle avait déjà fait l'objet de menaces.

– Dans le cadre de l'affaire Zoukas ?

– Oui. Ils l'avaient avertie de ce qui lui arriverait si elle acceptait de témoigner.

– Ce qu'elle a fait.

Resnick hocha la tête.

– Tout indique, reprit Karen, qu'Alexander et elle ont pris la tangente.

– Ensemble ?

– Pas à notre connaissance.

Soudain, le téléphone de Karen sonna.

– Je descends, dit-elle dans l'appareil.

Puis, s'adressant à Resnick :

– Howard Brent vient de se présenter au commissariat de son propre chef.

Il y avait du monde à l'accueil : deux adolescents assis, l'air morose, dont l'un tamponnait avec un mouchoir son nez en sang ; un homme en pantalon de treillis et maillot Forest, le crâne à moitié rasé là où on lui avait recousu une plaie ; un autre homme, plus âgé, aux dreadlocks grisonnantes, qui récitait des versets de la Bible, et une jeune femme, pâle et maigre, qui serrait contre sa poitrine un bébé de quatre ou cinq mois tandis qu'un autre enfant, à peine un an de plus, pleurnichait et braillait alternativement dans la poussette-canne à côté d'elle.

Au milieu de la pièce se tenait Howard Brent. Blouson de cuir noir, tee-shirt blanc, large pantalon foncé, chaussures en cuir noir et blanc ; piercing à l'oreille gauche, chaîne en or autour du cou. Beau. Grand. Lorsque Karen entra, Resnick sur ses talons, il se redressa de toute sa taille.

À la vue de Resnick, ses yeux brillèrent.

– Paraît que votre copine est morte, dit-il. Tuée à coups de revolver, hein ? Une balle dans la tête. Et vous voulez que je vous dise ce que ça me fait ? (Son visage se fendit d'un sourire.) Ça me fait du bien, voyez ? Du bien à l'intérieur. Parce que maintenant, vous savez. Vous savez l'effet que ça fait. Voir quelqu'un qu'on aime...

Resnick fonça sur lui, tête baissée, poings levés.

Au dernier moment, Brent s'écarta et lui fit un croche-pied, envoyant Resnick s'étaler de tout son long, déséquilibré, un bras tordu sous lui, son visage heurtant violemment le bas de la plinthe.

Deux agents en uniforme saisirent Brent par les bras et le tirèrent en arrière.

Karen s'approcha de Resnick qui gisait par terre, bougeant à peine.

Brent continuait de sourire en hochant la tête.

– Une ambulance ! cria Karen. Tout de suite !

Elle et un autre policier aidèrent Resnick à s'asseoir. Il avait une entaille au-dessus de l'œil droit, lequel se fermait rapidement, et son nez cassé avait éclaboussé de sang tout le devant de sa chemise.

32

L'un des urgentistes redressa le nez de Resnick avant de le conduire à l'ambulance.

– Et voilà, dit-il pendant que Resnick hurlait. Comme neuf !

À l'hôpital, on lui fit sept points de suture à l'arcade sourcilière, puis une radio qui détermina que son coude gauche, extrêmement douloureux, était fortement contusionné mais pas cassé. Un scanner, effectué à titre de précaution, ne révéla aucune trace d'hémorragie intracrânienne. Une fois rafistolé et armé d'une bonne dose d'Ibuprofène, on le renvoya chez lui. La science médicale ne pouvait rien pour son orgueil blessé, pour le dégoût que lui inspirait sa propre stupidité.

Avec une célérité inhabituelle, la médecine du travail de la police entra en action. Le lendemain matin, peu après dix heures, le chirurgien de la police jugea, assez opportunément, que Resnick souffrait d'un syndrome de stress post-traumatique et le déclara officiellement inapte au travail.

– Charmant accueil ! avait dit Brent pendant qu'on emmenait Resnick vers l'ambulance. J'apprends que vous voulez me causer, je me pointe de mon plein gré et qu'est-ce qui se passe ? Ce mec me fonce dessus comme un taureau furieux, sans avertissement, sans raison.

– Il y avait une raison, objecta Karen d'un ton sec.

– Vous croyez ça ?

– Vous l'avez délibérément provoqué, poussé à bout.

– Tout ce que j'ai fait, dit Brent avec un sourire dans les yeux, c'est lui exprimer ma sympathie. Pour son deuil, voyez ?

– Si ses blessures se révèlent sérieuses, vous pourriez avoir de graves ennuis.

Brent eut un ricanement dédaigneux.

– Si quelqu'un porte plainte, là, c'est moi. Pour agression, d'acc ? Intention de causer des dommages corporels. (Il prononça chaque syllabe avec délectation.) Comme j'ai dit, c'est lui qui m'a sauté dessus, moi j'ai fait que m'écarter. Demandez à n'importe qui. (Il fit un ample geste du bras.) Allez-y, demandez à tous ces gens qui sont là. Prenez les dépositions des témoins, ouais ? Demandez-leur ce qu'ils ont vu.

Karen savait qu'il avait raison. Provocation ou pas, Resnick avait complètement disjoncté. À bien des égards, c'était une chance que Brent ait esquivé l'attaque aussi adroitement. S'il avait été sérieusement blessé ou quoi que ce soit d'approchant, non seulement Resnick mais la police dans son ensemble feraient face à une inculpation pour coups et blessures et à une batterie de demandes d'indemnisation.

Elle enjoignit à l'un des agents en uniforme d'aller chercher un verre d'eau pour Brent, qu'elle pria de s'asseoir pendant qu'elle allait voir si une salle d'interrogatoire était libre. Ramsden pourrait participer à l'entretien, mais elle lui tiendrait la bride haute.

– Vous aviez quitté le pays, dit Karen.

Il n'y avait pas de caméras, pas de magnétophones, pas d'avocat présent. Brent était là de son plein gré, selon ses propres termes, et pourrait repartir sans encombre quand il le voudrait. À moins, bien sûr, qu'il n'avoue un quelconque délit justifiant sa mise en détention.

– Quelques jours, ouais.

– À la Jamaïque.

– Un changement d'air, voyez, après ce qui s'est passé.

– Pour rendre visite à la famille ?

Brent émit un son, à mi-chemin entre un rire et un grognement.

– Ma famille, au pays, ça fait longtemps qu'elle me fait la gueule. On se parle pas, on s'envoie pas de textos, on se téléphone pas. (Il haussa les épaules.) C'est eux qui y perdent, hein ? Pas moi.

– Dans ce cas, pourquoi ?….

– Des amis. J'ai des amis là-bas.

– Des petites amies ?

Brent sourit.

– Disons juste des amis.

– Des collègues ? Des relations d'affaires ?

– Des relations d'affaires, voilà.

– Et de quelles affaires s'agit-il, exactement ?

– Les miennes.

– Votre restaurant ou votre boutique de disques ?

Brent sourit.

– J'ai rapporté des nouvelles recettes, des trucs à essayer au res-tau, histoire de changer un peu. Pour que le chef cuistot, il se laisse pas aller. Et puis des nouveaux disques, aussi. DaVille. Jovi Rockwell. Les affaires et le plaisir, voyez ?

– Votre femme, Tina… Elle a affirmé ne pas savoir où vous étiez.

– Tina, elle sait ce qu'elle a besoin de savoir, point barre.

– Il n'y a eu aucun contact entre vous deux pendant votre absence ?

Le sourire, bref et lascif, revint sur ses lèvres.

– Elle a dû pas mal rêver de moi, je parie.

Ramsden lui aurait volontiers effacé son sourire arrogant, à ce salopard, une fois pour toutes.

– Comment avez-vous appris la mort de l'inspectrice principale Kellogg ? demanda-t-il.

– On a des journaux, là-bas, vous savez. La télévision. Internet.

– C'est comme ça que vous l'avez appris ? Par Internet ?

Brent se redressa.

– Mon fils, Michael, il m'a prévenu. Il m'a appelé sur son por-table dès qu'il a su.

– Et qu'avez-vous fait ? s'enquit Karen. Quelle a été votre réac-tion ?

– Pour être honnête, ma première pensée, je suis désolé pour elle. Désolé qu'elle perde la vie à cause d'un acte de violence. C'était encore une jeune femme, hein ? Ensuite, je sors acheter du cham-pagne et j'arrose ça avec mes amis.

– Vous étiez content.

Brent inclina la tête sans répondre.

– Vous souhaitiez sa mort.

– Ce que je souhaite, c'est que ma fille retrouve la vie. Mais ça, c'est pas possible. Mais au moins, maintenant, ce Resnick, il sait ce que c'est de perdre la personne qu'on aime le plus au monde. Alors ouais, ça fait que je suis content. *Là*, conclut-il en plaquant un poing sur son cœur.

– Combien ? dit subitement Mike Ramsden, se penchant vers lui. Karen lui lança un regard d'avertissement mais il poursuivit :

– Une somme suffisante pour la faire exécuter ? Un contrat payé d'avance, pendant que vous preniez le soleil à des milliers de kilomètres de là en buvant du rhum et du Coca avec vos amis ?

– C'est ce que vous croyez ? dit Brent en haussant la voix. C'est pour ça que vous voulez que je vienne ici, pour m'accuser de ça ? (Il foudroya Ramsden du regard.) Quèque vous allez faire, hein ? Sortir les menottes ? Me faire avouer ? Ou alors, me laisser partir et me filer le train ? M'arrêter dans la rue et me balancer contre le mur, c'est ça ? Fouiller mes vêtements ? Harceler ma famille, harceler mes amis ? Chaque fois que je prendrai ma voiture, un flic me dira de me ranger, un problème avec votre feu arrière, m'sieur, ou alors il me collera un PV pour excès de vitesse, cinquante-deux kilomètres à l'heure dans une zone limitée à cinquante ? Je trouverai mon courrier ouvert, peut-être ? Mon téléphone sur écoute ? (Il exhala un bruit méprisant et se mit debout.) Faites tout ce que vous voudrez jusqu'à la fin des temps, essayez tout ce que vous voudrez, vous arriverez jamais à me coller ça sur le paletot, c'est moi qui vous le dis !

Karen prit une profonde inspiration.

– Merci pour votre coopération, monsieur Brent. Si nous avons encore des questions à vous poser, nous vous le ferons savoir.

Dix minutes plus tard, une fois Brent escorté jusqu'à la sortie, les deux policiers se tenaient dans le bureau temporaire de Karen.

– Bien joué, Mike.

– Quoi ?

– Subtile, votre façon de lui tirer les vers du nez.

– Il m'a mis en boule, voilà.

– Ah bon ? Je n'avais pas remarqué.

– Foutaises, maugréa Ramsden.

– Qu'est-ce que vous imaginiez ? Que vous pourriez lui arracher des aveux ? Qu'il s'écroulerait à vos pieds si vous le mettiez en pétard ?

– C'est un con.

– Sans nul doute. Deux cons qui se provoquent mutuellement. La mienne est plus grosse que la tienne, nananère !

Ramsden leva une main comme pour repousser Karen.

– OK, OK, ça va.

Karen se tourna vers la fenêtre et vit son reflet, dépourvu de traits sur le ciel grisâtre.

– Alors, dit-elle, qu'est-ce que vous en pensez ?

– Sérieusement ?

– Sérieusement.

– J'aurais bien aimé que Resnick le frappe là où ça fait mal et lui inflige des dégâts sérieux, au lieu de s'étaler comme un buffle d'eau trop nourri en laissant Brent se foutre de sa gueule. Mais ce n'est pas ça que vous voulez savoir.

– Non.

– Vous voulez savoir si je le crois responsable du meurtre de Kellogg.

– Oui.

Ramsden s'accorda un petit moment avant de répondre :

– Est-ce qu'il voulait sa mort ? Oui, je le crois, sans l'ombre d'un doute. Il l'espérait de toutes les fibres de son corps, ce misérable prétentiard. Mais est-ce qu'il avait les couilles, la cervelle, les ressources nécessaires pour monter le coup et se forger un gentil petit alibi en quittant le pays ? Ça, j'en sais rien. (Il se passa une main sur la bouche.) Il y a ceux qui agissent et ceux qui parlent, hein ? Et jusqu'à maintenant, je ne sais pas trop dans quelle catégorie ranger Brent.

– Peut-être dans les deux.

– Possible. C'est un beau parleur, je le reconnais. Question bagou, putain, il est costaud ! Mais pour le reste…

Ramsden secoua la tête, dubitatif.

– Quel est le sentiment des troupes ?

– Avant aujourd'hui ? Ils aimeraient lui coller ça sur le dos, surtout avec tout ce qu'il a déblatéré contre la police. Et, oui, je dirais que certains d'entre eux le voient bien dans le rôle… mais bon, c'est peut-être simplement de la paresse intellectuelle, hein ?

– Donc, on devrait l'oublier ? Le rayer de la liste ?

– Plutôt crever !

– Alors, quoi ?

– On continue à explorer les autres pistes. Dans les règles. Vous connaissez ça mieux que moi. Mais pendant ce temps-là, on vérifie encore les contacts de Brent, on pose des questions à droite et à gauche. Que les troupes gardent l'oreille collée au sol, que chaque indic fasse des heures sup.

Karen acquiesça.

– Je vais relancer ce type que je connais à Trident, pour voir si on ne peut pas en apprendre un peu plus sur les gens que Brent a pu rencontrer pendant son séjour à la Jamaïque.

– Sinon, dit Ramsden en grimaçant un sourire, on pourra toujours l'arrêter dans la rue et le balancer contre le mur...

Dans la soirée, Karen téléphona à l'hôpital, où on lui annonça que Resnick avait été soigné et autorisé à rentrer chez lui. Quand elle l'appela à son domicile, elle n'obtint pas de réponse. Elle le rappela le lendemain matin à neuf heures, puis de nouveau à dix heures : toujours pas de réponse. On pouvait comprendre, se dit-elle, qu'il n'ait pas envie de parler à qui que ce soit, surtout pas à elle.

33

– Bonté divine ! s'exclama Jackie Ferris. Qu'est-ce qui t'est arrivé ?

– Ne m'en parle pas, dit Resnick.

La peau, autour de son œil gauche enflé, était d'un violet spectaculaire teinté de jaune et de vert. Le centre de son visage, tout autour du nez, était d'un bleu virant au noir. On aurait dit la palette d'un artiste peintre en pleine crise de delirium tremens.

Ils étaient à l'Assembly House, à Kentish Town, le pub de prédilection de Ferris. Lundi, l'heure du déjeuner, c'était calme, seulement quelques tables occupées. Un buveur solitaire au bar. Dehors, le bruit des voitures qui redémarraient après le feu rouge suffisait à étouffer les rares conversations. Parmi les cartes et les lettres de condoléances que Resnick avait reçues après le décès de Lynn, celle de Jackie Ferris avait été l'une des plus senties. Elle avait su trouver les mots justes.

– Tu n'as pas fait une chute de vélo, je présume ? dit Jackie.

– Pas précisément.

– Alors, l'autre type ? Il est dans quel état ?

– Pas une égratignure.

Jackie leva son verre. Un Coca avec des glaçons et du citron : encore plusieurs heures à tenir avant la fin de la journée.

– Comment ça s'est passé, de ton côté, Charlie ?

– Ma foi… bien.

– Ne me raconte pas d'histoires, Charlie.

– Bon, d'accord. Au début, j'ai à peine dormi, quelques heures au maximum. J'errais dans la maison comme une âme en peine. Je ne savais pas où j'étais, quel jour on était. Et la plupart du temps, j'avais froid. Je frissonnais de froid. Et Lynn, elle était partout…

– Oh, Charlie…

– Partout où je regardais. Pas seulement à la maison, mais aussi en ville. Je la voyais dans le bus, ou sur le trottoir d'en face, ou je l'apercevais de dos qui tournait au coin de la rue. Et ça continue. Encore aujourd'hui, en venant ici. Et je ne peux pas… (Il secoua la tête.) Je n'arrête pas de fondre en larmes, sans avertissement, sans raison.

– Tu as une bonne raison.

– J'attendais au comptoir pour acheter du pain, et soudain les larmes se sont mises à couler. Je me suis senti… ridicule.

– Tu as perdu un être cher. Comment voudrais-tu réagir ?

– Je deviens dingue, voilà ce qui se passe. Un petit peu dingue.

Jackie sourit.

– Ce n'est pas dingue, c'est normal. Parfaitement naturel.

– C'est ce qu'il a dit, le thérapeute du deuil. Absolument naturel.

– Eh bien ! il a raison.

– Oui, sans doute.

– Combien de temps, Charlie ? Ça fait combien de temps ? Pas longtemps.

Il soutint son regard.

– Tu veux les heures, les minutes, ou simplement les jours ?

Elle posa une main sur la sienne.

– Je suis désolée.

– Je sais.

– J'ai besoin d'un drink digne de ce nom. (Écartant son Coca, elle se leva.) Tu veux quelque chose ?

Resnick avait à peine touché à sa pinte.

– Non, ça va.

Jackie Ferris revint du bar avec un double scotch allongé d'un peu d'eau. Elle achèterait des pastilles à la menthe sur le chemin du commissariat.

– Tu as vu Lynn peu de temps avant sa mort, dit Resnick. Le soir même, avant qu'elle reprenne le train pour Nottingham.

Jackie acquiesça.

– Comment l'as-tu trouvée ?

– Je l'ai trouvée… en forme. C'était chouette de la voir. Je l'ai mise en boîte au sujet du barman, je m'en souviens. Nous avons bien ri.

– A-t-elle dit quelque chose ?

– Comment ça ?

– Quelque chose qui pourrait avoir un rapport avec ce qui est arrivé.

– Je ne crois pas, non. Elle était allée voir cette femme, à Leyton. Andreea quelque chose. Elle était accompagnée d'un certain Daines…

– De la SOCA.

– C'est ça. Ils y étaient allés ensemble, et ensuite Lynn y est retournée toute seule, en catimini. Elle voulait parler à cette Andreea en tête à tête. Apparemment, la fille prétendait avoir vu Daines prendre son pied dans un sauna douteux où elle travaillait, faire copain-copain avec le propriétaire. Et pourtant, quand ils étaient allés tous les deux à l'appartement, un peu plus tôt, Daines avait fait comme s'il voyait Andreea pour la première fois de sa vie.

– Après, Lynn a demandé des explications à Daines. Elle me l'a dit.

– Et qu'a-t-il répondu ?

– Il a nié. Affirmé que la fille mentait. Et conseillé à Lynn, en termes dépourvus de toute ambiguïté, de se mêler de ses affaires.

Jackie haussa un sourcil.

– Elle n'avait pas confiance en lui, c'était visible. Elle a dit qu'elle allait se renseigner, mais je ne sais pas où. Et j'ai dit que j'en ferais autant.

– Et tu l'as fait ?

Jackie but une gorgée de son whisky.

– Il y a eu une opération commune entre les Douanes et la police métropolitaine, voilà environ un an, qui s'est conclue ici. Armes à feu illégales. Quatre arrestations.

– Tu étais dans le coup ?

– Pas directement, mais je connais deux collègues qui l'étaient. Remarque, ils ne se sont pas montrés précisément causants. Daines était aux Douanes, à l'époque — c'était avant que la SOCA démarre pour de bon —, et il faisait partie de l'équipe. La plupart de leurs informations venaient de lui.

– Résultat ?

– Dans le mille, apparemment. Ils ont surveillé le café où la transaction devait avoir lieu. L'échange s'est effectué entre deux cafés au lait. Pas de flagrant délit. Des semi-automatiques et des munitions emballés dans un vieux sac à dos orné du symbole de la paix. (Elle sourit.) Un type qui avait le sens de l'humour, au moins.

– Quatre arrestations, tu as dit ?

– Oui. Et trois types jugés. Reconnus coupables, tous. Dix ans chacun.

– Celui qui s'en est tiré, il était quoi ? Informateur ?

– Ça m'en a tout l'air. Et je ne suis pas la seule à le penser. On l'a retrouvé trois mois plus tard. En Irlande. Dans le comté de Wexford. Cloué à un arbre.

Resnick grimaça.

Jackie but encore un peu de son scotch.

– Ces gens à qui tu as parlé, dit Resnick, ils n'ont pas laissé entendre que Daines était, je ne sais pas… louche, d'une manière ou d'une autre ?

Jackie secoua la tête.

– Pas vraiment. Je comptais creuser un peu plus, rappeler Lynn pour lui communiquer le peu que j'avais appris, mais…

– Oui.

La bière de Resnick avait un goût aigre, lequel était dû à son palais, pas à la cave du pub.

– Ces revolvers, ceux qui ont été saisis…

– Des semi-automatiques.

– Des Baikal ?

– Je crois, oui.

– L'arme qui a tué Lynn était un semi-automatique Baikal 9 mm.

Pendant quelques instants, ils ne parlèrent ni l'un ni l'autre. Les rares clients présents à leur arrivée étaient partis pour la plupart.

– Tu crois qu'il y a un lien ? demanda Jackie Ferris.

Resnick haussa les épaules.

– Je ne vois pas lequel.

– Une coïncidence, alors ?

– Sans doute.

Jackie tourna la tête vers la pendule murale.

– Charlie, il faut vraiment que j'y aille.

– Je comprends.

– Tiens, dit-elle en poussant vers lui le verre de whisky. Reste et termine-le pour moi.

– D'accord.

– Pour l'enterrement, tu me préviendras ?

277

– Compte sur moi.

– Je ferai tout mon possible pour y aller.

Après le départ de Jackie Ferris, il délaissa sa bière en faveur du whisky à l'eau, qu'il but lentement tout en réfléchissant.

Daines quittait juste son bureau lorsque Resnick arriva. Un costume gris plus sombre, aujourd'hui, couleur ardoise ; chemise blanche aux deux boutons du haut défaits, pas de cravate.

– Une minute, dit Resnick.

Daines le regarda comme s'il ne le reconnaissait pas immédiatement.

– Resnick, c'est ça ? dit-il enfin. Excusez-moi, mais votre visage…

– Deux minutes, je ne vous retiendrai pas davantage.

Daines remonta sa manchette pour consulter sa montre.

– Ce n'est vraiment pas le meilleur moment. Demain, peut-être ?

– Maintenant, dit Resnick.

Daines ravala l'objection qu'il s'apprêtait à formuler et ouvrit la porte de son bureau.

– Entrez, dit-il. Asseyez-vous.

Resnick resta debout.

Daines fit de même, près de sa table. Dehors, c'était presque le crépuscule, les soirées raccourcissaient encore.

– Ce qui est arrivé…, dit Daines. Je suis désolé pour votre deuil.

Resnick se borna à incliner la tête.

– Cette opération sur laquelle vous travaillez… des ventes d'armes illégales, c'est bien ça ?

Au tour de Daines d'acquiescer.

– Ces armes, elles sont lituaniennes ?

– Je ne comprends pas pourquoi cette affaire vous intéresse ?

– L'arme qui l'a tuée, qui a tué Lynn, a été fabriquée en Lituanie.

– Un Baikal IZH ?

– Exactement.

Daines s'assit sur un coin de son bureau, non sans tirer machinalement sur son pantalon de costume.

– Nous avons réussi à intercepter un certain nombre de petits lots au cours de l'année écoulée, mais pas tous. Quelques-uns ont dû passer entre les mailles du filet. (Il haussa les épaules.) Sans les ressources dont nous aurions besoin, c'est inévitable, j'en ai peur.

– Et cette opération en cours, il s'agit des mêmes armes, de la même source ?

Daines ne répondit pas tout de suite.

– La source initiale est la même, oui. D'après le Centre lituanien de répression du crime organisé et de la corruption, c'est une usine de Kédainiai, au nord de Vilnius, la capitale, qui fabrique la majorité de ces revolvers. Ceux-ci sont ensuite acheminés en Angleterre par divers itinéraires, *via* l'Italie et la France, ou par Francfort et puis Amsterdam : ces deux filières semblent les plus utilisées.

– Et ce sont les Albanais, si j'ai bien compris, qui concluent le marché ici et qui revendent ces armes.

– Confidences sur l'oreiller ? interrogea Daines avec un sourire entendu.

– Lynn était libre de dire ce qu'elle voulait. Vous ne lui aviez pas fait jurer le secret, que je sache.

– Je supposais qu'elle ferait preuve de discrétion.

– Ce qu'elle a fait.

Daines pencha un peu la tête de côté, l'air sceptique.

– Une chose que je ne comprends pas, dit Resnick. Pourquoi se donner la peine de faire venir les revolvers ici ? Ils pourraient sûrement les vendre en Europe sans courir le risque supplémentaire de les introduire en Angleterre ?

– Tout simple, répondit Daines. La loi de l'offre et de la demande. La demande de revolvers augmente dans ce pays, donc les prix aussi.

Resnick eut un grognement dégoûté.

– L'économie de marché dans toute sa splendeur.

– Précisément. Et les Albanais, pour une mise de fonds relativement modeste, peuvent développer leur bizness dans une nouvelle zone extrêmement profitable, en utilisant des réseaux qui ont déjà été mis en place.

– Par Viktor Zoukas et les gens de son acabit.

– Viktor et son frère Valdemar, oui.

– C'est pourquoi vous teniez tant à ce que Viktor Zoukas n'aille pas en prison.

Daines sourit.

– Disons que nous ne voulions pas que Valdemar soit perturbé par la perspective de voir son frère condamné pour meurtre. Nous ne voulions pas non plus attendre qu'un réseau entièrement nouveau

279

se constitue, un réseau qu'il nous aurait alors fallu suivre à la trace. D'autant que le deal, d'après nos informations, est tout près d'aboutir.

– Ça tombe bien, donc, que le témoin de l'accusation ait subitement disparu.

– Oui, n'est-ce pas ? répliqua Daines, choisissant d'ignorer le sous-entendu de Resnick.

– Pearce n'a pas refait surface, à votre connaissance ?

– Je n'en ai malheureusement aucune idée. (Daines consulta de nouveau sa montre.) Excusez-moi, mais il faut vraiment que je file.

À pied, Resnick passa devant le Playhouse et tourna à gauche sur Derby Road, laissant derrière lui la cathédrale pour se diriger vers Canning Circus, son ancien secteur. Le Warsaw[1] Diner se trouvait presque en haut de la côte, sur la gauche.

Après un échange d'amabilités avec le patron, il s'installa à une table d'angle avec une bouteille de bière polonaise et parcourut l'*Evening Post* en attendant son repas. Lorsque celui-ci arriva — une assiettée de *pierogi*[2] avec une choucroute et deux gros cornichons à l'aneth —, il posa le journal et, tout en mangeant, essaya de mettre de l'ordre dans ses pensées.

Lynn avait été assassinée alors qu'elle rentrait de Londres, où elle avait posé des questions sur la disparition de l'un des deux principaux témoins à charge contre Viktor Zoukas, lequel était actuellement en liberté conditionnelle à la suite du renvoi de son procès.

Coïncidence ?

Le revolver avec lequel on l'avait abattue était de la même marque que les armes dont Viktor et son frère, Valdemar, étaient censés faire le trafic.

Encore une coïncidence ?

Et ça…

On savait que Stuart Daines, l'un des membres de la SOCA qui dirigeait l'opération contre ce trafic d'armes, avait fait pression sur le procureur général pour que le procès de Viktor Zoukas soit ajourné et que le prévenu lui-même soit libéré sous caution. On savait également que Daines — si on devait se fier aux preuves par

_____

1. Varsovie. *(N.d.T.)*
2. Raviolis traditionnels polonais. *(N.d.T.)*

ouï-dire — était en excellents termes avec Valdemar, le frère de Viktor, et qu'il avait fréquenté, au moins une fois, le bordel que dirigeait Valdemar sous l'appellation « sauna-salon de massage ».

Resnick commanda une seconde canette de bière.

Il voyait bien l'entourage de Zoukas menacer les deux témoins et leur mettre la pression au point qu'ils décidaient de se cacher, trop effrayés pour témoigner. Il imaginait même Daines impliqué d'une manière ou d'une autre dans cette manœuvre, par amitié ou par reconnaissance envers les membres de la famille Zoukas, ou encore parce que, comme il l'avait expliqué à Resnick, cela arrangeait ses plans pour traduire en justice les trafiquants d'armes.

Il se dit qu'il avait peut-être encore de la place pour deux crêpes sucrées. Après ça, une bonne marche dans l'air froid et — espérait-il — une bonne nuit de sommeil contribueraient à lui éclaircir les idées.

Quand il sortit du *diner*, il tombait des cordes.

34

Le marché se trouvait à cinq minutes à pied du commissariat central, guère plus, et Resnick devina qu'à cette heure-ci, peu après l'ouverture, il y aurait moins de clients que d'habitude à la brûlerie italienne. En l'occurrence, il n'y en eut que deux au début : Karen Shields et lui-même.

Elle portait un blouson noir aux poches profondes, un jean noir et un chemisier en satin bleu canard. En la voyant marcher d'un pas décidé entre les étals remplis de hautes piles de fruits et légumes, contournant les éventaires de fleuristes et l'échoppe où on vendait de tout — depuis des sacs d'aspirateur jusqu'aux *Plus grands succès de Jim Reeves* en passant par divers accessoires électriques —, la plupart des gens, hommes et femmes confondus, s'étaient retournés sur son passage et deux sifflements admiratifs avaient fusé, auxquels elle avait promptement répondu par un doigt d'honneur.

Resnick l'avait regardée approcher. En dépit des circonstances, il était loin d'être aveugle à son allure sensationnelle.

– Cappuccino ? s'enquit-il lorsqu'elle fut perchée sur le tabouret voisin du sien.

– Expresso.

– Simple ?

– Double.

Elle attendit d'avoir son café devant elle pour se tourner vers Resnick et lui demander :

– Dans la formule « inapte au travail », quelle est la partie que vous ne comprenez pas, au juste ?

– Daines ?

– À votre avis ?

282

– Je ne lui ai jamais dit que ma visite avait quoi que ce soit d'officiel.

– Vous ne lui avez pas dit le contraire non plus.

– J'ai posé quelques questions, c'est tout. Aucune loi ne l'interdit, aux dernières nouvelles.

– Apparemment, vous avez fait plus que ça.

– Pas vraiment.

– Vous l'avez pratiquement accusé de conspirer pour suborner les témoins.

– Suborner ? C'est le mot qu'il a employé ?

– Intimider, c'est mieux ? Menacer ?

– Le mot n'a pas d'importance.

– Vous croyez vraiment qu'il en est capable ? Vous croyez qu'il irait jusque-là ?

– Pas vous ?

Karen ne répondit pas. Resnick demanda :

– Daines, combien de fois l'avez-vous rencontré ?

– Une seule.

– Et quelle impression vous a-t-il faite ?

Karen pesa la question.

– Je l'ai trouvé sûr de lui — pas arrogant, mais sûr de lui quand même. Poli. Un peu désinvolte, peut-être. (Elle posa sa tasse.) En tout cas, il n'était pas disposé à révéler quoi que ce soit.

– Vous a-t-il inspiré confiance ?

Elle but une gorgée de son expresso.

– Je ne sais pas. (Elle s'interrompit, réfléchit.) Il ne m'a donné aucun motif de ne pas lui faire confiance.

– Mais que vous dit votre instinct ?

– Je ne suis pas sûre d'en avoir.

Resnick, lui, n'était pas sûr de la croire sur ce point.

– Lynn ne lui faisait pas confiance. Il la mettait mal à l'aise.

– Peut-être parce qu'il la draguait.

Les yeux de Resnick s'étrécirent.

– Les fleurs, dit Karen. Il lui a envoyé des fleurs.

– Une manière de lui souhaiter un prompt rétablissement. Quand elle a été blessée.

– Allons, Charlie ! Je peux vous appeler Charlie ? (Resnick fit un signe d'assentiment.) Vous croyez que c'était seulement ça ? Si c'était vous qui vous étiez retrouvé à l'hôpital, vous croyez qu'il vous aurait envoyé des fleurs ?

– Vous insinuez qu'il y avait quelque chose entre eux ?

La voix de Resnick était tendue, proche de la colère.

– Non, non, jamais de la vie. Mais puisqu'il y a eu les fleurs, peut-être bien qu'il y a eu d'autres choses. Pas nécessairement tangibles. Je ne parle pas de boîtes de chocolats, mais plutôt de regards, de suggestions, de remarques en passant. Une invitation à prendre un verre après le travail, par exemple. De quoi exaspérer Lynn, à force.

Le visage de Resnick avait l'aspect de la pierre.

– Elle ne vous a rien dit à ce sujet ? demanda Karen.

– Rien, non.

– Alors elle a dû gérer le problème elle-même. (Un sourire ironique se dessina sur ses lèvres.) C'est une chose qu'on apprend, nous autres filles, une chose à laquelle on s'habitue : les hommes qui vous font du gringue. On apprend à se débrouiller. Vers l'âge de onze-douze ans, généralement.

Resnick avait fini son café et en commanda un autre. Un homme au long visage chevalin, un habitué, s'assit à l'autre bout de la salle et, une fois installé, salua Resnick qui lui rendit la politesse.

– J'aimais Lynn, dit-il d'une voix sourde. Plus que je ne l'aurais cru possible. Et pour moi... pour moi, elle était belle. Je pouvais rester assis, comme maintenant, simplement à la regarder... il ne m'en fallait pas davantage. Mais elle n'était pas... ce n'était pas... (Il détourna la tête et Karen crut qu'il allait pleurer, mais il renifla, se ressaisit et poursuivit.) Ce n'était pas le genre de femme à qui les hommes s'intéressent. À qui ils font du gringue, pour reprendre votre expression.

– C'est pourtant ce que vous avez fait.

– Pas vraiment. (Il parvint à sourire.) Ça a plutôt été le contraire. Dieu seul sait pourquoi, d'ailleurs !

Karen éclata de rire.

– Les femmes ne raffolent pas du superficiel, voilà pourquoi. Le physique d'un type, sa façon de s'habiller... Nous voyons au-delà des apparences, jusqu'aux tréfonds de l'âme.

– Vous plaisantez, là ?

– Absolument.

284

Elle se remit à rire. Quand elle couchait avec les Taylor Coombes de ce monde, la dernière chose qu'elle cherchait, c'était bien leur âme. Ou alors, peut-être la *soul*[1] façon Stax et Motown.

— En plus, ajouta-t-elle, on n'a pas encore inventé la femme que les hommes ne dragueront pas à la première occasion.

Resnick secoua la tête, sceptique.

— Si Daines s'intéressait à Lynn, et je ne dis pas que c'était le cas, je pense qu'il avait une autre raison.

— Par exemple ?

— D'après le peu que je sais sur lui — essentiellement par Lynn, il est vrai —, il me fait l'effet d'un homme qui se sert systématiquement des gens. Qui les cultive, si vous préférez. Pour le bénéfice qu'il peut en tirer : faveurs, renseignements… n'importe quoi, du moment qu'il reste maître du jeu. Quand il a découvert, Dieu sait comment — il doit avoir un réseau de contacts très étendu —, que Lynn avait demandé à une amie de se tuyauter sur lui, il a complètement changé d'attitude envers elle.

— C'est-à-dire ?

— Il lui a fermement conseillé de ne pas se mêler de ses affaires. Il l'a menacée, pour ainsi dire.

— Menacée ? Comment ?

— Il l'a abordée un soir, à la sortie du pub. « Ne faites pas de moi votre ennemi », voilà ce qu'il a dit.

— Et elle a pris la chose au sérieux ?

— Ça l'a mise en colère. Pour le reste, je ne sais pas.

Karen pivota sur son tabouret.

— Il y a de la marge entre menacer quelqu'un et… et aller jusqu'à l'assassiner.

— Exact.

— C'est pourtant ce que vous laissez entendre.

— Je pense… je *pense* qu'il pourrait y avoir un lien. Je n'en sais rien. Daines. Toute cette affaire Zoukas. Andreea Florescu.

Karen rejeta la tête en arrière.

— Nous explorons cette piste, Charlie, croyez-moi. Mais il n'y a pas si longtemps, vous affirmiez catégoriquement que Howard

---

1. *Âme,* en anglais… ce qui n'est évidemment pas sans rapport avec la musique soul. *(N.d.T.)*

285

Brent était responsable de la mort de Lynn. Vous n'en démordiez pas.

– Oui, je sais.

– Et maintenant, subitement…

– Ce n'est pas subit.

– Maintenant, subitement, vous changez de refrain.

Resnick soupira et se tourna vers elle.

– C'est peut-être l'impression que ça donne, mais…

– L'impression que ça donne, dit Karen, c'est que vous êtes tellement anxieux de retrouver le meurtrier de Lynn que vous faites flèche de tout bois : d'abord un premier suspect, puis un autre… Et votre théorie selon laquelle Daines serait impliqué, ce ne sont que des hypothèses. Des suppositions. Même cette histoire de menace, ce n'est que du ouï-dire.

– Lynn ne l'a pas inventée.

– Allons, Charlie, le problème n'est pas là. Il nous faut des preuves, du concret, quelque chose qui tienne la route.

Les yeux de Karen étaient brillants et alertes, sa voix pressante sans être forte. La dernière chose dont elle avait besoin était sans doute un autre double expresso, mais elle en commanda un quand même.

– Nous avons de nouveau interrogé Howard Brent, dit-elle lorsque son café fut arrivé. Et nous avons parlé avec un ou deux de ses associés. Au total, ça ne nous a menés nulle part. J'ai quelques antennes à la Jamaïque, mais aucun résultat non plus de ce côté-là pour l'instant. Et il n'y a toujours rien qui remonte de la rue. Anil est allé faire un tour à l'hôtel où Andreea travaillait : à part une vague allusion à un éventuel départ pour la Cornouailles, rien à signaler. *Idem* avec le personnel de l'endroit où Bucur fait ses études.

– Rien d'autre ?

Karen haussa les épaules.

– Nous continuons de faire la chasse aux Ford Sierra, mais jusqu'à présent — sauf quand on tombe par inadvertance sur un type qui a une belle ligne d'héroïne planquée dans une jante — ça ne donne rien. Enfin, rien d'intéressant pour nous.

– Combien d'affaires en cours par ailleurs ?

– Une douzaine. Et nous continuons d'éplucher vos anciennes enquêtes et celles de Lynn, sans beaucoup de succès. Sauf peut-être l'une des vôtres… J'allais d'ailleurs vous interroger à ce sujet. Barry Fitzpatrick, ça vous dit quelque chose ?

Resnick sourit. Ce n'était pourtant pas un souvenir tellement agréable. Barry Edward Fitzpatrick était un camé et un ivrogne à temps partiel qui écumait les rues des quartiers défavorisés, à l'affût d'une porte d'entrée qui aurait été laissée imprudemment ouverte — une personne ayant fait un saut à la boutique du coin en négligeant de fermer à clé, ou en train de papoter gentiment avec un voisin de l'autre côté de la rue. Fitzpatrick s'introduisait en douce et faisait main basse sur tout ce qui se présentait. S'il se faisait repérer, il expliquait : désolé, ma p'tite dame, je croyais que c'était la maison de mon copain, il habite quelque part par là… et il décampait avant que sa victime ne se soit aperçue qu'il lui avait fauché son sac à main, son titre de pension ou l'argent caché sous l'un des bibelots qui ornaient la cheminée.

– Ça remonte à neuf ou dix ans, l'affaire dont vous parlez, dit Resnick. Un jour — c'était à Sherwood, je crois —, Fitzpatrick était encore sur un mauvais coup. L'occupante de la maison revient du jardin par la porte de derrière, après être allée voir ses jardinières, et elle trouve Fitzpatrick avec un chandelier en porcelaine dans une main et, dans l'autre, deux billets de dix livres qu'elle avait planqués dessous. Elle a soixante-dix ans bien sonnés, deux ou trois centimètres au-dessus du mètre cinquante, mais elle a du ressort. Elle agrippe Fitzpatrick par les basques et se met à le frapper avec la truelle qu'elle tient encore à la main. Lui, paniqué, lui casse le chandelier sur la tête et continue de cogner. Les personnes âgées ont le crâne fin, fragile. Il la tue. Pas intentionnellement, mais le résultat est là. C'est moi qui l'ai arrêté, je m'en souviens. Il a écopé de quatorze ans, si j'ai bonne mémoire.

Karen acquiesça.

– Il a été libéré début février.

– Et vous pensez…

– Un meurtrier condamné, peut-être décidé à se venger.

Resnick secoua la tête.

– Barry Fitzpatrick était un poltron qui n'aurait pas osé tenir tête à quelqu'un à moins d'être ivre, et même dans ces moments-là il n'était pas vraiment violent. Je doute qu'il ait jamais tenu un revolver de sa vie, encore moins tiré un coup de feu. Ce qui est arrivé à cette vieille dame, c'était dû à un réflexe de peur, rien d'autre. Et imaginer qu'il s'en soit pris à Lynn pour m'atteindre, moi... bon, la prison a pu le changer, et même le rendre plus intelligent, mais pas à ce point-là. En aucun cas.

– On l'élimine, donc.

– Sans hésiter.

Karen jeta un coup d'œil à sa montre.

– Qu'est-ce que vous allez faire, pour Daines ? demanda Resnick.

– Vais-je faire quelque chose ?

– Je n'en sais rien.

– Laissez-moi y réfléchir, Charlie.

– OK.

Elle tendit la main vers son sac, mais il l'arrêta d'un geste.

– Le café est pour moi.

– Merci. (Elle s'écarta d'un pas.) Quelques conseils ?

– Oui ?

– Rentrez chez vous. Repeignez votre maison, intérieur et extérieur. Prenez un congé. Accordez-vous du temps. Inapte au travail, ça veut bien dire ce que ça veut dire.

Sur la courte distance qui séparait le Victoria Centre du commissariat, le ciel se mit à déverser des trombes d'eau. Lorsque Karen se retrouva à l'abri dans le hall, elle était trempée comme une soupe, les cheveux en queues-de-rat.

– Beau temps pour la saison, badina Ramsden.

– Allez vous faire foutre, Mike.

– Maintenant ou plus tard ?

– Plus tard.

Elle lui rapporta l'essentiel de sa conversation avec Resnick et il écouta attentivement, acquiesçant à certains moments, fronçant les sourcils à d'autres.

– Qu'en pensez-vous ? demanda-t-elle, son exposé terminé.

Il pencha la tête de côté.

– Remarquez, cette piste-là, on la suit déjà.

– Tout ce que nous avons fait, c'est rechercher Bucur et la femme sans arriver nulle part.

– Vous avez une meilleure idée ?

Karen acquiesça.

– Nous allons attaquer l'affaire sous un autre angle. L'inspecteur divisionnaire Dixon, ça vous rappelle quelque chose ?

288

– Dixon ? De Dock Green ? Ça fait un bail qu'il est rangé des voitures, non ?

– Très drôle.

– Je la regardais, cette série télévisée, dans le temps. Quand j'étais môme. Elle passait le samedi, c'est ça ? *Dixon of Dock Green.* Samedi à l'heure du thé. (Il s'esclaffa.) Voilà ce qu'on appelle un vrai flic à l'ancienne !

– Il vous a inspiré, hein, Mike ? dit Karen, amusée. C'est lui qui vous a donné envie d'entrer dans la police ?

– Pensez donc ! Celui qui m'a décidé, c'est *Sweeney.* Sauter dans la bagnole, pourchasser un bandit dans les rues de Londres, le plaquer contre le mur, lui flanquer deux bons ramponneaux quand il essaie de se faire la malle. « Pas de ça, fiston, tu es fait ! »

– Je vois le tableau. Mais dans l'immédiat, si vous pouvez vous résoudre à faire quelque chose de plus prosaïque, contactez donc Dixon de ma part. Détachement spécial de la police métropolitaine. Voyez s'il serait d'accord pour me rencontrer.

Ramsden émit un sifflement.

– On joue dans la cour des grands, dites donc !

– Ils s'occupent de la plupart des trafics d'armes à feu. Ça ne fera pas de mal d'entendre ce qu'il a à dire, même si Daines doit découvrir que nous agissons dans son dos. S'il a quelque chose à cacher, ça risque de le rendre un peu nerveux. Pris de panique, il pourrait bien commettre une bourde, se trahir. Dans le cas contraire… il en sera quitte pour une simple blessure d'amour-propre, vite cicatrisée.

– OK, dit Ramsden, c'est parti. (À la porte, il s'arrêta.) Resnick, maintenant qu'il vous a communiqué le fruit de ses dernières cogitations, vous croyez vraiment qu'il va se croiser les bras et nous laisser enquêter ?

Karen ne répondit pas.

35

Resnick retrouva Ryan Gregan à l'Arboretum, au même endroit que la fois précédente, mais l'averse persistante les conduisit bientôt à se replier dans le kiosque à musique. Puis, comme le vent rabattait la pluie contre leurs jambes, presque à l'horizontale, ils descendirent la côte pour se blottir contre le mur, s'abritant tant bien que mal sous les frondaisons des arbres.

– Sacré temps, hein ? dit Gregan, une lueur dans l'œil. Ça me rappelle Belfast, quand j'étais gosse. Manchester, aussi. Vous croyez que ça me poursuit ?

Resnick lui avait déjà demandé s'il avait entendu quelque chose sur Brent, une allusion quelconque pouvant l'impliquer dans la mort de Lynn, mais Gregan n'avait rien entendu. Des rumeurs, ça oui. Il y en avait toujours. Par exemple, on racontait que Howard Brent avait mis à prix la tête de Lynn — cinq mille livres pour l'un, dix mille pour un autre — mais tout ça, lui assura Gregan, c'était rien que des balivernes.

– Tu es sûr de toi ? Formel ?

Solennellement, Gregan traça un signe de croix sur son cœur.

Resnick l'interrogea sur le revolver.

– Un Baikal ? Ça vient des pays Baltes, quelque part par là. La Lituanie, je crois. Ce sont des pistolets à gaz, rien de plus. Jusqu'à ce qu'un petit futé les bricole un peu. Là, ils deviennent mortels.

– Il y en a qui circulent dans la rue ?

– Ici ? Je pense pas. Y en avait quelques-uns en vente à Manchester, avant que je parte. C'était pas donné. Six ou sept cents livres pièce. (Il grimaça un sourire.) Avec l'inflation, ça a dû augmenter. Comme cette foutue pluie.

– Tu es certain de ne pas en avoir vu ici, en ville ?

– Je l'ai déjà dit, non ?

– Et tu n'as pas non plus entendu parler d'un de ces modèles ?

Gregan lui lança un regard inquisiteur.

– C'est avec ce revolver que ?....

Il laissa la question en suspens.

– Oui, répondit Resnick.

– Je ferai mon possible, monsieur Resnick. Il y a une ou deux personnes qui me doivent des faveurs. J'essaierai de les mettre sur le coup.

– Tu as mon numéro ?

– Un portable, c'est ça ?

Resnick opina du chef.

– Alors, je l'ai.

Gregan remonta complètement le col de son blouson et s'engagea sous la pluie qui tombait plus dru que jamais.

Resnick tourna les talons et rebroussa chemin le long du sentier qui aboutissait à Mansfield Road. Son pantalon, désagréablement froid, lui collait aux jambes et sa veste était à tordre : au point où il en était, il pouvait bien se mouiller un peu plus. Une mince bande de lumière filtrait à l'horizon, mais, pour l'instant, la pluie ne semblait guère décidée à se calmer. Pas pour la première fois, il se félicita d'habiter sur une hauteur. Les habitants de ces maisons situées près de la Trent devaient déjà avoir leurs caves inondées et transporter leurs plus beaux meubles aux étages supérieurs.

Arrivé à la route principale, il vit un taxi approcher et leva la main. Après un coup d'œil hâtif, le chauffeur braqua et s'arrêta près du trottoir, envoyant une gerbe d'eau éclabousser les jambes de Resnick.

De retour chez lui, il ôta tous ses vêtements et resta cinq bonnes minutes sous une douche très chaude avant de s'essuyer vigoureusement et de s'habiller. Il étendit certains de ses habits humides sur le bord de la baignoire, accrocha les autres dans l'armoire sèche-linge et bourra ses chaussures de vieux journaux. Pour une fois, il eut envie de thé et non de café. Il prit sur l'étagère un album de jazz de Kansas City, rythmé et bluesy, que son ami Ben Riley lui avait envoyé naguère des States. Entre le placard de la cuisine et le frigo, il trouva de quoi se confectionner un sandwich digne de ce nom.

Howard Brent lançant un contrat sur Lynn, mettant sa tête à prix, pouvait-il y croire ? Non, pas plus que Ryan Gregan. Toute autre considération mise à part, si cette rumeur était vraie, elle serait revenue aux oreilles de Karen Shields, qui lui en aurait certainement parlé.

Quoique… peut-être pas.

Il composa le numéro d'Anil Khan, mais la ligne était occupée. *Idem* pour Michaelson. Catherine Njoroge, elle, répondit aussitôt. Si la jeune femme avait des réticences à évoquer l'enquête avec Resnick, elle n'en montra rien. Il lui répéta ce que Gregan avait dit au sujet de Howard Brent, à quoi elle répondit que non, aucune rumeur concernant un contrat quelconque ne lui était parvenue ; elle pourrait demander à certains collègues de se renseigner auprès de leurs informateurs, mais elle pensait, tout comme Resnick, que s'il y avait du vrai là-dedans, ça aurait filtré beaucoup plus tôt. Peut-être Gregan avait-il inventé ça de toutes pièces, suggéra-t-elle, pour tenir Resnick en haleine.

– Oui, dit-il, vous avez sans doute raison.

Après un petit silence, Catherine lui demanda si une date était fixée pour l'enterrement.

– Dans trois jours, répondit Resnick. Vendredi.

– J'aimerais venir, si c'était possible. Si je peux m'arranger. Je ne la connaissais pas bien, Lynn, mais…

– Naturellement. Pas de problème. Ça lui aurait fait plaisir.

L'air se coinça dans sa gorge et il déglutit avec difficulté.

– Je vous rappellerai, dit Catherine avant de raccrocher.

Resnick prit un autre pardessus et une paire de chaussures sèches.

La pluie n'était plus qu'un lent crachin, à peine davantage qu'un voile brumeux, et un vestige d'arc-en-ciel, tout juste perceptible, planait sur la ville. L'eau ruisselait dans les caniveaux, les trottoirs étaient glissants sous les pieds. Le temps qu'il arrive dans le centre, Resnick se sentait prêt pour un café et en acheta un chez Atlas dans un gobelet à emporter. À la boutique de disques, Marcus bavardait avec deux jeunes Noirs, piercings aux oreilles et chaînes en or, qui jetèrent un regard à Resnick et, devinant d'emblée sa profession, partirent sans un mot.

Marcus reconnut tout de suite Resnick, de la fois où celui-ci avait interrompu la procession, et marmonna quelque chose d'inintelligible en regagnant sa place derrière le comptoir.

Resnick posa son gobelet de café sur une pile de CD, parcourut du doigt l'une des rangées voisines, extirpa un CD entre le pouce et l'index et y jeta un coup d'œil avant de le remettre en place.

– Y a une pancarte, dit Marcus d'un ton brusque, camouflant sa nervosité sous une attitude belliqueuse. Là-bas. Sur la porte. Nourriture et boissons interdites.

– Désolé, dit Resnick. Je ferai attention.

– Si vous renversez quelque chose, la marchandise est foutue. Vous devrez payer.

– L'inspectrice principale Kellogg, dit Resnick. L'officier de police qui a été tuée par balle. On m'a raconté quelque chose d'intéressant aujourd'hui. Il paraît que ton père aurait offert une grosse somme d'argent pour la faire assassiner.

– C'est n'importe quoi, rétorqua Marcus avec dédain. Un putain de mensonge. Pourquoi il aurait fait une chose pareille ?

– Il la rendait responsable de la mort de ta sœur.

– Ouais, d'acc. Ça veut pas dire pour autant qu'il aurait été jusque-là. Vous vous croyez dans *Les Soprano*, ma parole ! En plus… (Il regarda Resnick en face pour la première fois)… si il avait voulu la tuer, il l'aurait fait lui-même.

– Et il l'a fait ?

– Ben voyons ! Sauf qu'il était à la Jamaïque, hein ?

– Et Michael ?

Marcus sursauta.

– Ben quoi, Michael ?

– Où était-il ?

– Sais pas. À Londres, faut croire. Il étudie pour devenir un ténor du barreau, une connerie de ce genre.

– Seulement voilà : quand la police a essayé de le joindre pour lui parler de son père, ils n'ont pas pu le trouver. Ils ont laissé un message à son collège, ils sont passés chez lui. Personne ne semblait savoir où il était.

– Sans doute planqué quelque part, hein, étant trop malin pour dégoiser à tort et à travers. Putain, vous croyez quand même pas qu'il a quelque chose à voir là-dedans ? Monsieur l'avocat qui se donne des grands airs à la con…

– Tu ne l'aimes pas.

Marcus haussa les épaules.

– C'est mon frère, non ?

293

– Vous êtes proches ?

– Quèque vous en pensez ?

– Et ton père, Michael est proche de lui ?

– Mon paternel, répondit Marcus avec mépris, il considère le cul noir de Michael comme le centre de la galaxie.

Resnick hocha la tête et jeta un coup d'œil circulaire dans la boutique.

– Du blues, tu n'aurais pas du blues ? J'écoutais ce chanteur, tout à l'heure… Joe Turner, c'est ça ? Tu n'as rien de ce genre-là, par hasard ?

Marcus le regarda d'un air interrogateur, ne sachant pas trop si Resnick se payait sa tête.

– Y a quelques trucs par là-bas. (Il pointa l'index vers le coin, près du mur.) On les a repris en dépôt-vente.

Il n'y avait pas plus d'une douzaine de CD, que Resnick inventoria rapidement. Muddy Waters. Johnny Winter. Tout au fond, dépassant de la rangée, il avisa un DVD : *Devil's Fire*, un film de Charles Burnett. Lightnin' Hopkins, Big Bill Broonzy, Dinah Washington, Bessie Smith.

– Combien, celui-ci ?

– Dix livres.

Resnick haussa un sourcil.

– OK, soupira Marcus. Huit. Disons huit. Huit livres, OK ?

Resnick lui tendit un billet de dix livres et attendit sa monnaie. Marcus n'arrivait toujours pas à le regarder vraiment dans les yeux.

– Vous voulez une pochette ?

Resnick refusa d'un signe de tête.

– Merci, dit-il, prenant soin de récupérer son café avant de sortir.

Milieu de soirée. Karen et Mike Ramsden étaient au pub. Ils y étaient depuis déjà un moment. Après bien des difficultés et l'intervention appuyée du sous-directeur Harkin, Graeme Dixon, du Détachement spécial de la police métropolitaine, avait donné son accord pour une rencontre le lendemain après-midi.

Durant la journée, par intermittence, Karen avait pensé aux doutes et aux assertions de Resnick. Même s'il y avait du vrai dans ce qu'Andreea Florescu avait raconté à Lynn concernant Daines et les frères Zoukas, Daines avait pu se servir d'eux, jouer au plus fin, les mener en bateau jusqu'à ce que le piège se referme sur eux au moment où ils seraient à point. D'un autre côté, il avait pu aussi s'approcher de trop près et se brûler les ailes. Ce n'était pas impossible : ça s'était déjà vu. Si tel était le cas, songea Karen, il pouvait fort bien avoir contribué à l'intimidation des témoins ; cependant, en l'absence de toute preuve, il était difficile d'y croire.

Mais était-ce allé plus loin ?

Et comment ?

Le fait que Lynn Kellogg ait été tuée par un revolver du même type que ceux dont les frères Zoukas étaient censés faire le trafic était une coïncidence intéressante, mais pas davantage. Établir un lien plus étroit serait bien trop s'avancer. En outre — grosse question —, qu'est-ce que Viktor Zoukas ou son frère, ou même Daines, avaient à gagner à la mort de Lynn ?

Une satisfaction personnelle ?

Une banale vengeance ?

Elle n'en savait rien : pour l'instant, elle ne savait pas grand-chose.

Ramsden buvait des pintes de bière brune qu'il faisait descendre avec du whisky, et ses yeux prenaient un aspect légèrement vitreux.

– Vous vous rappelez de quoi on parlait, l'autre jour ? dit-il. *Dixon of Dock Green*, tout ça ?

Karen attendit la suite.

– J'ai vu le film, il y a un mois, qui raconte les débuts de Dixon. Avant la série télé. *The Blue Lamp*. Un après-midi où je n'étais pas de service. Il y a une scène, hein, où il marche tout droit sur un voyou armé d'un revolver. Tranquille comme Baptiste, le Dixon, avec son uniforme et son casque, et il dit au gamin, comme ça : « Pose ton arme. » Le gamin perd contenance, il pisse pratiquement dans son froc. « Lâche-le, j'ai dit », répète Dixon. « Ne fais pas l'imbécile. » Le gosse panique et appuie sur la détente. Dixon, il n'en revient pas. L'instant d'après, il a cessé de respirer. (Ramsden secoua la tête.) Ça remonte à quand ? Aux années cinquante et quelques. Un flic qui se faisait descendre, à l'époque, c'était pratiquement inédit. Aujourd'hui, les salopards ne paniquent pas. Ils visent avant de tirer, bordel !

Il frissonna d'exaspération.

– Vous êtes un oiseau de malheur, Mike, dit Karen. Le râleur de service, constamment amer et mécontent de la société. Pourquoi voir le bon côté des choses, après tout, quand on peut se rendre la vie impossible ?

– D'accord, d'accord, dit Ramsden, qui s'animait. Je vais vous dire une bonne chose. Si j'avais été môme en ce temps-là, j'aurais probablement habité une minable maison de quatre pièces sur deux étages, sans salle de bains, avec des gogues extérieurs, en courant à poil dans tous les coins. J'aurais quitté l'école à… quoi ? Quatorze, quinze ans ? Et j'aurais dégoté un boulot chiant, avec un peu de chance, pour un salaire de merde.

– Oui, dit Karen en riant. Sauf que vous n'avez pas connu ça, hmm ? Votre mère-grand avait peut-être des cabinets au fond du jardin, mais certainement pas vous. Pas plus que vous n'avez quitté l'école à quatorze ans.

– Non, c'est vrai. Vous avez raison, parfaitement raison. Je suis allé à l'établissement polyvalent local, OK ? Mes parents se sont saignés pour me payer des études, je suis entré dans la police haut la main, j'ai été promu, bon job, salaire correct — pas extraordinaire, mais correct —, jolie maison, bagnole haut de gamme, une femme et un gosse — ça, c'était avant qu'ils foutent le camp à Hartlepool —, et tout est mieux sur tous les plans, d'acc ? Mieux que ça ne l'était autrefois. Ouais ?

– Oui.

– Alors, pourquoi c'est comme ça ?

– Comme quoi ?

– Un boxon absolument intégral. (Il s'approcha de la fenêtre et regarda au-dehors.) Tout ce foutu pays. Même la pluie, elle n'est plus comme avant. Un satané déluge, voilà ce que c'est. Une putain d'inondation.

Karen éclata de rire.

– C'est ça. Pourquoi vous n'en rajoutez pas un peu, tant que vous y êtes ?

– Quoi ? Vous croyez que je blague ? Il y a eu des alertes inondations à la radio, ce matin. Dix-sept au total.

– Vous avez raison, Mike. La fin du monde est proche. Mais avant, offrez-moi un dernier verre, d'accord ?

Ramsden émit un grognement et se dirigea vers le bar.

36

À première vue, l'inspecteur divisionnaire Graeme Dixon était aussi passe-partout que l'immeuble en verre et béton qui abritait son bureau. Costume sombre, chemise pâle, cravate unie, cheveux ni trop longs ni trop courts, pas de barbe, pas de moustache, pas de tatouages ni d'autres signes distinctifs, une alliance en or — son unique ornement — au majeur de la main gauche. C'était le genre d'homme, vu de près dans le métro, ou au volant de sa voiture arrêtée à un feu rouge, qu'on remarquerait un bref instant pour l'oublier aussitôt. Cela expliquait, peut-être, pourquoi il avait été si efficace dans son job, à l'époque où il passait davantage de temps dans les rues.

Karen était venue à Londres toute seule, laissant Mike Ramsden avec la brigade. Outre son rendez-vous avec Dixon, elle en avait profité pour passer à son appartement regarder son courrier et prendre des vêtements de rechange.

– Karen, déclara le policier en lui tendant la main. Graeme. Entrez, je vous en prie. Désolé de vous avoir fait poireauter.

Il parlait avec une pointe d'accent de l'Essex et avait une attitude énergique, professionnelle. Sa poignée de main était brève, ferme et sèche.

Il attendit qu'elle soit installée dans un fauteuil.

– Vous êtes en mission, c'est ça ? Dans les provinces primitives ?

– En quelque sorte.

– Ça se passe bien ?

– Pas trop mal.

– J'ai été « prêté » une fois, moi aussi, quand j'étais inspecteur principal. À Manchester. Je passais le plus clair de mon temps à surveiller mes arrières.

Karen sourit.

– Cette équipe-là est plutôt bien.

– Une enquête sur un meurtre, c'est ça ? Une des nôtres ?

– Oui.

– C'est moche.

Karen acquiesça.

– Alors, reprit Dixon, que puis-je pour vous ? D'après votre adjoint, ça a un rapport avec cette opération dans le nord de Londres.

– Stuart Daines, il faisait partie des officiers des Douanes qui étaient concernés ?

– Stuart, oui. Il est à la SOCA, maintenant. Pourquoi cette question ?

Karen lui dédia encore un sourire, presque d'excuse cette fois.

– Je vais un peu à la pêche, là, et rien ne vous oblige à me répondre, bien entendu, mais avez-vous eu l'impression qu'il n'était pas très catholique ? Y avait-il quelque chose chez lui qui vous chiffonnait, qui vous mettait la puce à l'oreille ?

– Holà ! s'exclama Dixon en levant les mains. Minute, minute ! Dans quoi on se lance, là, au juste ? Ce n'est ni le moment ni le lieu.

– Attendez un peu, dit Karen. Que j'essaie de vous expliquer.

Dixon écouta patiemment et, quand elle eut terminé, il garda le silence quelques instants.

– Les éléments qui vous permettent de relier Daines à votre enquête me paraissent — au mieux — extrêmement limités. En fait, je pense que vous n'avez rigoureusement que dalle et que vous battez frénétiquement des bras pour éviter de vous noyer.

Karen poursuivit sans se démonter :

– Je crois savoir que l'un des trafiquants arrêtés s'en est sorti sans aucune condamnation.

– C'est exact.

– L'un des informateurs de Daines ?

Dixon eut un bref sourire.

– Vous n'espérez quand même pas que je vais répondre à ça.

– Bon, alors quoi ? Daines a dit un mot en sa faveur ? Peut-être même que ça a été plus loin ? Une preuve contre lui a été contaminée, égarée ?

– Ça arrive.

– Ce n'est pas légitime pour autant.

Dixon repoussa son fauteuil du bureau.

– Écoutez, ne me faites pas la morale, OK ? Nous avons obtenu un excellent résultat. Plusieurs douzaines d'armes confisquées, pratiquement un millier de cartouches. Les hommes appréhendés ont écopé d'une bonne trentaine d'années à eux tous.

– Et cela justifie…

– Vous savez foutrement bien que oui !

Karen exhala lentement son souffle avant de se lever.

– Merci de m'avoir reçue. Tout ce que j'ai dit — ou laissé entendre — sur d'éventuelles irrégularités… Je sais que ça restera entre nous.

Dixon hésita avant de parler :

– Vous êtes peut-être au courant, ou peut-être pas. D'après vos questions, j'ai tendance à croire que vous l'êtes. Nous menons actuellement une opération commune avec la SOCA, à la fois ici et à Nottingham. Daines est dans le coup. En ce moment, toute l'affaire ne tient qu'à un fil. Dix-huit mois à observer et à attendre, à travailler en concertation avec nos collègues des pays Baltes. Nous pensons qu'il pourrait y avoir jusqu'à trois cents ou trois cent cinquante armes, plusieurs milliers de cartouches. Si on intervient au bon moment, on a la marchandise, les fournisseurs, les intermédiaires et tout le bataclan. Si on s'y prend mal, on risque de perdre pratiquement tout. Des heures et des heures de travail de police réduites à néant et une autre fournée de revolvers en circulation. D'ici à un mois, ils pourraient se retrouver entre les mains d'un braqueur endurci qui attaquera un fourgon blindé sur la rocade de Ruislip ou d'un ado de quinze ans gonflé à bloc, dans le sud de Londres ou à Manchester, qui voudra se faire respecter en logeant une balle dans la tête d'un autre gosse. Vous comprenez ce que je dis, là ?

– Oui, je pense.

– Il me semble, en ce qui concerne votre enquête, que vous vous fourrez le doigt dans l'œil au sujet de Daines. Mais si la situation évolue, si vous décidez de prendre des mesures qui risquent de faire capoter l'opération en cours, je vous demanderai de me prévenir. De jouer franc-jeu avec nous.

– Et après ?

– Après, c'est une autre histoire. (Il tendit la main.) Vous savez où me trouver.

Sitôt sortie de l'immeuble, elle appela Ramsden sur son portable.
– Mike ? Avec un peu de chance, je serai de retour vers sept heures. Retrouvez-moi au bureau, OK ?

37

Les journaux télévisés montraient des images de rivières en crue, plus au nord ; dans le South Yorkshire et le long de l'estuaire de la Humber, les habitants étaient pris au piège dans leurs maisons. Dans l'East Anglia, le petit bourg de Louth était presque sous les eaux. Des hélicoptères secouraient les personnes âgées et les infirmes, les treuillaient dans des conditions précaires pour les emmener à l'hôpital. Des canots à rames, certains improvisés à partir de récipients ou de baignoires en plastique, transportaient les gens en lieu sûr. Des familles campaient sur les toits. Des chats étaient noyés. Des voitures, abandonnées. Des maisons et des boutiques, pillées. Un ambulancier en congé, pourtant excellent nageur, perdit pied, tomba dans une rivière normalement placide qui avait rompu ses digues et fut emporté par le courant. Un bambin médusé fêtait ses trois ans avec ses parents et deux cents autres enfants dans un centre de loisirs, l'eau léchant les murs, tandis qu'ils chantaient tous en chœur « Joyeux anniversaire ! » Le corps gonflé de Kelvin Pearce fut retrouvé flottant dans un parc de voitures d'occasion inondé, au sud de Doncaster, et attendit trois jours avant d'être identifié.

Le matin de l'enterrement de Lynn fut marqué par une pluie diluvienne qui tombait sans relâche du ciel plombé. La procession de voitures qui se dirigeait vers l'est, au départ de Nottingham, fut ralentie par les rafales de vent qui balayaient les champs et soulevaient des nappes d'eau sur la route. Des déviations, causées par les inondations, les ralentirent encore davantage.

À une trentaine de kilomètres de leur destination, la pluie céda soudain la place à un soleil aveuglant, au point que l'église, quand elle apparut à leurs yeux, se dressa sur la colline comme une sorte de fanal, ses murs recouverts de silex reflétant un kaléidoscope de gris, de blancs et de bruns.

Une barrière basse en bois, surmontée d'un arc métallique, s'ouvrait sur une allée de gravier qui menait à l'entrée de l'église, côté ouest.

À l'intérieur, les murs étaient étonnamment ordinaires, peints d'un blanc grisâtre sous le plafond aux poutres martelées. Un arc en ogive — ayant la forme et la taille de la fameuse arche de Whitby, bien connue de Resnick, formée de deux os de mâchoire de baleine — séparait la nef centrale du chœur, où se trouvaient des stalles et un autel des plus simples : la lumière filtrait à travers le haut vitrail à l'arrière-plan.

Resnick était placé face à la chaire, mal à l'aise en tenue de deuil : costume noir, chaussures noires, cravate noire, le col de sa chemise blanche lui enserrant le cou. Les bancs en bois, polis par l'usage, étaient durs et impitoyables pour ses os, d'autant qu'il était assis à l'étroit, dans une position inconfortable. De l'autre côté de l'allée, la mère de Lynn s'appuyait contre sa sœur aînée, en quête de soutien, la famille au sens large alignée derrière elle : un frère à peine vu depuis des années, des tantes et des oncles, des neveux et des cousins — des gaillards renfrognés, aux grands pieds et aux grandes mains, les yeux embarrassés —, des nièces vêtues de robes d'occasion et de cardigans empruntés pour se protéger du froid.

Derrière Resnick, le commissaire divisionnaire de Nottingham City et le patron de la Brigade criminelle s'entretenaient à voix basse, tandis que le sous-directeur de la police, qui représentait son supérieur, s'abstenait soigneusement de regarder sa montre. Derrière eux, les bancs étaient remplis d'hommes et de femmes avec lesquels Lynn avait travaillé : Anil Khan, Carl Vincent, Kevin Naylor (maintenant inspecteur dans le Hertfordshire et récemment divorcé), Sharon Garnett, Ben Fowles. Graham Millington avait envoyé une couronne de lis en exprimant ses sincères regrets de ne pouvoir être présent. Catherine Njoroge était assise un peu à l'écart, les mains croisées sur ses genoux, un châle noir sur la tête. Jackie Ferris avait téléphoné à la dernière minute pour s'excuser.

Le pasteur, nouveau dans la paroisse, était jeune, ardent et affligé d'un léger bégaiement. Il parla d'une vie de dévouement et de service, brutalement interrompue trop tôt. Il parla de l'amour infini de

Dieu. Resnick laissa errer ses yeux sur les anges des vitraux, rouges, verts et violets, perchés en petits losanges au-dessus de la fenêtre ouest. La mère de Lynn pleura. Deux officiers de police — Khan et Naylor —, aidés de deux membres de la famille, hissèrent le cercueil sur leurs épaules, Resnick leur emboîtant le pas.

Le sol, sous leurs pieds, était détrempé.

Lorsqu'ils arrivèrent devant la fosse, les premières gouttes d'une nouvelle pluie se mirent à tomber.

Les paroles balbutiantes du pasteur furent lacérées par le vent.

La mère de Lynn étreignit la main de Resnick en sanglotant.

Les côtés de la fosse commencèrent, çà et là, à se désagréger.

Il y eut d'autres paroles, puis le cercueil fut descendu dans la tombe.

Spontanément, l'une des femmes entonna un cantique qui fut repris par quelques voix brisées avant de se perdre dans un silence gêné.

Quand on tendit à Resnick la truelle contenant de la terre toute fraîche à jeter sur le cercueil, il se détourna, aveuglé par les larmes.

La famille avait prévu un buffet dans la salle paroissiale, plus fréquemment utilisée par les louveteaux et les jeannettes. Sandwiches racornis et commisération sans âme, bière tiédasse. Il n'avait qu'une hâte : s'échapper. Le soir même, la police organisait une veillée sur son propre territoire ; Resnick y ferait une apparition, recevrait les condoléances, serrerait les mains et partirait dès que la décence le lui permettrait.

La première fois qu'ils avaient fait l'amour, Lynn et lui, c'était au lendemain de l'enterrement du père de Lynn, une collision de besoins qui les avait amenés, maladroitement au début, du canapé au plancher et du plancher au lit, pour se terminer dans la joie et la surprise sous une couette à motifs bleu pâle. Après avoir de nouveau fait l'amour, ils avaient dormi. Et quand, enfin, Resnick s'était réveillé, Lynn se tenait près de la fenêtre, dans la lumière naissante, tenant contre son visage l'une des vieilles chemises blanches de son père.

À présent, père et fille étaient enterrés côte à côte.

La maison lui parut froide, quand il y entra, et la porte se referma derrière lui avec un bruit anormalement fort. Il restait à peu près un

303

tiers de la bouteille de Springbank que Millington avait apportée ;
Resnick s'en versa une généreuse rasade, emporta la bouteille et le
verre dans la pièce du devant, les posa sur la table et s'approcha de
la chaîne stéréo.

What Shall I Say ?[1] : Teddy Wilson et son orchestre, interpréta-
tion vocale de Billie Holiday. Jusque-là, il avait soigneusement
évité de passer ce morceau, mais il se sentait maintenant capable de
l'écouter.

La chanson commence par une fioriture de saxophone, après quoi
une trompette bouchée joue l'air, Roy Eldridge dans son registre le
plus réservé ; le saxo ténor exécute les huit mesures du milieu, puis
Eldridge reprend la main et Teddy Wilson comble l'espace avec
entrain avant l'entrée de Billie, la voix légèrement flûtée, résignée,
faussement bravache. La simplicité, la banalité des paroles ne font
qu'accentuer la douleur. Et la clarinette, derrière, improvise joli-
ment, dans le vide.

La musique terminée, Resnick, les yeux brûlants de larmes,
balança violemment son verre de whisky contre le mur, rejeta la tête
en arrière et hurla à la mort, hurla désespérément le nom de Lynn.

---

1. *Qu'est-ce que je dirai ?*

38

Au début, on supposa, assez logiquement, que Kelvin Pearce s'était noyé, victime parmi d'autres des inondations. Mais le médecin légiste ne trouva aucune trace d'eau dans ses voies respiratoires ni dans son estomac, et les poumons ne semblaient pas anormalement gonflés ; il en conclut que Pearce était presque certainement déjà mort lorsque son corps avait été plongé dans l'eau. Le gonflement et la peau extrêmement plissée, conséquences d'une immersion prolongée, avaient camouflé au départ la blessure par balle à la base du crâne. La zone autour de la plaie avait été proprement nettoyée, mais il y avait néanmoins suffisamment de marques de brûlure autour du point d'entrée pour indiquer que Pearce avait été tué d'une balle de petit calibre tirée à bout portant.

Sa sœur de Mansfield se chargea de l'identification.

L'ami chez qui Pearce s'était caché, à Doncaster, dans une maison anciennement louée à la municipalité, déclara à la police du South Yorkshire que Pearce avait donné l'impression d'être effrayé en permanence, de regarder sans cesse par-dessus son épaule. Une fois, dans un pub proche, en voyant entrer deux hommes, il avait filé en douce, traversé le parking à toutes jambes et escaladé un mur pour s'échapper.

Les deux hommes ?

L'un avait une barbe, ça, il en était certain — pas une grande barbe, pas longue, mais fournie et sombre. Peut-être bien qu'il avait une cicatrice sur le visage, mais c'était difficile d'en être sûr : tout s'était passé trop rapidement.

De quel côté, la cicatrice ? Gauche ou droit ? Non, désolé, il ne pouvait pas préciser.

Ce fut le jeudi suivant, presque une semaine après la découverte du corps de Kelvin Pearce flottant sur le ventre, butant contre la portière d'une Nissan Bluebird en partie submergée, que la nouvelle de sa mort parvint à Karen Shields.

– Le procès Zoukas, Mike, dit-elle à Ramsden tandis qu'ils se dirigeaient vers la salle des enquêteurs. De plus en plus, ça paraît être le pivot de l'affaire. D'abord Kellogg, maintenant un des témoins clés est retrouvé mort et l'autre a disparu.

– Exact. En plus, d'après tout ce qu'on sait de cette famille Zoukas, ce ne sont pas de simples escrocs, ce sont des gangsters de la plus belle eau. Des truands. Merde, il n'y a pas si longtemps, ils flinguaient à tout-va dans les collines d'Albanie du Nord, comme Wild Bill Hickock ! (Il s'esclaffa.) Autant pour les bienfaits de la société multiculturelle.

– Quel rapport ?

Ramsden ricana.

– Parlons-en, de cette satanée immigration massive ! On croyait qu'elle sauverait l'économie de notre malheureux pays plongé dans les ténèbres de l'ignorance. Qu'elle nous enrichirait sur tous les plans.

– Pour l'amour du ciel, Mike !

– Ben quoi, ces mecs-là, ce sont pas les frères Kray[1], hein ?

– Non, mais ça pourrait tout aussi bien.

– Nom de Dieu ! gronda Ramsden en secouant rageusement la tête. Vous ne voyez vraiment pas la réalité, hein ? Ou plutôt, vous la voyez mais vous ne voulez pas la regarder en face !

Karen pressa le pas.

– Non, attendez, dit Ramsden. Allez, quoi, regardez les faits.

Elle s'arrêta et se tourna vers lui.

– Mike, épargnez-moi le sermon, OK ?

Ramsden ne se laissa pas décourager.

– Qui écoule l'héroïne dans ce pays ? À Londres, en tout cas ? Les Turcs. Les Kurdes de Turquie. À quatre-vingt-dix pour cent.

– Oh, Mike…

– Le crack qui inonde Hackney et Peckham, ce sont vos frères de la Jamaïque. L'extorsion, la contrebande, le jeu, ça revient surtout aux Chinois. Aux Chinois de Hong Kong. Et la prostitution, la traite

---

1. Reginald et Ronald Kray, célèbres frères jumeaux qui régnèrent sur la pègre londonienne des années soixante. *(N.d.T.)*

des Blanches, ce sont les Albanais de mes deux. Voilà. C'est ça, votre société multiculturelle de merde !

Karen était furieuse, hors d'elle.

– Et alors, quel est le problème, Mike ? Votre pauvre petit truand britannique, blanc pur jus, n'arrive pas à se faire sa place au soleil ?

– Ouais, exactement.

– Ces satanés demandeurs d'asile viennent chez nous, ils prennent nos maisons, ils prennent nos emplois, et maintenant ils nous empêchent de gagner décemment notre vie dans le crime ! Voilà le tableau, tel que vous le voyez.

– Vous avez tout pigé, dit Ramsden avec un sourire épanoui. En plein dans le mille !

Karen fit volte-face, traversa la salle des enquêteurs et entra dans son bureau. Quelques instants plus tard, il la rejoignit.

– Allez vous faire foutre, Mike !

– Vous l'avez déjà dit.

– Et je le répète.

– Les flics de Leyton viennent d'appeler. Le sieur Alexander Bucur a regagné ses pénates. Depuis hier, très probablement, mais ils n'en sont pas sûrs.

Les yeux de Karen brillèrent.

– Vous avez prévenu Anil ?

Ramsden se redressa.

– Il est en route.

Alexander Bucur ouvrit nerveusement la porte d'entrée de la maison, et seulement après que Khan se fut identifié. Il tenait un tube de colle dans la main gauche et avait le nez chaussé de lunettes, qu'il ajusta pour examiner la carte de police de Khan.

– S'il vous plaît, dit-il, entrez. Venez en haut.

Au centre de la table trônait une maquette qui en était aux premiers stades de sa réalisation : la charpente d'un bâtiment au long toit en pente. Tout autour, il y avait plusieurs instruments coupants et des morceaux de balsa, des allumettes, des cure-pipes, de la cellophane et du papier de soie dans des boîtes sans couvercle.

– Qu'est-ce que c'est ? demanda Khan, intéressé.

Bucur sourit.

– Mon projet architectural. Il devrait être fini depuis plusieurs semaines.

– Vous vous êtes absenté.

– Oui.

– Nous vous avons cherché.

– Oui, je suis désolé. J'avais peur. Je…

Il secoua la tête, comme si c'était difficile à expliquer.

– Asseyez-vous donc, dit Khan, et racontez-moi ce qui s'est passé.

– D'accord.

Bucur prit une chaise et Khan l'imita.

– Je ne sais pas bien par où commencer, murmura Bucur.

– L'inspectrice principale Kellogg est venue ici le mardi 6 mars, dans l'après-midi.

– Oui. Je lui ai téléphoné. Deux hommes étaient venus à l'appartement, ils cherchaient Andreea. Andreea Florescu. Je crois que ces hommes étaient ceux qui l'avaient menacée avant. Elle a paniqué quand je lui ai dit et elle voulait s'enfuir, sans vraiment savoir où. C'est pour ça que j'ai appelé l'inspectrice. Pour qu'elle lui parle, qu'elle lui fasse entendre raison. Mais quand elle est arrivée, Andreea était déjà partie.

– Je vois, dit Khan en prenant des notes. Donc, l'inspectrice principale Kellogg n'a pas eu l'occasion de lui parler ?

– Non. Mais elle prenait ça au sérieux, je le voyais bien. Elle était inquiète de ce que ces hommes pourraient faire. Elle m'a fait promettre de l'appeler si je les revoyais… (Bucur s'interrompit et regarda Khan.) Et puis j'ai appris qu'elle avait été tuée. Assassinée. J'étais assis là où vous êtes, le lendemain matin, pour regarder les informations à la télévision. Je n'arrivais pas à le croire. Je ne savais pas quoi faire. Andreea avait disparu et l'inspectrice était morte. J'ai eu peur pour ma vie. Au lieu d'aller à l'université comme d'habitude, j'ai mis des affaires dans un sac et je suis parti. Dès que j'ai pu.

– Où êtes-vous allé ?

La sueur perlait sur le front de Bucur.

– Chez des amis, dans le nord de Londres. À Kilburn. Mais ensuite, je suis allé en Cornouailles. Andreea a une amie là-bas, voyez-vous, qui vient de notre pays. Nadia. Elle travaille dans un hôtel. Andreea avait parlé de la rejoindre. J'ai pensé qu'elle était peut-être partie là-bas.

– Et c'était le cas ?

– Non. Mais Nadia avait eu de ses nouvelles. Un coup de téléphone. Le même jour où elle a quitté l'appartement. Elle a dit qu'elle venait la voir.

– Quand ? Andreea a-t-elle précisé quand ?

– Bientôt. Elle a dit bientôt. Dans un jour ou deux. Mais elle n'est jamais arrivée.

– Et vous ne voyez aucun autre endroit où elle aurait pu aller ? Pas d'autres amis ?

Bucur secoua la tête.

– J'ai demandé à des gens, à l'hôtel où elle travaillait, et aussi quelques autres. Personne ne sait rien.

– Est-il possible qu'elle soit rentrée chez elle ?

– En Roumanie ?

– Oui.

– Je ne crois pas. Sa mère a téléphoné ici il y a trois… non, quatre jours. Sa petite fille — Andreea a une fille, Monica —, elle voulait lui parler. Je lui ai dit que sa maman était partie pour quelques jours avec une amie. En vacances. Je ne savais pas quoi dire.

– Sa mère n'avait pas eu de nouvelles non plus ?

– Pas depuis un moment. (Bucur repoussa sa chaise.) Je suis inquiet que quelque chose de terrible lui soit arrivé. Un des hommes qui est venu ici pour la chercher, le Serbe, il avait menacé de la tuer. C'est pour ça qu'elle avait si peur.

– Le Serbe, dites-vous ?

– Oui.

– Pourquoi l'appelez-vous ainsi ? Comment savez-vous d'où il était originaire ?

Bucur se pencha en avant.

– Quand je l'ai décrit à l'inspectrice Kellogg, elle le connaissait. Je ne sais pas comment, mais elle le connaissait. Je crois qu'elle a dit qu'il était serbe. Lazic. Ivan Lazic. Je suis sûr du nom.

– Lazic ? L-A-Z-I-C ?

– Oui. Il a une barbe. Brune. Et une cicatrice sur la figure. Ici.

De l'index, il traça lentement une ligne du côté gauche de son visage.

Khan fit un rapide croquis dans son calepin.

– Si nous avons encore besoin de vous joindre ?…

– Je serai ici. (Il sourit.) Fuir, ça ne sert à rien.

309

Espérons que vous ayez raison, pensa Khan en offrant sa main à Bucur.

– Merci pour votre aide précieuse. Si Andreea prend contact avec vous, ou si vous avez du nouveau, vous nous mettez au courant ?

– Bien sûr.

Khan lui remit sa carte.

– Bonne chance pour votre maquette.

Bucur sourit, plus spontanément cette fois.

– Oui, merci. (Il haussa les épaules.) Malheureusement, je ne suis pas très bon pour ça. J'ai… comment dites-vous ?… deux mains droites ?

– Deux mains gauches.

À peine sorti dans la rue, Khan était déjà en communication avec la salle des enquêteurs.

39

Dehors, au coin des rues, le vent sifflait une mélodie discordante et balayait les détritus de la veille au soir, qu'il projetait au visage des passants. Karen était assise à son bureau, flanquée de Mike Ramsden et d'Anil Khan, et tous trois regardaient l'écran de l'ordinateur de Karen. La police du South Yorkshire venait de diffuser le signalement d'un homme qu'ils voulaient interroger au sujet du meurtre de Kelvin Pearce. Pas de nom, mais la description correspondait en tout point à ce qu'ils savaient maintenant d'Ivan Lazic.

– Prenez contact avec Euan Guest, Anil, dit Karen. C'est lui le responsable de l'enquête sur place. Dites-lui que nous pensons connaître l'identité de son suspect. Donnez-lui le maximum de renseignements. Et profitez-en pour lui demander s'il y a du nouveau concernant l'arme du crime.

– Ce Lazic, il est quoi ? demanda Ramsden après le départ de Khan. Tchèque ? Russe ?

– Serbe, apparemment.

– Des salopards sans pitié, les Serbes.

Karen haussa un sourcil.

– Vous parlez en connaissance de cause, je suppose.

– J'ai vu cette émission l'autre soir, sur la chaîne Histoire. La chute de Berlin…

– Votre problème, Mike, parmi beaucoup d'autres, c'est que vous regardez trop la télévision.

– Qu'est-ce que je peux faire d'autre, à deux heures du matin ?

Karen ne voulait pas entrer dans ce débat.

Ramsden se percha sur un coin du bureau.

– Si le gang de Zoukas utilise Lazic comme liquidateur pour éviter la prison à ce trouduc de Viktor, il y a gros à parier que c'est son doigt qui était sur la détente quand Kellogg a été flinguée.

Karen pivota dans son fauteuil, se leva prestement et ouvrit la porte donnant sur la salle des enquêteurs. Michaelson revenait tout juste de la machine à café.

– Frank…

– Oui, boss ?

– Le sauna que dirigeait Viktor Zoukas, quelque part dans le centre-ville…

– À Hockley. Il a été fermé un temps, puis il a rouvert. Nouvelle couche de peinture, même business.

– Allez sur place et renseignez-vous sur un certain Ivan Lazic. Mike vous mettra au parfum.

– D'acc, boss.

S'il s'avérait que Lazic était à Nottingham au moment de la mort de Lynn Kellogg, cela augmenterait considérablement les chances de Ramsden de gagner son pari.

Michaelson n'était encore jamais entré dans un sauna ; du moins, pas dans le genre de sauna qu'on trouvait plus communément dans les rues les plus sordides et qui proposaient des massages sensuels et relaxants. Toutefois, il connaissait plusieurs collègues qui ne répugnaient pas à y faire des visites officieuses et à profiter occasionnellement d'une séance gratos. Il n'était jamais entré non plus dans le sex-shop qui occupait le rez-de-chaussée de l'immeuble, offrant des jouets sexuels et des stimulateurs pour couples, des cassettes et DVD pour adultes, des tee-shirts coquins et, comme l'annonçait l'affiche, des godemichés à la portée de toutes les bourses. D'un autre côté, comme le lui avait fait observer son ex-copine quand il avait exprimé son dégoût devant la prolifération des sites de rencontres à 35 livres la minute sur lesquels des jeunes femmes promettaient de vous aider à vous débraguetter et à décharger, il pouvait faire preuve, dans certaines situations, d'une pruderie absolument hors normes — surtout quand il s'entraînait pour une grande course. Simple conservation des fluides corporels, avait-il tenté de lui expliquer.

Dans quelle mesure cela avait décidé son amie à rompre, il ne l'avait jamais su exactement.

Aucune des deux jeunes femmes vautrées sur le canapé défoncé, dans la première pièce, ne lui accorda plus d'une seconde d'attention. Sur la gauche, assise derrière un comptoir en L, une femme plus âgée, la tête hérissée de bouclettes et la bouche enduite du rouge à lèvres le plus cramoisi que Michaelson se rappelât avoir vu ailleurs que sur un panneau publicitaire, lui dédia un sourire professionnel.

Elle n'eut qu'un mot à dire pour que les filles du canapé s'animent et manifestent un semblant d'intérêt : l'une avait la peau foncée et les cheveux assez longs, retenus par un large bandeau rouge ; sa compagne, blonde et menue, exhiba une dentition irrégulière lorsqu'elle sourit. Toutes deux portaient des blouses boutonnées du haut en bas, un peu sales — et pas grand-chose dessous, pour autant que Michaelson pût en juger. Sans le vouloir, il se sentit gagné par l'excitation.

Se tournant vivement vers le comptoir, il sortit sa carte de police.

— Je suis Sally, dit la femme au rouge à lèvres. Je peux vous aider ?

— Juste quelques questions, dit Michaelson.

Les jeunes femmes se rassirent et se remirent à feuilleter d'anciens numéros de *Grazia* et *Hello !*.

Sally alluma une cigarette et en proposa une à Michaelson, qui refusa d'un signe de tête.

— Ivan, oui, dit-elle en réponse à sa question. Il vient de temps en temps. De Londres. Depuis que Viktor… enfin, vous savez. Il reste dans le coin un jour ou deux, histoire de vérifier que je ne truque pas les comptes. (Elle eut un frisson involontaire.) Un sale type. Je ne l'aime pas. Il me donne la chair de poule.

— Il n'est pas là actuellement ? À Nottingham, j'entends ?

— Pas que je sache, non. À vrai dire, ça fait un moment que je l'ai pas vu. Deux semaines au bas mot.

— Vous vous rappelez quand ? La date précise, je veux dire ?

Sally fit un effort de mémoire.

— Non, mais… deux semaines, ça paraît coller. C'était le jour où Amira est arrivée. (Elle indiqua l'une des femmes assises sur le canapé.) Il l'a amenée avec lui en voiture. Deux semaines, sûrement pas plus. Tenez, c'était à peu près au moment où cette femme policier a été tuée, voilà. On ne parlait que de ça aux infos.

— Vous êtes formelle ? insista Michaelson.

– Oui, absolument. (Sally secoua la cendre de sa cigarette.) À propos, vous avez arrêté quelqu'un pour ce meurtre ?

– Pas encore.

Sally s'adossa à sa chaise.

– Elle est venue ici, vous savez. La nuit où Nina a été tuée. J'ai causé avec elle, comme je le fais avec vous maintenant. Affreux, ce qui est arrivé. Elle était encore jeune, en plus.

Michaelson posa sa carte sur le comptoir.

– Si jamais vous le voyez, ce Lazic, s'il revient, je vous demanderai de me téléphoner.

Sally jeta un coup d'œil sur le bristol.

– C'est d'accord.

Michaelson se promit de ne pas regarder en direction du canapé en sortant, et il y parvint presque.

– Il reviendra, dit Sally avec un grand sourire en glissant la carte dans le haut de son soutien-gorge.

Lorsqu'elle apprit que Lazic était probablement en ville au moment du meurtre de Lynn Kellogg, Karen appela aussitôt Euan Guest, à Doncaster, pour lui communiquer la nouvelle. Guest parut d'abord quelque peu agacé, mais sa voix bourrue perdit de son impatience quand il entendit ce que Karen avait à lui annoncer.

– J'ai eu tout à l'heure Rachel Vine au téléphone, dit-il. Le procureur général de Notts. Elle m'a dit qu'il y avait un autre témoin…

– Andreea Florescu. Elle était à Londres. Elle s'est volatilisée depuis maintenant deux semaines.

– Pas bon, ça.

– Non.

– On reste en contact ?

– Absolument.

Moins d'une heure après sa conversation avec Guest, elle reçut un coup de téléphone. Ce n'était pas Doncaster, cette fois, mais Leyton… une nouvelle à laquelle Karen s'attendait mais qu'elle ne voulait pas entendre.

40

Ce ne fut pas la police qui la retrouva, mais des gosses qui se livraient à une course-poursuite, deux garçons de onze ans qui essayaient d'échapper à six ou sept autres, plus âgés pour la plupart — une course qui avait démarré comme un jeu et qui était sur le point de déraper, de devenir une espèce de chasse à l'homme. Ils avaient dévalé la grand-rue à toute blinde, zigzaguant de leur mieux entre les adultes, bousculant des piétons qui furent éjectés du trottoir, rebondissant contre des portes et des vitrines, s'engouffrant dans la station de métro et grimpant au galop l'étroit escalier menant au quai, pour s'apercevoir une fois là-haut qu'ils étaient pris au piège. Faisant volte-face, ils avaient redescendu les marches trois par trois, manquant renverser une vieille dame qui tournoya sur elle-même, l'un d'eux sautant — au tout dernier moment — par-dessus la tête d'un bambin effaré qui se cramponnait à la main de sa mère.

Au bas de l'escalier, ils hésitèrent, reprirent leur souffle, mais pas plus de quelques secondes quand ils entendirent, par-dessus le vacarme de la circulation dans la grand-rue, les pas précipités de leurs poursuivants, leurs voix stridentes et coléreuses qui criaient des slogans. Ils revinrent alors sur leurs pas pour escalader tant bien que mal la clôture délimitant un terrain vague, près de la voie ferrée, qui était devenu depuis longtemps une décharge sauvage, le lieu de prédilection de tous ceux qui avaient des vieilleries à bazarder.

L'un des garçons agrippa les barreaux métalliques et se courba en deux pour permettre à l'autre de grimper sur son dos, puis d'enjamber la grille, accrochant son jean sur l'une des piques émoussées et poussant un juron quand le tissu se déchira. Une fois là-haut, en équilibre plus que précaire, il empoigna les mains de son compagnon pour l'aider à escalader la clôture à son tour, puis il le hissa par-dessus, tous deux roulant et trébuchant sur une accumulation de déchets et de meubles cassés, de matelas souillés et de débris de verre, avant d'atterrir enfin entre une machine à laver, façade arrachée, mise au rancart depuis longtemps, et un vieux congélateur enfoncé en biais dans les détritus compressés.

Leurs cœurs battaient à se rompre.

Hors de leur champ de vision, deux ou trois gars de la bande faisaient courir des bâtons le long des barreaux métalliques en un carillon discordant.

Les autres braillaient leurs noms.

Les cris se rapprochèrent, puis s'éloignèrent, avant de se rapprocher encore. Certains d'entre eux étaient maintenant sur le quai, à regarder en bas.

Les deux garçons s'aplatirent au sol du mieux qu'ils le purent, s'enfouirent entre la machine à laver et le congélateur, dans un magma humide et spongieux.

– Ça pue, murmura l'un.

– La ferme ! siffla l'autre entre ses dents.

– C'est vrai, ça chlingue.

– Ferme ta gueule, putain !

Un rat, curieux, se faufila dans l'espace qui les séparait et fit un bond de côté, ses pattes prenant appui un instant sur l'épaule d'un des garçons, avant de détaler et de disparaître.

Les cris semblaient avoir cessé. Levant la tête avec circonspection, ils virent les gens alignés de dos sur le quai, au-dessus d'eux, attendant la rame suivante. À l'intérieur du petit abri couvert, des têtes et des épaules se profilaient en ombre chinoise. Aucun garçon en vue, hormis un gamin d'école primaire à cheval sur le petit muret.

– On y va, dit l'un. Ils sont partis.

– Non, attends.

– Ça pue ici.

– Tu l'as déjà dit.

– Ben je le répète. Tu viens, oui ?

Le deuxième garçon s'était tellement enfoncé dans le sol que le congélateur reposait presque sur son dos ; il tenta de se dégager, mais l'appareil pencha encore un peu plus vers lui, ce qui le contraignit à demander l'aide de son compagnon. Ils durent s'y mettre à deux pour faire levier sur le congélateur et l'envoyer rouler sur le côté, la porte pivotant sur ses charnières.

– Bordel ! cria le premier garçon. C'est quoi, ça, merde ?

Mais ils savaient ce que c'était, tous les deux, et ils s'enfuirent, affolés, enjambant frénétiquement les monceaux de détritus, crapahutant et tombant, perdant l'équilibre, tellement pressés de quitter les lieux qu'après avoir sauté par-dessus la grille ils coururent à l'aveuglette, sans s'occuper l'un de l'autre, courant à toutes jambes, jusqu'à ce que le premier entre en collision avec un ambulancier qui quittait son service, encore en uniforme. Celui-ci saisit le gamin par le col, le tint d'une main ferme et lui demanda ce qu'il foutait au juste. Le garçon pointa alors le doigt vers la voie ferrée, les yeux agrandis, et bredouilla les mots :

– Un cadavre… Y a un cadavre !

Andreea Florescu avait été pliée en trois, tel un accordéon, et son corps introduit en force dans le congélateur, la tête coincée entre les genoux. Elle portait les mêmes vêtements que lorsqu'elle avait quitté l'appartement d'Alexander Bucur, seize jours auparavant. Sa peau, là où elle était visible, avait pris l'aspect du marbre vert ; les veines, sur ses mains et sur le côté du cou, saillaient comme des tortillons de fil de fer assez épais. Le sang s'était coagulé, formant une pellicule noire et sirupeuse sur son buste et le long des cuisses, soudant ensemble ces parties de son corps.

L'odeur était quasiment insupportable.

La zone fut bouclée par un cordon de sécurité, on apporta des échelles pour accéder plus facilement au site et on disposa des planches à la surface des détritus, créant ainsi un unique itinéraire pour l'équipe de l'Identité judiciaire et pour le médecin légiste du ministère de l'Intérieur, afin qu'il effectue son premier examen. On prit des photos, on releva des mesures, on dessina des croquis détaillés.

Une foule de badauds, voyageurs ou non, était massée sur le quai du métro, au-dessus, et observait la scène.

Les deux garçons furent conduits au commissariat local, leurs parents alertés, les assistantes sociales convoquées. Chris Butcher, l'un des policiers les plus expérimentés de la Brigade de répression des homicides et des crimes majeurs, fut chargé officiellement de l'affaire et une salle des enquêteurs fut établie au commissariat de Francis Road.

C'est là que l'un des inspecteurs eut l'idée de téléphoner à Karen Shields.

– Cette femme que vous recherchiez, il est possible que nous l'ayons trouvée.

On fit venir Alexander Bucur pour procéder à l'identification.

Il était neuf heures du soir lorsque Karen put parler à Butcher, un homme qu'elle connaissait mieux que de réputation, ayant travaillé avec lui sur une précédente affaire. Décidé, méthodique, sujet à d'occasionnels accès de colère, il était deux fois divorcé et parvenait néanmoins, avec l'aide de grands-parents et d'une succession de jeunes Européennes au pair, à élever deux filles adolescentes à Tufnell Park.

– Karen, dit-il avec les vestiges d'un accent écossais qui était nettement plus perceptible après un verre ou trois, je m'excuse de ne pas vous avoir appelée plus tôt.

– Ce n'est pas grave.

– Qu'est-ce qui vous intéresse, exactement, là-dedans ?

Elle le lui expliqua, le plus succinctement possible.

– Peut-être que vous, moi et ce type du Yorkshire, j'ai oublié son nom…

– Guest.

– C'est ça, Guest. Peut-être qu'on devrait se réunir, tous les trois, pour voir ce qu'il y a de commun, le cas échéant, entre ces meurtres.

Karen se déclara d'accord.

– Une précision, dit-elle. La victime, Andreea, comment est-elle morte ?

– On lui a tranché la gorge, pratiquement d'une oreille à l'autre.

Resnick était assis dans une semi-obscurité lorsque Karen téléphona. Il écoutait des enregistrements que Thelonious Monk avait réalisés pour Prestige dans les années cinquante, son piano accompagné par la basse et la batterie. Monk faisait cavalier seul, comme toujours, et Resnick avait l'impression d'entendre un vieil homme irascible qui, de temps à autre, surprenait son entourage — et lui-même — par des accès de bonne humeur.

Est-ce que ça l'ennuierait, lui avait demandé Karen, si elle faisait un saut chez lui ? Elle ne le dérangerait pas longtemps.

Ça ne l'ennuyait pas.

Un peu plus tôt, il avait relu les cartes et les lettres envoyées par la famille de Lynn : la plupart d'entre elles étaient guindées, sentaient les efforts laborieux pour ne pas le froisser, pour trouver les mots justes. Prenant un carnet, il avait commencé à rédiger des brouillons de réponses ; mais, submergé par l'émotion, il avait finalement repoussé carnet et stylo. Encore une tâche reportée à un autre jour.

Il avait promis à Mme Kellogg d'inventorier les affaires de Lynn, quelques bijoux fantaisie qu'elle gardait depuis son adolescence, une montre que son père lui avait offerte pour son vingt et unième anniversaire, une boîte bourrée à craquer de vieilles photos : Lynn, treize ans, potelée, en uniforme d'écolière, adressant à l'objectif un sourire contraint ; Lynn, un peu plus jeune, sur le vélo qu'elle avait reçu à son entrée au collège d'enseignement secondaire ; encore plus jeune, avec ses parents, en vacances en Cornouailles — et aussi une photo qu'elle lui avait montrée avec fierté, il s'en souvenait, où on la voyait à huit ou neuf ans, avec des couettes, brandissant d'un air triomphant deux crabes qu'elle avait attrapés toute seule, un dans chaque main.

Certaines de ces photos, sa mère souhaitait les récupérer ; les autres, il les garderait.

Karen Shields était sur le seuil, apportant une bouteille de whisky enveloppée dans du papier de soie blanc.

– Je ne savais pas quelle marque vous aimiez, dit-elle en retirant le papier pour lui montrer la bouteille.

Resnick parvint à sourire.

– C'est parfait.

Du Johnny Walker Black Label ; ce n'était pas du Springbank, mais pas mal quand même. Il alla chercher deux verres et elle le suivit dans la pièce du devant. Monk jouait toujours : *Bemsha Swing*.

Karen écouta quelques instants, la tête penchée vers les enceintes.

– Qui est-ce ?

Il le lui dit.

– Pas précisément reposant.

319

– Non. Je peux arrêter, si vous voulez.

– Non, laissez. C'est chouette. (Elle eut un grand sourire.) Du moins, je trouve. (Elle parcourut du regard les rangées d'albums et de CD.) Vous avez toujours été branché jazz ?

– Quasiment, oui. C'est l'une des choses qui m'aident à rester sain d'esprit. Enfin… c'était.

– Lynn en était une autre.

– Oh ! oui.

– Ça doit être dur pour vous.

– Non, pas vraiment.

– Sacré menteur !

Resnick renifla, sourit et versa deux bonnes mesures de scotch.

– Mon grand-père, dit Karen, il était un peu musicien de jazz, figurez-vous. De calypso, aussi. Il jouait de la trompette. De la trompette et du piano. Quand il a quitté la Jamaïque pour venir en Angleterre, c'était pour rejoindre cet orchestre, King Tim's Calypso Boys. Ça n'a pas trop bien marché, j'ignore pourquoi. Par contre, je sais qu'il est parti en tournée, en Nouvelle-Zélande, avec un orchestre qui s'appelait les Sepia Aces. (Karen secoua la tête avec un sourire ironique.) Les All-Black Sepia Aces, c'est sous ce nom-là qu'on les présentait sur les affiches. Mais après ça, je crois qu'il a plus ou moins abandonné la trompette. Il a travaillé comme menuisier-charpentier, c'était son métier. Je me rappelle l'avoir entendu jouer quelques rares fois.

Elle eut un regard qui surprit Resnick.

– Andreea Florescu, on a retrouvé son corps.

– Oh ! merde…

– À Leyton, pas très loin de l'endroit où elle séjournait. Elle a été égorgée.

Resnick baissa la tête.

– Ça ne s'arrange pas, hein ?

– Non, j'en ai peur.

Il se leva et s'approcha de la fenêtre, son verre de whisky à la main. Jusqu'à présent, il n'avait pas pris la peine de fermer les rideaux et il vit son reflet, au cœur des ténèbres, qui le regardait avec incompréhension.

Une phrase saccadée s'éleva du piano de Monk, un rapide arpège en cascade, suivi de deux brèves notes finales arrachées au clavier. *Sweet and Lovely*. Fini, pour toujours.

– Lynn en parlait, dit Resnick en se retournant. Du danger que courait Andreea en se présentant spontanément, en acceptant de témoigner. Elle lui avait promis qu'il ne lui arriverait rien, que tout se passerait bien. Ça la taraudait, le fait d'avoir menti.

– Elle n'aurait pas dû se sentir coupable.

Resnick rentra la tête dans les épaules.

– Peut-être, peut-être pas. En tout cas, c'était ainsi.

– J'ai parlé au responsable de l'enquête, un collègue que je connais. Butcher. Chris Butcher. Un bon flic. On va se réunir, lui, moi et le type qui s'occupe du meurtre de Pearce. Dans les deux jours à venir.

– Quand a lieu l'autopsie ?

– Demain, je crois. De bonne heure, probablement.

– J'aimerais y assister.

– Charlie…

– Oh, pas pour interférer. Rien d'officiel.

– Il me semble avoir déjà entendu ça.

– Non, je suis sérieux. Je voudrais juste la voir. Voir le corps.

– Pour quoi faire ?

– Je ne sais pas… Je ne vais sans doute pas m'expliquer très bien, mais… c'est pour Lynn, c'est ce qu'elle aurait voulu. Ce qu'elle aurait fait.

La méfiance, l'incrédulité, se lisaient clairement sur le visage de Karen.

– Écoutez… (Il revint s'asseoir en face d'elle.) Je ne dirai rien, je n'interviendrai pas. La seule chose que je ferai peut-être, tant que je serai à Londres, c'est d'aller rendre visite à Bucur, juste pour voir comment il tient le coup, lui exprimer ma sympathie. Mais c'est tout. Vous avez ma parole.

Karen haussa un sourcil.

– Votre parole ?

– Oui.

Elle goûta encore un peu de scotch.

– D'accord, je verrai ce que je peux faire.

Pendant un moment, ils réussirent à parler d'autres sujets, mais ils se trouvèrent bientôt à court de choses à se dire.

Resnick la raccompagna à la porte. Quand serait-il capable de l'ouvrir, cette porte, sans voir ce qu'il avait vu le soir de la mort de Lynn ?

– Cette opération à laquelle participe Daines, dit Karen, il paraît — à en croire mon adjoint — qu'elle va se déclencher d'un jour à l'autre. Apparemment, les rumeurs vont bon train. Des policiers du Département de soutien opérationnel ont eu leurs congés annulés, de même que les équipes d'intervention armée.

– Probable qu'on lira le reste dans les journaux.

Karen sourit.

– Je n'en serais pas étonnée.

Arrivée au bout de l'allée, elle tourna la tête.

– Je vous appellerai pour l'autopsie.

– OK.

Il leva une main, hésita un instant avant de rentrer dans la maison.

41

Quelle était la phrase, déjà ? Il l'avait lue quelque part : « Un tonneau utilisé naguère pour y entreposer des choses vivantes. » Andreea Florescu — ce qui avait été Andreea Florescu — gisait sur la table en acier inoxydable, les yeux ouverts, froide comme le marbre. Les incisions pratiquées dans son corps avaient été méticuleusement recousues, les points de suture impeccables, une mère en aurait été fière. Elle avait été photographiée, d'abord tout habillée, puis à chaque étape d'un lent strip-tease jusqu'à ce qu'elle soit prête pour le médecin légiste, les pinces, le scalpel, la scie. On avait noté toutes les marques extérieures et les taches sur sa peau, prélevé des échantillons de ses cheveux, gratté les résidus sous ses ongles avant de les couper avec soin, effectué des prélèvements ici et là, puis étiqueté et stocké tous ces indices. Avant d'ouvrir la cavité thoracique, le légiste avait suivi avec son scalpel la trace du couteau de l'assassin en travers du cou, millimètre par millimètre, centimètre par centimètre.

Resnick regarda et vit tout cela : autant dire, rien.

Combien de cadavres comme celui-ci avait-il vus ? Combien de vies brutalement supprimées ?

Une autre expression, pas tout à fait appropriée, lui traversa l'esprit : la mère de quelqu'un, l'enfant de quelqu'un.

La fille d'Andreea, quel âge avait-elle, lui avait dit Lynn ?

Trois ans ? Quatre ?

Seigneur, Charlie ! Qu'est-ce qui m'a pris ? Lui faire des promesses comme ça. Des promesses que je ne pourrai pas tenir.

La voix de Lynn, un vrombissement dans la tête de Resnick.

Je l'ai mise en danger, Charlie.

Il se détourna.

Alexander Bucur avait eu bien du mal à rester chez lui depuis qu'il avait appris la nouvelle. Pas parce qu'il croyait qu'Andreea avait été tuée dans l'appartement, non ; mais ici, il la voyait partout. Resnick comprenait ce qu'il ressentait.

Ils marchèrent le long de High Road, parlant à peine au début, puis ils descendirent vers la River Lea et Hackney Marshes, un vaste terrain plat où les poteaux de but poussaient comme des arbres et où, les mauvais jours, le vent cinglant vous cisaillait les yeux. Aujourd'hui, malgré le niveau élevé des eaux, le vent était tombé et les rares nuages restaient accrochés, immobiles, dans le ciel grisâtre, tels des ballons de barrage.

Huit ou dix gamins, qui, d'après leur âge, auraient dû être à l'école, disputaient un match impromptu autour d'une des cages, courant en tous sens, les bras levés, en criant : « Ici ! Ici ! Une passe ! Allez, une passe ! Oh, bordel, c'est pas vrai ! »

Tandis que le ballon était renvoyé d'un coup de pied de derrière le but, un gosse en bermuda et en maillot bordeaux et blanc avec le nom Tevez inscrit au dos se lança dans une course en zigzag qui se termina seulement quand deux autres joueurs lui rentrèrent dedans. Il s'étala de tout son long, laissant échapper le ballon qui fila vers l'endroit où Resnick et Bucur se promenaient. Avec une belle économie de mouvements, Bucur réceptionna le ballon sur son cou-de-pied et le renvoya sur le terrain d'un tir parfaitement ajusté.

– On aurait bien besoin de vous à Notts, observa Resnick, impressionné. Un contrôle de cette qualité…

Bucur sourit.

– J'ai joué un match de sélection, avant. En Roumanie.

– Le Dynamo de Bucarest ?

C'était la seule équipe roumaine connue de Resnick.

– Non. Farul. Le club de ma ville natale, Constanta. Le FC Farul. Ils sont en Liga 1. Pas formidable. Ils finissent treizième, quatorzième. (Il esquissa un sourire.) Nous, on les appelle les Requins. Constanta, c'est près de la mer.

Ils continuèrent de marcher un peu.

– Vous avez parlé à la famille d'Andreea ? demanda Resnick.

L'expression de Bucur se modifia.

– Oui. Sa mère. La police lui avait déjà dit ce qui était arrivé, mais elle ne comprenait pas. Elle me répétait : « Comment est-ce possible ? Comment est-ce possible ? » Je n'ai pas su quoi répondre. Elle sait seulement qu'Andreea était étudiante ici, qu'elle travaillait comme femme de ménage pendant son temps libre. Elle n'était pas au courant de son autre… cet autre travail qu'elle faisait, ces gens qu'elle rencontrait. C'était trop difficile à expliquer.

Resnick inclina la tête. Ils traversèrent des sentiers où plusieurs personnes promenaient leurs chiens, pour la plupart des bull-terriers ou assimilés, musclés et à poil court, avec un crâne aplati et un large poitrail, un peu comme leurs maîtres.

– Pour le corps d'Andreea, demanda Bucur, qu'est-ce qui se passe ?

– Il sera retenu encore un moment, pendant que l'enquête se poursuit. Une fois qu'un suspect aura été arrêté et que son avocat aura eu l'occasion d'examiner le corps, alors il pourra être restitué.

– Et enterré à Constanta ?

– Je le suppose, oui.

Ici, le sol était humide et cédait aisément sous les pas. Devant eux, la rivière se frayait un chemin sinueux à partir de Tottenham Hale, où se trouvait la Cook's Ferry Inn, un célèbre pub de jazz des années cinquante et soixante qui avait longtemps accueilli un fougueux trompettiste nommé Freddy Randall. Resnick n'y était jamais allé.

– Elle m'a raconté, dit soudain Bucur, ce qu'il lui a fait, ce Lazic. Pourquoi elle avait toujours tellement peur. Il l'a emmenée, avec un autre homme, la nuit, dans ce… un endroit plein d'ordures. Une décharge, c'est le mot ?

– Oui.

– Il l'a emmenée là-bas, l'a fait mettre à genoux et lui a mis un couteau sur la gorge en lui disant ce qu'il fera. Il lui coupera la gorge de là à là. (Bucur fit le geste avec l'index de la main droite.) Il est venu une fois à l'appartement, vous savez, je l'ai dit à votre collègue, votre amie, il cherchait Andreea et nous nous sommes battus. Elle n'était pas là. Après ça, j'ai essayé d'être présent le plus possible, vous savez, pour le cas où, mais je ne pouvais pas toujours et…

– C'est OK, dit Resnick. Vous avez fait ce que vous avez pu.

– Non, non. J'aurais dû faire plus, je…

– S'ils étaient décidés à la tuer, vous ne pouviez pas la protéger tout le temps.

– Mais vous, la police, votre amie l'inspectrice, elle savait comment il s'appelait. L'autre policier aussi. Je lui ai dit, ce soir-là…

– Attendez. Quel autre policier ?

– Celui qui est venu avec l'inspectrice Kellogg, la première fois.

– Daines ?

– Oui, Daines.

– Pourquoi lui en avez-vous parlé ?

– Parce que… parce que quand j'étais inquiet pour Andreea, j'ai appelé l'inspectrice Kellogg sur mon téléphone et il n'y avait pas de réponse, alors ensuite j'appelle ce Daines — Andreea avait son numéro, les deux numéros dans sa chambre. Daines ne répond pas, lui aussi, alors je lui laisse un message et puis quand j'essaie encore d'appeler l'inspectrice Kellogg, elle est là et elle a accepté de venir.

– Mais vous avez donné à Daines le nom de l'homme, dites-vous ?

– Oui. Mais plus tard. Il a rappelé pas longtemps après que l'inspectrice était partie. Alors je lui parle de Lazic.

– Qu'est-ce qu'il a dit ?

– Il dit de ne pas s'inquiéter. Il connaît ce Lazic, il le surveille. Et Andreea, il pense qu'il ne lui arrivera rien.

– Lui avez-vous dit autre chose ?

Bucur secoua lentement la tête, l'air incertain.

– Je ne crois pas.

– Rien concernant l'inspectrice Kellogg ?

– Seulement qu'elle était venue, bien sûr. Et qu'il l'avait juste manquée, elle était partie prendre son train.

– Son train ? Vous en avez parlé ?

L'espace d'un instant, Bucur parut perplexe.

– Oui, son train de retour.

Les trois policiers se retrouvèrent dans une station-service, sur l'autoroute, à Leicester Forest East : ce lieu de rendez-vous était une petite concession à Euan Guest, qui venait de Doncaster ; Karen, elle, n'était pas bien loin de son secteur temporaire ; quant à Butcher, il avait volontiers parcouru la distance supplémentaire, du moment qu'il était clair pour ses collègues que le rôle principal dans l'enquête lui revenait. Guest était prêt à accepter ce préalable pour l'instant et à le contester par la suite, tandis que Karen, consciente des ressources de la police londonienne — à laquelle elle appartenait —, trouvait cela parfait.

Chris Butcher avait pris quelques kilos depuis leur dernière rencontre : sa chemise d'un bleu passé était un peu tendue au-dessus de son pantalon en velours et il n'avait pas boutonné sa veste. Ses cheveux, toujours bruns, commençaient à avoir des mèches grises et auraient eu besoin d'une bonne coupe ; la dernière fois qu'il s'était rasé, ce n'était sûrement pas le matin même, peut-être même pas celui de la veille. Karen, qui en pinçait pour les Méditerranéens au teint basané, pensa : on dirait un serveur italien ou un footballeur de première division, au choix. Pour un homme de… quoi ? — quarante ans ? quarante et un ou deux ? — il se défendait encore pas mal.

Son sourire, quand il la vit, fut bref mais, pensa-t-elle, sincère ; vite en place et vite disparu.

Euan Guest, en chair et en os, constituait une certaine surprise : plus jeune qu'elle ne l'avait imaginé à sa voix, très grand — dix ou douze centimètres de plus que le mètre quatre-vingts —, il avait un corps svelte et une tête un peu courbée, surmontée d'une tignasse de cheveux blonds.

Tous trois prirent du café. Guest commanda en outre un pain aux raisins ; Butcher, un burger et des frites ; Karen s'abstint.

– On surveille sa ligne ? la taquina Butcher.

– Non, dit Karen. C'est plutôt vous.

Butcher rit, pris en défaut. Il n'avait pas eu l'intention de reluquer Karen, mais elle portait un haut qui exerçait un puissant effet sur l'imagination — d'autant que, plus d'une fois, il devait le reconnaître, elle avait traversé la zone lascive de son cerveau au cours des dix-huit derniers mois, c'est-à-dire depuis qu'ils avaient travaillé ensemble sur un double meurtre à Rotherhithe : un père et son fils tués par balle sur le parking d'un pub, à titre de vengeance pour leurs aventures clandestines, le père, puis le fils, puis les deux ensemble ayant sauté la femme d'un ancien propriétaire de club de boxe, devenu ferrailleur, et commis l'erreur fatale de poster leurs ébats sur YouTube.

Sale histoire.

– Alors, dit Butcher avec emphase, qu'est-ce que nous avons ?

Guest avala un morceau de son pain aux raisins.

– Le rapport du labo sur le revolver qui a tué Kelvin Pearce est enfin arrivé. Même modèle que celui qui a servi pour le meurtre de Kellogg, munitions similaires, mais pas la même arme. Désolé.

– Merde ! dit Karen.

– Modus operandi totalement différent dans les deux cas, ajouta Butcher. Ce qui n'exclut pas d'autres liens éventuels.

– Avec Zoukas, vous voulez dire ?

Butcher plongea la main dans sa serviette en cuir usé et en extirpa une chemise en carton gris d'où il sortit quatre photos, format 20 × 30, qu'il posa sur la table.

– Ivan Lazic. L'une a été prise il y a presque huit ans, les autres sont plus récentes. Celle-ci… (Il indiqua une photo légèrement floue, sans doute prise d'une voiture en marche, qui montrait deux hommes en grande conversation sur un trottoir.) Lazic et Valdemar Zoukas à Wood Green, au nord de Londres, il y a un an.

– D'où vous viennent ces documents ? s'enquit Karen.

– De la SOCA. Leur service de renseignements. Extrêmement obligeants, ces gens-là. Du moins, l'ex-collègue à qui j'ai eu affaire s'est montré fort coopératif. Apparemment, les Douanes se sont intéressées à Lazic dès son arrivée dans le pays, en 1999, quand il demandait l'asile en se présentant comme un réfugié de la guerre du Kosovo. Ce qu'il y a de vrai là-dedans, Dieu seul le sait. D'après le policier à qui j'ai parlé, on le soupçonnait d'avoir appartenu aux services de sécurité serbes, alors qu'il prétendait avoir été membre de l'Armée de libération du Kosovo. Qui sait ? Depuis qu'il est ici, il semble s'être rangé du côté des Albanais, donc peut-être qu'il disait la vérité.

– Attendez, intervint Guest en levant la main, cette Armée de libération, elle était composée d'Albanais ?

– Exact. Qui luttaient contre les Serbes pour l'indépendance.

– Et ils étaient quoi, dans tout ça ? Les bons ?

Butcher fit la moue.

– Ça dépend. Les deux camps se sont accusés mutuellement d'atrocités, de nettoyage ethnique, la totale. Qui peut dire si l'UCK était meilleure ou pire que les Serbes ?

– Et Lazic aurait pu être dans l'un ou l'autre camp.

– Ou les deux. Exactement.

– Mais ses liens avec les frères Zoukas, là, c'est confirmé ?

– Selon la SOCA, il fait leur sale boulot depuis un bon moment. Non pas que la brutalité leur répugne, mais Lazic, semble-t-il, y prend plus de plaisir que la plupart des gens.

– Dans ce cas, pourquoi ne pas le coffrer ? demanda Guest.

Butcher haussa les épaules.

– Les preuves, sans doute. Le manque de.

– Ce que nous savons, reprit Guest, c'est qu'il a menacé Pearce et Florescu avant leur mort. Le lien avec votre affaire, ajouta-t-il à l'adresse de Karen, me paraît moins clair.

– C'est mon avis.

Guest poursuivit :

– Ce que nous n'avons pas encore, en revanche — pas plus que la SOCA, vraisemblablement —, ce sont des preuves suffisantes pour pouvoir faire tenir l'accusation à coup sûr si jamais nous l'arrêtons.

– Ah ! peut-être bien que si, fit Butcher d'un ton mystérieux, comme un prestidigitateur sur le point de tirer un lapin de son chapeau.

Karen eut un sourire apitoyé. Quel était donc ce besoin, chez les hommes, de garder le meilleur pour la fin, d'attendre la dernière minute des arrêts de jeu pour expédier le ballon dans le filet ?

– Des bouts de peau sous les ongles, annonça Butcher. Andreea Florescu ne s'est pas laissée faire.

– Nous sommes sûrs que c'est la peau de Lazic ?

– Non, pas encore. Mais si on l'appréhende maintenant et que l'ADN coïncide, c'est la prison à vie qui l'attend.

– Peut-être que l'un de nous devrait aller à Wood Green, dit Karen, ou je ne sais où il traîne ses guêtres. Excusez-moi, monsieur Lazic, mais auriez-vous l'obligeance de me fournir un échantillon ?

– Si c'est vous qui lui demandez, observa Butcher, il acceptera certainement.

Tous trois s'esclaffèrent, Karen autant que les autres.

Tandis qu'ils regagnaient le parking, Butcher entraîna la jeune femme un peu à l'écart.

– Quand vous en aurez terminé à Nottingham, on pourrait peut-être sortir ensemble, vous et moi ? Boire un verre, manger un morceau ? Qu'est-ce que vous en pensez ?

Karen lui décocha un regard qui signifiait « Dans tes rêves ! »... ce qui, dans le cas de Chris Butcher, était probablement vrai.

42

Lorsque Resnick regagna Nottingham, il n'était pas tard mais il faisait déjà nuit. Les derniers banlieusards avaient voyagé avec lui dans le train de Londres, utilisant leurs portables pour prévenir leurs conjoints qu'ils seraient rentrés d'ici à une demi-heure. Pendant tout le trajet, il avait retourné le problème dans son esprit, s'acharnant à lui donner forme. Daines — Zoukas — Andreea — Lynn. Chaque fois qu'il poussait l'une des pièces, une autre se déboîtait et il se remettait à l'ouvrage. À la fin, il obtint un tableau encore imparfait, un ensemble d'hypothèses sans preuve, mais la forme de base tenait debout.

À Lister Gate, un musicien ambulant, solitaire et plein d'espoir, interprétait d'une voix éraillée une chanson que Resnick eut du mal à reconnaître — Bob Dylan, comme c'était souvent le cas ? — par-dessus les accords rugueux d'une guitare. Un couple dans une embrasure de porte, hanche contre hanche. À la lisière de la place, une femme attendait, faisant lentement les cent pas devant le lion de gauche ; à l'approche de Resnick, elle lui lança un regard hésitant avant de se détourner, désappointée. Tandis qu'il coupait à gauche pour marcher au centre de la place, un groupe d'hommes, riant aux éclats, traversa un peu plus loin entre le Yates's pub et The Bell Inn, bannières au vent.

On ne voyait qu'une faible lumière, seule de son espèce, derrière la porte d'entrée du bâtiment où la SOCA avait ses bureaux. Resnick était sur le point de rebrousser chemin quand une femme sortit et ferma la porte derrière elle, s'immobilisant sur le perron pour plonger la main dans son sac et allumer une cigarette. À la lueur du briquet, il vit un visage plutôt rond aux yeux étrécis. Trente ans ? Trente-cinq ?

– Oh, zut ! grommela-t-il en s'avançant vivement. Ne me dites pas que je l'ai manqué…

Surprise, la femme recula.

– Inspecteur principal Resnick, dit-il en sortant son portefeuille et en le tenant vers elle sans l'ouvrir complètement. Le train de Londres a fait des siennes. Une panne de signalisation à la sortie de Loughborough. Je suis resté bloqué là-bas pratiquement quarante minutes. (Il sourit.) Sinon, je n'aurais pas été en retard. (De la tête, il indiqua la fenêtre du premier étage.) Stuart. Stuart Daines. Nous avions rendez-vous. J'ai essayé de téléphoner, mais impossible d'obtenir la communication. Vous n'avez pas eu de problèmes avec la ligne ? Rien de ce genre ?

– Non, répondit la femme. Non, pas que je sache. Remarquez, je suis seulement secrétaire intérimaire, comme qui dirait.

Elle parlait avec l'accent local.

– Dommage, soupira Resnick. J'ai essayé aussi son portable. Éteint, apparemment.

– Il n'y a plus personne, là. Je suis partie la dernière. Un rapport à terminer. À la dernière minute.

Elle eut un sourire un peu nerveux et tira sur sa cigarette.

– C'était important, en plus, reprit Resnick. Une affaire dont nous devions discuter avant demain matin.

– Daines, vous avez dit ? Il arrivera de bonne heure, comme toujours.

– Vous ne savez pas où il réside, par hasard ? Ce numéro de portable… je n'ai peut-être pas le bon.

– Non, aucune idée, je regrette. (Sourire fugace.) Mon bus… Il faut que je me sauve.

Arrivée à sa hauteur, elle s'arrêta.

– Remarquez, j'ai entendu l'un d'eux dire qu'ils allaient prendre un verre. Du côté de Maid Marian Way. Un pub qui s'appelle China China, je crois bien. À Chapel Bar. (Son rire était presque un gloussement.) Vachement rupin, à ce qu'il paraît !

Resnick les attendit dehors. Daines était assis avec trois autres à proximité d'une petite scène en angle qui était déserte, à part une batterie noire scintillante et un petit clavier électronique. Aucune trace d'un orchestre. L'intérieur était sombre et animé, avec un éclairage minimal encastré dans le plafond ; près de l'endroit où se tenait Resnick, une grappe de petites lumières vertes pendait dans un fouillis de fils électriques. Daines et l'un de ses compagnons buvaient des cocktails ; les autres, de la bière en bouteille — peut-être de la Sol, pensa Resnick sans pouvoir en être sûr. La musique diffusée par la sono était rythmée et juste assez forte pour ne pas se perdre dans le brouhaha des conversations. Cubaine ? se demanda-t-il. Brésilienne ? La plupart des hommes étaient en tenue élégante — « décontracté chic », c'est comme ça qu'on disait ? —, faute de quoi ils auraient été refoulés à l'entrée. Les femmes, elles, étaient impeccables et raffinées, tant qu'elles n'ouvraient pas la bouche.

L'un des membres du quatuor de la SOCA partit très vite après l'arrivée de Resnick, suivi d'un autre peu après, laissant Daines en grande conversation avec un petit homme aux cheveux roux.

Vingt minutes plus tard, leurs verres étant vides, Daines se leva et se dirigea vers le bar. À mi-chemin, il s'arrêta brusquement et tourna la tête vers le coin éloigné, à gauche de la porte, où se tenait Resnick. Le policier retint son souffle, craignant d'avoir été repéré, mais Daines passa devant quelqu'un en s'excusant et continua jusqu'au bar.

La musique augmenta de volume et, comme pour compenser, les conversations se firent plus bruyantes. De retour à sa table, Daines se pencha à l'oreille de son collègue et lui dit quelque chose qui les fit rire de bon cœur. Quelques minutes plus tard, ils se frayaient un chemin vers la sortie.

Resnick se détourna et attendit un peu avant de les suivre.

Ils se séparèrent à l'extrémité d'Angel Road, le rouquin remontant Market Street vers le Théâtre Royal tandis que Daines longeait le bord supérieur d'Old Market Square. Peut-être se rendait-il à l'un des hôtels de Lace Market, pensa Resnick, ou au Travelodge, juste après le rond-point de London Road. Mais les deux hommes tournèrent rapidement à droite, puis à gauche, et se retrouvèrent sur Belward Street, en face de la patinoire, et Daines entra bientôt dans un grand immeuble, sur la gauche, composé d'appartements meublés.

Resnick allongea le pas, traversa vivement le hall et s'engouffra dans l'ascenseur juste avant la fermeture des portes.

– Bordel, que ?...

Daines avait déjà appuyé sur l'un des boutons pour mettre la cabine en mouvement, mais Resnick appuya sur un autre qui l'immobilisa entre deux étages.

Voyant qui c'était, Daines se mit à rire, autant de soulagement, peut-être, que d'autre chose.

– Je vous avais pris pour un salopard qui en voulait à mon porte-feuille. On ne sait jamais ce qui peut arriver.

Resnick se plaça dos à la porte.

– Il m'a semblé vous voir tout à l'heure, au bar, ajouta Daines, mais je n'en étais pas sûr.

Resnick le regarda, impassible.

– Alors, dit Daines, je dois jouer aux devinettes ?

Resnick demeura silencieux, prenant son temps.

– Montons à l'appartement, reprit Daines, nous pourrons bavarder. Ou alors, retournons au moins dans la rue. Allons prendre un verre. Il n'est pas trop tard.

– Nous sommes très bien ici, déclara Resnick.

Daines haussa les épaules.

– À votre aise.

– Le soir où Lynn Kellogg a été tuée, elle revenait de Londres, où elle était allée voir Andreea Florescu. Dans l'appartement même où vous étiez allés ensemble quelques jours plus tôt.

– Et alors ? Pourquoi me dites-vous ça ?

– Elle pensait, Lynn, que vous étiez impliqué jusqu'au cou dans toute cette affaire.

Daines secoua la tête en ricanant. Resnick enchaîna :

– Elle soupçonnait quelque chose de louche entre vous et les frères Zoukas. Elle a commencé à poser des questions et vous l'avez avertie de laisser tomber.

– Elle dépassait largement les bornes.

– Vous l'avez menacée.

– C'est ridicule !

– Un soir, à la sortie du Peacock. « Ne faites pas de moi votre ennemi. » Elle me l'a répété elle-même, moins de vingt minutes plus tard.

– Elle a exagéré.

– Je n'en crois rien.

– Je ne me rappelle pas avoir prononcé cette phrase.

– « Ne faites pas de moi votre ennemi. »

– C'est ce que je suis censé avoir dit ?

– Mot pour mot.

L'expression de Daines se modifia.

– Vous devriez peut-être en tenir compte, vous aussi.

– C'est moi que vous menacez, maintenant ?

L'ombre d'un sourire passa sur le visage de Daines.

– Écoutez, dit-il, je peux comprendre que vous soyez à cran. Vous et elle… c'est une histoire personnelle, je le vois bien. Je peux compatir. Mais aux dernières nouvelles, à moins que la décision n'ait été annulée, vous avez été mis au repos. « Inapte au travail », c'est bien la formule consacrée ? Et ce que vous êtes en train de faire là, me retenir contre mon gré, pourrait bien vous mettre dans une merde très, très profonde. Je pourrais porter plainte. Déjà cet incident au commissariat central — agression sur un civil en l'absence de toute provocation —, maintenant ça… vous auriez de la chance de conserver votre pension. Alors prenons chacun une profonde inspiration, d'accord ? (Daines écarta les mains en un geste conciliant.) Je sais que vous avez subi un gros stress et je suis disposé à oublier ce qui vient de se passer. Qu'est-ce que vous en dites ?

– Alexander Bucur, vous lui avez téléphoné ce soir-là, le soir du jour où Lynn est allée toute seule à Londres…

– Bon Dieu ! Vous ne lâchez pas prise, hein ?

– Vous l'avez rappelé ce soir-là, après le départ de Lynn.

De nouveau, Daines changea de ton :

– Qui dit ça ? Bucur ? C'est ce qu'il dit ?

Resnick acquiesça.

– Sa parole contre la mienne.

– Ah oui ? Quel téléphone avez-vous utilisé ? Celui du bureau ou votre portable ? Ça ne devrait pas être trop difficile à vérifier.

– Bon, ça suffit, dit Daines. J'en ai ma claque.

Il tendit la main vers le tableau mais Resnick lui bloqua le passage.

– Vous saviez quel train elle allait prendre, dit-il. L'heure à laquelle elle arriverait. Pas compliqué de calculer le temps qu'il lui faudrait pour rentrer de la gare.

– Et même si c'était vrai ? Quelle différence ça ferait ?

Sitôt les mots prononcés, il lut la réponse sur le visage de Resnick.

– Vous croyez que je l'ai tuée, murmura-t-il, incrédule. C'est bien ce que vous pensez ? C'est ça, hein ? Vous croyez que je l'ai tuée.

– Non, vous êtes trop prudent pour ça. Mais vous avez fort bien pu la désigner comme cible à quelqu'un d'autre.

– Vous êtes cinglé !

Bousculant Resnick, Daines appuya sur le bouton et l'ascenseur se remit en marche.

– Quelqu'un, poursuivit Resnick, qui se sentirait plus en sécurité si Lynn était hors circuit au lieu de commencer à fouiner partout. Quelqu'un, peut-être, qui avait une dent contre elle.

La cabine s'arrêta au quatrième étage, la porte coulissa et Daines sortit dans le couloir.

– Vous êtes cinglé, répéta-t-il. Vous avez complètement perdu la boule, putain !

Du pied, Resnick bloqua la porte qui commençait à se refermer. Il fut saisi du besoin subit, presque aveugle, de se jeter sur Daines, de l'empoigner par les épaules, de le plaquer violemment contre le mur, de le tabasser à coups de poing.

– Nous verrons, se borna-t-il à dire en retirant son pied.

La porte de la cabine déroba Stuart Daines à sa vue.

43

Au lieu d'apprendre la nouvelle par les journaux, comme Resnick en avait émis l'hypothèse, Karen l'entendit à la radio en sortant de sa douche. Elle enfila aussitôt un peignoir, noua une serviette autour de sa tête et alluma la télévision pour saisir ce qui était encore présenté comme une info de dernière minute. Aux premières heures de la matinée, des officiers de la SOCA, l'agence de lutte contre le crime organisé, assistés par des officiers du Détachement spécial de la police métropolitaine et du Département de soutien opérationnel de la police du Nottinghamshire, avaient effectué des descentes dans un certain nombre d'adresses du nord de Londres et de Nottingham. On croyait savoir que des tireurs d'élite, appartenant aux forces de l'ordre du Nottinghamshire et à la Brigade d'intervention de la police londonienne, avaient également été déployés.

Des images de policiers armés en tenue de combat, de voitures fonçant dans les rues, gyrophare allumé, défilaient derrière la tête du présentateur — rien que des images d'archives, Karen en était persuadée.

Le temps qu'elle s'habille, on donna plus de détails sur l'opération. Les raids avaient eu lieu dans plusieurs boutiques et maisons particulières des quartiers de Wood Green et de South Tottenham, à Londres, ainsi que dans des entrepôts de Paddington et de Finsbury Park. À Nottingham, les équipes de la police et de la SOCA avaient ciblé les bâtiments d'une zone industrielle de Colwick, à l'est de la ville, et aussi le secteur du marché de la dentelle, dans le centre-ville. On avait procédé à de nombreuses arrestations et saisi une quantité considérable — croyait-on savoir — d'armes et de munitions. Selon certains témoignages, qui restaient à confirmer, des coups de feu auraient été tirés.

Les images, cette fois, étaient d'actualité.

Les vidéos fournies en urgence par le service des relations publiques de la police métropolitaine se mêlaient, sur l'écran, aux images plus ou moins floues envoyées par e-mail par des témoins qui avaient été suffisamment réveillés pour capter sur leurs téléphones portables certaines scènes prises sur le vif. Pendant quelques secondes indistinctes, l'immeuble abritant le sauna où Nina Simic avait été tuée apparut, la porte d'entrée défoncée, un agent de police en faction devant.

Karen essaya de joindre Dixon, puis Daines, mais ils ne répondirent ni l'un ni l'autre, ce qui n'était pas trop surprenant. Quand elle appela Chris Butcher, il avait la bouche pleine de pain grillé.

– Vous regardez ?

– Et comment ! répondit Karen.

– Vous avez une idée de ce qui se passe ?

– Seulement ce que vous voyez sur l'écran. Et vous ?

– Donnez-moi une heure, dit Butcher.

– Ça marche.

Elle erra dans le coin-cuisine, préparant du café, zappant entre le JT national et les infos locales en attendant que le café passe. À Nottingham, les policiers armés avaient tiré onze cartouches et, à Londres, un nombre qui restait à confirmer. On ne savait pas encore s'il y avait eu riposte à ces coups de feu. Les estimations concernant la saisie variaient, mais des sources proches de la SOCA laissaient entendre que pas moins de six cents armes illégales avaient été confisquées, ainsi que plusieurs milliers de cartouches. Les armes, dans l'ensemble, étaient des pistolets Baikal IZH-79 qui, croyait-on savoir, provenaient de Lituanie. D'après l'agence Reuters, la police lituanienne, lors d'une opération soigneusement coordonnée, avait procédé à de nombreuses arrestations dans différentes régions du pays, notamment à Rauba et à Vilnius, la capitale.

Karen termina son café tout en se maquillant.

Elle s'apprêtait à quitter l'appartement lorsque Chris Butcher lui téléphona. Au total, quatorze individus avaient été interpellés à Londres, et sept de plus — pensait-il — à Nottingham. Elle pourrait vérifier ce chiffre par elle-même. Pas de Viktor Zoukas ni de Valdemar. La police s'était rendue à la maison où Viktor était censé résider, mais il n'y était pas.

– Quelqu'un les a alertés, dit Karen.

– Ça m'en a tout l'air.

– Et Lazic ?

– Aucune trace.

– Nom de Dieu !

– Exactement ce que je pense.

– Je vous rappellerai.

– N'y manquez pas.

Sur un dernier coup de brosse dans les cheveux, Karen s'en fut.

Au commissariat central, les rumeurs bourdonnaient comme des mouches agglutinées sur un chien crevé. Le nombre de policiers à avoir fait usage de leur arme variait de deux à sept ; les tirs sur cible, de zéro à quatre. Qu'il y ait eu un bref échange de coups de feu paraissait certain, seule son ampleur prêtait encore à discussion. Un homme qui avait été blessé à la cuisse était actuellement sous bonne garde policière au Queen's Medical Centre ; un deuxième homme aurait été touché alors qu'il ouvrait lui-même le feu sur la police, mais il s'agissait pour le moment d'une allégation sans preuve ; aucun service des urgences du secteur n'avait signalé d'autres victimes de blessures par balle. Aucun policier n'avait été atteint.

Les bureaux de la SOCA en ville n'avaient pas ouvert ce jour-là, à la connaissance de Karen, et les appels à leur QG de Londres étaient mis en attente. La ligne de Graeme Dixon au Détachement spécial était occupée en permanence ; Karen n'aurait su dire avec qui il parlait, mais en tout cas pas avec elle.

Euan Guest et elle partagèrent pendant quelques minutes leurs regrets à la pensée qu'Ivan Lazic n'avait pas été capturé.

Après ça, Karen essaya de s'occuper l'esprit avec la petite montagne de paperasses qu'elle avait soigneusement évitée jusque-là, mais ce ne fut pas l'antidote escompté à sa contrariété et à sa frustration. Elle était sur le point d'arpenter les couloirs, à la recherche de quelqu'un sur qui se défouler, lorsque son téléphone sonna. Resnick, de chez lui.

– J'aimerais vous entendre dire, commença-t-il, que Lazic est en ce moment même dans une salle d'interrogatoire en train de vider son sac.

– Pas autant que je le voudrais moi-même, répliqua Karen.

– Il s'est enfui ?

– Nous ne savons même pas s'il était dans le coin.

Resnick garda le silence plusieurs secondes.

– Vous avez contacté Londres ?

– Je contacterais le Diable si je pensais que ça puisse être utile.

Ça avait certainement beaucoup aidé Robert Johnson[1], pensa Resnick, mais il garda ses pensées pour lui ; Karen avait beau être fana de Bessie Smith, elle ne serait sans doute pas d'humeur pour l'instant à échanger des considérations sur les chanteurs de blues.

– Vous pourriez faire pire, commenta-t-il.

– C'est ce qu'on dit.

Après avoir raccroché, Karen eut encore une brève conversation avec Chris Butcher, mais il n'avait pas grand-chose à ajouter aux informations qu'il lui avait déjà communiquées. Elle se débattit avec quelques formulaires, alla trouver Mike Ramsden et lui annonça qu'elle en avait ras le bol, qu'elle sortait déjeuner.

– Du moment que vous payez, dit Ramsden, je suis votre homme.

– Pas cette fois, Mike, OK ?

S'il fut déçu, il le cacha bien.

Karen passa devant le Victoria Centre, longea Bridlesmith Gate et tourna à gauche vers le chantier du nouveau centre d'art contemporain de Weekday Cross. Au-delà de High Pavement se trouvait une grande église qui avait été reconvertie en bar-restaurant ; du côté opposé, un peu plus loin, il y avait un pub baptisé Cock and Hoop — pas trop encombré, pas trop spacieux, avec un menu qui avait l'air prometteur. Elle en était à sa deuxième bouchée de noix d'entrecôte — excellente — quand Frank Michaelson l'appela sur son portable. Elle se régalait tellement qu'elle hésita un instant avant de prendre l'appel.

– Sally, boss, dit-il. L'hôtesse du sauna. Elle vient d'appeler. Ivan Lazic, elle dit qu'elle sait où il est.

– Elle *sait* ?

– C'est ce qu'elle a affirmé.

– Rien d'autre ?

– Elle m'a demandé de venir lui parler en personne.

Karen coupa un autre morceau de sa viande tendre, rougeâtre.

– Où êtes-vous, là ?

---

1. Chanteur de blues américain (1911-1938) qui, d'après la légende, aurait conclu un pacte avec le Diable pour devenir un virtuose de la guitare. *(N.d.T.)*

– C'est le problème, je suis au QG.

– À Sherwood ?

– Oui.

– Bon. Je suis juste au coin de la rue. J'y vais.

– OK.

– Et… Frank ?

– Oui, boss ?

– Téléphonez à Mike pour le prévenir.

Karen fourra le morceau d'entrecôte dans sa bouche et repoussa à regret son assiette.

Des marches en pierre, usées en leur milieu, menaient à la porte d'entrée, laquelle ne tenait que par un seul gond et s'affaissait contre le chambranle. Une pancarte écrite à la hâte avait été fixée à l'intérieur de la vitrine du sex-shop : *Fermé pour une durée indéterminée.* Au premier étage, les rideaux étaient complètement tirés. L'enseigne, au-dessus de la porte, avait été éteinte. Karen sonna et attendit. Elle appuya de nouveau sur la sonnette et déclina son identité dans le petit interphone situé à côté. Levant les yeux, elle crut apercevoir un mouvement à la fenêtre de droite, le pli d'un rideau qui retombe en place. Elle n'en était pas sûre.

Une voiture passa lentement dans la rue, derrière elle, cherchant une place où se garer.

Karen tira la porte avec précaution, la rabattit derrière elle et se dirigea vers l'escalier. La poussière s'était accumulée dans les coins de chaque marche et la bande de tapis était élimée. Il y avait de la lumière à l'étage.

Sur le palier, elle s'arrêta et appela Sally.

Pas de réponse.

Ouvrant une porte, elle suivit un étroit corridor et se retrouva dans ce qu'elle imagina être la pièce de réception : un comptoir d'un côté, un canapé et des chaises de l'autre, quelques magazines épars sur une table, les murs tapissés d'affiches de filles nues aux seins invraisemblables. Derrière le comptoir se trouvait une autre porte, avec une petite plaque marquée *Direction* entre deux vitres en verre dépoli.

– Sally ?

Il lui sembla entendre un bruit de l'autre côté du panneau.

– Sally, c'est l'inspectrice divisionnaire Karen Shields.

Encore un son feutré, étouffé. Contournant rapidement le comptoir, Karen tourna la poignée et franchit le seuil. Sally était assise par terre, contre le mur latéral, les jambes repliées sous elle, les bras attachés, une large bande de ruban adhésif sur la bouche.

À l'instant même où Karen percevait un mouvement dans son dos, le petit cercle d'un canon de pistolet, dur et froid, se pressa sur sa nuque.

– Pas bouger.

Le canon glissa vers le haut, s'arrêta sous la base du crâne.

– Lentement, levez vos bras. Lentement ! Lentement !

Sally observait la scène, les yeux agrandis par la peur.

– Maintenant, allez au milieu de la pièce. Stop. C'est tout. Bien. Maintenant, tournez-vous.

Ivan Lazic avait un visage pâle qui contrastait fortement avec ses yeux sombres, avec le brun foncé, presque noir, de ses cheveux et de sa barbe coupés court. La balafre en zigzag, sur sa joue, ressortait comme un éclair d'orage.

– Vos papiers. Montrez-moi.

Avec circonspection, Karen ouvrit son portefeuille et le brandit vers lui. Lazic eut un fin sourire.

– Inspectrice divisionnaire, c'est bien.

Karen lui trouva un accent russe. Russe, serbe, elle ne voyait pas la différence.

– Assise, maintenant, ordonna Lazic en faisant un geste avec son revolver. Derrière le bureau, là-bas. Assise sur les mains.

Quand elle fut en position, il traîna une deuxième chaise et s'installa face à elle, de l'autre côté du bureau.

– Qu'est-ce que vous voulez ? demanda Karen.

Dans la pièce exiguë, dépourvue de fenêtres, elle sentait déjà l'odeur de sa transpiration.

– Je veux, dit Lazic, me rendre à la police.

– Il y a un commissariat dans le centre-ville. Il vous suffisait d'y entrer.

– Et me faire tuer.

– Certainement pas.

– Non ?

– Si vous étiez arrivé en agitant ce revolver, peut-être.

– Et quoi, sinon ?

– En Angleterre, la police ne tire pas sur des hommes désarmés.

– Non ? Comme ils n'ont pas tiré sur ce Brésilien, dans le train à Londres. Combien de fois ? Cinq balles dans la tête ?

– C'était différent.

Lazic se mit à rire.

– Différent, oui. (Il retint son souffle.) Vous savez, quand j'étais un enfant, dans mon pays, je lisais dans les livres que les policiers anglais ne portent jamais des revolvers, et je pensais : c'est très stupide, très brave. Mais maintenant… ce matin, par exemple, ici… (Il la regarda.) C'était différent, là aussi.

Il gloussa. Et quand il gloussa, il hoqueta. Et quand il hoqueta, une petite goutte de sang apparut à un coin de sa bouche. Entre les revers de sa veste, son pull en laine était taché, Karen s'en aperçut alors, d'un rouge rosâtre.

– Il vous faut un médecin, dit-elle. L'hôpital.

Lazic sourit.

– Sally, elle a été mon infirmière.

Des perles de sueur étaient visibles sur son front et Karen se demanda quelle était la gravité de sa blessure, combien de temps il pourrait tenir. Elle fixa le revolver, dans sa main, et il resserra instinctivement son étreinte.

– Je veux faire un marché, dit-il.

– Quel genre de marché ?

– Je dis tout ce que je sais. Tout.

– Il est peut-être trop tard pour ça.

Lazic grimaça et se mordit la lèvre inférieure.

– Non. Valdemar, Viktor, ils ont échappé, je sais. Je suis sûr. Ils me laissent… me laissent… quelle est expression ?… porter le chapeau. Je ne veux pas. Vous me prenez. Je vais avec vous. Nous faisons un marché.

Karen secoua la tête.

– Même si je le voulais, ce n'est pas aussi simple que ça.

– Simple, oui. Et avec la police seulement, pas les Douanes. (Un sourire retroussa les commissures de ses lèvres.) Il y a un officier, aux Douanes, lui et Valdemar, ils sont amis. Valdemar lui donne argent, filles. Je sais, j'ai cassette. Nous faisons marché…

Il s'adossa à sa chaise et ferma un instant les yeux. Juste le temps pour Karen de songer à s'emparer du revolver, mais pas davantage.

– Vous appellerez, dit Lazic, docteur pour moi. Bientôt.

La tache sur sa poitrine s'assombrissait, s'élargissait.

– Le revolver, dit Karen. D'abord, vous me donnez le revolver.

Il la regarda dans les yeux. Puis, lentement — très lentement —, il se pencha en avant et posa l'arme sur le bureau.

– Je dois utiliser mon téléphone, reprit Karen en tendant la main vers sa poche.

Mais Lazic n'écoutait plus vraiment.

44

– Bon Dieu ! résonna la voix de Butcher à son oreille. Vous avez fait *quoi* ? Qu'est-ce que vous cherchez, bordel, une médaille pour acte de bravoure ? La George Cross ?

Karen sourit, savourant la surprise indignée de son interlocuteur.

– Et tout ça en une journée de travail.

– Vous lui avez dit : « Donnez-moi le revolver », et au lieu de vous coller un pruneau entre les deux yeux, il l'a posé sans rechigner ? Tenez, servez-vous ?

– Plus ou moins.

– Plus ou moins ? Ce type a tué deux personnes, pour autant que nous sachions…

– Pour autant que nous pensions.

– Il en a tué deux, peut-être trois, au cours du mois dernier et Dieu sait combien d'autres dans le passé. C'est le fléau de cette putain de Serbie et vous, vous l'amenez à se rendre bien gentiment !

– Il a été gravement blessé dans l'opération de ce matin.

– Pas assez gravement.

– Et il voulait faire un marché.

– Le seul marché qu'il obtiendra, c'est la conditionnelle au bout de vingt ans au lieu de vingt-cinq.

– Peut-être.

– Quand allez-vous l'expédier à Londres ? Nous sommes prioritaires sur ce coup-là, vous vous rappelez ? C'était convenu.

– Oui, mais écoutez, je ne pense pas qu'il soit transportable pour l'instant. Pas avant plusieurs jours, au minimum.

– Le temps que vous l'interrogiez, c'est ça ?

– Il ne parle pas, Chris. À personne. Il est trop abruti par les calmants pour aligner deux pensées.

– Pas de problème pour prélever un échantillon, au moins ? Parlez-en à un des toubibs. Je veux comparer son ADN à celui qu'on a trouvé sous les ongles de la fille.

– Je m'en occupe.

– Et dites, championne…

– Oui ?

– Pas de cachotteries, OK ?

– Vous avez ma parole.

Karen avait eu droit à des applaudissements nourris quand elle avait regagné le bureau du CID, dans l'après-midi, et le sous-directeur de la police avait déjà envoyé un message de félicitations. Mike Ramsden s'était employé à organiser une beuverie royale pour le soir même.

– S'il y a un strip-teaseur, Mike, l'avertit Karen, c'est fini, je pars.

– Un seul ? Vous rigolez ? Pour vous, nous en aurons toute une troupe !

Elle terminait un rapport quand le téléphone interrompit le cours de ses pensées.

– L'agent principal Daines, annonça l'opératrice.

Karen regarda sa montre. Ça n'avait pas traîné.

– Passez-le-moi.

– Inspectrice divisionnaire, il paraît que des congratulations s'imposent.

Sa voix était aussi onctueuse qu'une traînée de merde sur la semelle d'une chaussure.

– Les nouvelles vont vite.

– Lazic, j'ai bien cru que nous le tenions, ce matin, mais il a réussi à nous filer entre les doigts.

Karen ne répondit pas.

– Bien entendu, on l'avait à l'œil depuis quelque temps, on attendait juste le bon moment pour l'agrafer. On a un dossier sur lui aussi long que d'ici au Kosovo, aller-retour. Mais tout récemment, il était au cœur de ce trafic de revolvers, plus ou moins le bras droit de Zoukas. (Il marqua une pause.) Avec ses blessures, je suppose que nous devrons attendre un jour ou deux avant que vous puissiez nous le remettre.

– Si remise il y a, dit Karen, ce sera à la police londonienne. La Brigade de répression des homicides et des crimes majeurs.

La voix de Daines se durcit.

– Je ne pense pas, non.

– Je ne sais pas exactement de quoi vous comptiez l'inculper, dit Karen, mais en tout état de cause, vous conviendrez, je pense, qu'un meurtre passe en priorité.

– Un meurtre ? Quel meurtre ?

– Vous avez l'embarras du choix.

Karen souriait encore quand elle coupa la communication pour composer aussitôt le numéro de Ramsden.

– Mike, je veux qu'on double la surveillance de la chambre de Lazic à l'hôpital. Et donnez des instructions claires : personne n'est autorisé à parler à Lazic, à lui souhaiter un prompt rétablissement, à lui apporter des fleurs, des raisins ou je ne sais quoi. Compris ? Et ça veut dire *personne*. Surtout pas la SOCA. Pigé ?

– Pigé, dit Ramsden. J'y vais de ce pas.

Ce fut Catherine Njoroge qui finit par téléphoner à Resnick. Inapte au travail, lui dit-elle, ça ne vous interdit pas les mondanités ; venez donc prendre un verre avec nous. Il hésita néanmoins, et la soirée était déjà bien avancée quand il se montra enfin. Personne n'avait encore sérieusement franchi la limite de l'ébriété, mais la bière et le whisky coulaient à flots et le niveau de décibels était à peu près deux fois plus élevé que la normale.

Jusque-là, à son grand soulagement, Karen n'avait pas vu débarquer de strip-teaseurs — une bande de bodybuilders locaux, huilés de la tête aux pieds, en string, désireux de se donner à fond —, mais certains signes indiquaient qu'un karaoké aurait lieu plus tard et Karen se demandait déjà si elle serait suffisamment ivre à ce moment-là pour leur offrir son meilleur Aretha, *R-E-S-P-E-C-T. Je vous montrerai ce que ça représente pour moi.*

Quand elle vit Resnick rôder près de la porte, elle lui fit signe de la rejoindre et ils trouvèrent un petit espace, près d'une des fenêtres qui donnaient sur la rue.

– Vous devez en avoir soupé, dit-il, des gens qui vous disent « Bien joué ! ».

– Ça change agréablement de « Pauvre conne ! ». Certains le pensent, même s'ils ne viennent pas me le dire en face.

– Pas trop souvent, ça m'étonnerait.

– Je ne sais pas, sourit Karen.

– En tout cas, dit Resnick en levant son verre, bien joué.

– Coup de pot, Charlie. Ça m'est tombé tout rôti dans le bec.

– Peut-être.

Un rugissement de rires gras, égrillards, s'éleva d'un groupe au centre de la pièce.

– Quel est le bilan des courses ? s'enquit Resnick.

– Ils ont opéré Lazic pour lui extraire la balle. Il devrait assez bien se remettre, apparemment, bien qu'il ait perdu beaucoup de sang avant d'arriver à l'hôpital. Je doute que les médecins acceptent qu'on le transfère avant quelques jours ; d'ici là, j'imagine que nous le garderons au secret. Dès que nous aurons le feu vert, nous le conduirons à Londres, dans un commissariat de haute sécurité comme Paddington Green, et on laissera à la police métropolitaine la primeur de l'interrogatoire.

– Ça ne paraît pas normal, après ce que vous avez fait.

Karen haussa ses épaules nues. Elle portait une robe qu'elle avait choisie avec soin : séduisante, oui, mais pour une petite fête organisée en son honneur par une bande de collègues policiers, mâles pour la plupart, elle ne voulait surtout pas envoyer de signaux laissant entendre qu'elle était libre. Moyennant quoi, elle était bien persuadée que, d'ici la fin de la soirée, un ou deux tenteraient leur chance.

– Le meurtre de Florescu, dit-elle, est celui où il y a — de loin — le plus de preuves. Mais je connais très bien le responsable de l'enquête. Il jouera franc-jeu. Il me laissera tenter ma chance le moment venu.

Michaelson et Pike s'approchèrent pour parler à Resnick et le guider en direction du bar. Le sous-directeur de la police, qui faisait juste un passage éclair, fourra un double scotch dans la main de Karen en lui présentant les félicitations du directeur et ses excuses de ne pas être là en personne. À ce train-là, pensa Karen, ils vont me nommer citoyenne d'honneur de la ville. Sur une petite scène, d'un côté de la salle, Mike Ramsden se préparait à lancer le karaoké avec un bref passage du *Blue Suede Shoes* de Carl Perkins interprété « à la King ».

Karen trouva Daines assis sur les marches de l'escalier, devant son appartement. La nuit était loin d'être froide, et l'intérieur de l'immeuble encore bien moins, mais il avait remonté le col de sa veste. Son nœud de cravate était desserré, sa chemise déboutonnée au col.

– Bonne soirée ? demanda-t-il.

– Animée, répondit Karen.

– Vous m'étonnez ! Bizarrement, votre invitation ne m'est pas parvenue.

– D'après ce que vous m'aviez dit plus tôt, vous ne paraissiez pas précisément d'humeur à faire la fête.

– Vous parlez de l'arrestation de Lazic ? Nous avons fait de notre mieux ce matin. Le salopard a essayé de s'en sortir en canardant à tout-va. C'est comme ça qu'il s'est pris un pruneau.

– Bon résultat pour vous, quand même. Toutes ces armes saisies. Plein d'arrestations. Mais les frères Zoukas ont réussi à passer entre les mailles du filet, paraît-il ?

Daines eut un petit haussement d'épaules.

– Ce sont des choses qui arrivent.

– Tiens, tiens ! dit-elle, fixant sur lui un regard dur.

Daines sourit.

– Vous ne voulez pas m'inviter à entrer ? demanda-t-il en indiquant de la tête la porte de l'appartement. Un dernier verre. Le coup de l'étrier.

– Exact, dit Karen. Je ne veux pas.

– Dommage. (Il se mit debout. À cause des marches, il la dominait d'une bonne tête.) J'ai essayé de voir Lazic à l'hôpital. Deux types assis devant sa porte, des mitraillettes sur les genoux, ont refusé de me laisser entrer. Ils avaient des consignes, m'ont-ils dit.

– Nous ne voudrions pas prendre le risque de le perdre maintenant. Vous non plus, j'en suis sûre.

– Est-ce qu'il a parlé de moi ?

– De vous ? Non, pourquoi ? Il devrait ?

Daines se rapprocha et Karen banda ses muscles : s'il tentait quoi que ce soit, il était juste à la bonne hauteur pour se prendre un coup de coude dans les couilles.

– Vous vous payez ma tête, c'est ça ? dit-il.

– Pas du tout. Si vous voulez un rapport sur l'état de santé de Lazic, ça peut s'arranger. Dès qu'il sera suffisamment rétabli pour être transféré à Londres, vous en serez informé. Je vous garantis qu'il ne sera pas interrogé tant qu'il sera ici, et vous pourrez certainement vous mettre en contact avec la police métropolitaine quand il sera entre leurs mains. (Elle gravit une marche et contourna Daines.) Voilà qui règle la question, vous ne croyez pas ?

Il lui barra le passage, le visage tout proche du sien, et elle sentit son haleine tiède. Même à la lumière tamisée de l'escalier, elle distinguait la tache verte au coin de son œil.

– Si jamais vous déconnez avec moi…

– Oui ?

Elle soutint son regard en se demandant — pas pour la première fois — s'il était armé.

– Si c'est le cas…

– Eh bien ?

Il la fixa un moment, puis, comme s'il prenait subitement une décision, il s'écarta.

– Je voulais juste vous adresser mes félicitations, dit-il avec un haussement d'épaules presque contrit. Beau boulot.

– Merci.

Karen attendit qu'il soit hors de vue, l'écho de ses pas diminuant dans l'escalier, pour entrer dans l'appartement et verrouiller la porte derrière elle.

De retour chez lui, Resnick s'était confectionné un sandwich — il n'avait pas l'habitude de boire autant de bière, ça lui donnait faim — et avait mis un pot de café à chauffer. Il se sentait d'humeur à écouter du Chet Baker. Au bout d'un moment, il pensa à consulter sa boîte vocale : trois messages de Ryan Gregan, dont le plus récent avait été laissé une heure plus tôt.

45

Après sa rencontre avec Gregan, Resnick s'était forcé à marcher longuement, lentement, à travers l'Arboretum et le long de Mansfield Road, avant de rejoindre St Ann en coupant par le parc de loisirs. La façon dont il s'en était pris à Daines avait été stupide. Puérile. Suffisamment contraire à son caractère pour qu'il réalise le bien-fondé du jugement « inapte au travail ». Inapte ? Sacrément vrai, oui !

Mais là, non.

Howard Brent était devant sa maison, occupé à retoucher l'aile avant gauche de sa voiture, éraflée au passage par un automobiliste. Il avait à peine levé la tête à l'approche de Resnick, mais quand le policier lui adressa la parole, il écouta. Il écouta et répondit, son hostilité naturelle tempérée par un sentiment qu'il aurait été bien en peine d'expliquer. Lentement, il se redressa pour suivre des yeux Resnick qui s'éloignait.

Jason Price occupait les deux pièces du haut d'une maison mitoyenne, dans l'une des petites rues qui s'étrécissaient de chaque côté de Sneinton Dale : l'une des pièces comportait un lit étroit et un matelas par terre, l'autre un vieux canapé à deux places qui avait été récupéré dans une benne proche, une paire de chaises en bois et une chaîne stéréo de troisième main, ainsi qu'une grande télévision à écran plasma — la fierté de Price — qu'il avait échangée contre dix grammes d'amphétamines et cinquante pilules de L.S.D. Il y avait un micro-ondes dans un coin, à côté d'un évier surmonté d'un petit chauffe-eau. Les W.-C. étaient au rez-de-chaussée.

Quand Resnick arriva, Price, qui n'était pas levé depuis longtemps, était en tee-shirt et en caleçon. On était dimanche matin, peu après onze heures. Les cloches des églises sonnaient aux quatre coins de la ville, invitant la population à se rendre dans les centres commerciaux et les supermarchés, à Homebase et B & Q.

– Bordel, qu'est-ce que ?… dit Price en ouvrant la porte d'en bas.

– Marcus est là ? demanda Resnick.

Price acquiesça.

– En haut. Y ronfle.

– Habille-toi et décampe. Et ne le réveille pas. Laisse-le dormir.

– Qu'est-ce qui se passe ?

– Fais ce que je te dis.

Price était capable de reconnaître un flic quand il en voyait un : il s'abstint de discuter. Coup de bol, il avait fumé ses dernières réserves de hasch avec Marcus avant de se pieuter. Cinq minutes plus tard, il était parti.

La chambre du haut sentait la dope, le tabac et l'odeur un peu douceâtre, familière, de deux jeunes garçons qui ont dormi la fenêtre hermétiquement close. Resnick dégagea le loqueteau et souleva le châssis supérieur de la fenêtre ; le bruit fit tressaillir Marcus, couché en travers du matelas, un de ses pieds nus frôlant le sol. Il remua, roula sur le côté et se rendormit.

Quel âge pouvait-il avoir ? se demanda Resnick. Dix-huit ans, tout au plus ? Endormi, il paraissait plus jeune, avec son visage lisse et sa peau cuivrée. Fragile. Vulnérable.

– Marcus. (Resnick appuya sur le bord du matelas avec sa chaussure.) Marcus, réveille-toi.

Nouvelle poussée. Le jeune homme s'ébroua, tordit le cou vers Resnick et étouffa un hoquet, comme s'il voyait quelque chose en rêve — sauf que là, comprit-il quelques secondes plus tard, c'était pire.

Pas un cauchemar : c'était réel.

– Lève-toi, dit Resnick, et enfile quelque chose.

Marcus pivota et se hissa sur ses pieds. Cul nu, il attrapa son jean et un pull à col en V.

– Putain, qu'est-ce qu'y a ? Où est Jason ? Qu'est-ce qui se passe ?

– J'ai essayé de comprendre, Marcus, et je ne suis toujours pas sûr d'avoir trouvé l'explication. Appât du gain ou simple stupidité ? Lequel des deux ?

– Quoi ? Mais de quoi vous parlez, bordel ?

– De la vente du revolver.

– Quoi ? Mais que ?… Je comprends rien à ce que vous racontez. Quel flingue, merde ? Je sais rien sur aucun flingue, bordel !

Mais le frisson dans ses yeux démentait ses paroles.

– Un Baikal semi-automatique, Marcus, tu te souviens ? J'ignore à qui tu l'as acheté, on n'a pas encore réussi à le déterminer, mais je sais à qui tu l'as vendu. À un certain Steven Burchill, qui habite à Gainsborough…

Marcus fonça vers la porte mais Resnick l'empoigna par le bras et le fit pivoter sans ménagement, au point qu'il atterrit lourdement sur le plancher et alla bouler contre le mur, heurtant le bord de la plinthe avec suffisamment de force pour s'ouvrir l'arcade sourcilière gauche.

– Vaine tentative, dit Resnick d'un ton dégagé. Tu ne croyais quand même pas que je viendrais ici sans renforts ? Il y a des policiers en bas, devant et derrière. Et des voitures de patrouille au bout de la rue.

Marcus frissonna, gobant le mensonge de Resnick, et s'essuya le front du dos de la main, y laissant une traînée de sang.

– Tiens, dit Resnick en sortant un mouchoir de sa poche. Sers-toi de ça.

Il avait pensé que, le jour où il découvrirait enfin le meurtrier de Lynn, où il l'aurait en face de lui, il serait incapable de maîtriser sa fureur, il aurait besoin qu'on le retienne, qu'on l'empêche de faire justice lui-même. Mais là, dans cette triste petite chambre, en regardant ce garçon maigrichon, pas encore vingt ans, pas très intelligent, pas tellement différent des quantités de jeunes hommes qu'il avait appréhendés au fil des années, il sentit sa colère s'évaporer — ou du moins, sa colère contre cet individu particulier.

– Deux cents livres, c'est tout ce que tu en as tiré. Burchill nous l'a dit. Ce n'est pas un bon prix, mais tu n'étais guère en position de marchander, évidemment.

– Y a pas d'empreintes…, bredouilla Marcus. Vous pouvez pas prouver…

Resnick secoua la tête.

– La science, Marcus. La police scientifique. Quelle est donc cette série télévisée qui est si populaire ? *Les Experts* ? Tu l'as sans doute vue ? Naturellement, ça ne se passe pas comme ça dans la vie réelle. Pas ici, en tout cas. Pourtant, une chose est pareille : on peut faire coïncider une balle récupérée avec un revolver précis. Or nous avons la balle — deux, même, en fait. Et, depuis ce matin à la première heure, nous avons le revolver.

Steven Burchill, qui n'était pas une lumière, avait caché l'arme, enveloppée d'une double couche de plastique, dans le réservoir de la chasse d'eau des cabinets extérieurs, là où il habitait. Un truc qu'il avait dû voir dans un film, à coup sûr, ou encore à la télé.

Il n'avait pas fallu longtemps à Ryan Gregan pour persuader Burchill de lui dire où était l'arme, cependant que Resnick attendait — tout juste à portée de voix — que le boulot soit fait.

– Je n'ai pas vraiment compris, au début, pourquoi tu avais fait ça, dit Resnick. Les raisons profondes. Mais maintenant, je crois savoir.

Marcus était assis par terre, les jambes ramenées contre sa poitrine, la tête baissée, une main appliquant sur sa blessure le mouchoir naguère blanc de Resnick.

– Toi et ton père, vous avez eu une grosse dispute juste avant son départ pour la Jamaïque. Ce n'était pas la première fois, j'imagine, mais celle-ci était pire que les autres. Tout ce que tu lui demandais, je pense, c'était du respect. Un peu plus de respect. Mais pour finir, il t'a dit — comme souvent — que tu étais inutile, stupide, un moins-que-rien. Et tout ce temps-là, il y avait Michael à l'arrière-plan, Michael qui t'était montré en exemple, Michael le fils idéal.

« Et toi, tu avais entendu tout ce que ton père disait sur Lynn Kellogg. Qu'elle était responsable de la mort de ta sœur. Qu'il la haïssait. Qu'il voulait que vous la haïssiez, tous. Qu'elle devait payer. Et tu as pensé que ça lui montrerait, une fois pour toutes, ce que tu valais. Ça lui prouverait que tu étais non seulement l'égal de Michael, mais encore meilleur. Plus brave. Alors, tu as acheté le revolver. Et tu as attendu. Je ne sais pas combien de soirs tu as attendu. Deux ? Trois ? Et puis, elle était là…

Il sentit sa voix s'étrangler, mais il se força à poursuivre.

– Elle était là, marchant vers toi, et à cette distance tu n'avais même pas besoin d'être spécialement adroit au tir. À cette distance, c'était une cible difficile à rater.

Resnick se détourna, refoulant ses larmes.

Marcus pleurait, à présent, suffisamment pour eux deux : il ne versait pas des larmes de chagrin ou de regret, non, mais de peur à l'idée de ce qui allait lui arriver.

– Tu l'as dit à ton père, poursuivit Resnick. Quand il est rentré en Angleterre, tu lui as dit ce que tu avais fait. Naturellement, il ne t'a pas cru. Il a ricané : tu n'aurais pas eu le cran de faire ça. Tu n'aurais pas eu les couilles. Alors tu lui as dit que tu te fichais de ce qu'il pensait, tu lui as dit que tu ne voulais plus jamais lui adresser la parole, et tu es parti de chez toi pour venir ici.

– C'est vrai que je m'en fiche ! cria Marcus entre deux sanglots, en se balançant d'avant en arrière. J'en ai rien à foutre de ce qu'il pense ! Je le déteste, je le déteste, je le déteste…

Resnick s'écarta et sortit son portable de sa poche.

– Désolé de vous déranger un dimanche, Karen, mais vous feriez mieux de venir. Amenez aussi votre adjoint. Et un ou deux autres.

Il lui donna l'adresse.

46

C'était le plein été. Resnick avait quitté Londres sous une chaleur qui, pour lui, était presque caniculaire : vingt-trois degrés Celsius, un peu plus de quatre-vingts degrés Fahrenheit. Sa chemise lui collait au dos tandis qu'il faisait la queue à répétition, des files d'attente apparemment interminables, d'abord à l'enregistrement des bagages, et puis, en bout de course, la lente procession en zigzag vers les appareils de contrôle radioscopique et les agents de sécurité avec leurs crayons optiques et leurs expressions indéchiffrables. Dans l'intervalle, il avait eu droit aux discussions prolongées avec le service des douanes, à l'examen minutieux du certificat de décès, du certificat d'embaumement et de l'autorisation de sortie du territoire nécessaire pour inhumer le corps de la défunte à l'étranger.

L'échantillon de peau prélevé sous les ongles d'Andreea s'étant révélé correspondre, sans l'ombre d'un doute, à l'ADN d'Ivan Lazic, celui-ci avait été inculpé du meurtre de la jeune femme. Une seconde autopsie avait alors été effectuée pour le bénéfice de son avocat, après quoi le corps d'Andreea avait été restitué. Au vu des preuves actuellement disponibles, le ministère public avait choisi de ne pas inculper Lazic du meurtre de Kelvin Pearce.

Après plusieurs conversations avec les parents d'Andreea Florescu — Alexander Bucur faisant office de médiateur —, Resnick s'était arrangé pour accompagner le cercueil d'Andreea pendant son voyage : il savait que c'était ce que Lynn aurait voulu, ce qu'elle aurait fait si elle l'avait pu.

Trois heures d'avion — un peu plus — jusqu'à Bucarest, puis Resnick monta dans un appareil plus petit, de fabrication russe, qui l'emmena à Constanta, non loin de là.

Lorsqu'il posa le pied sur le tarmac, à l'aéroport Mihail Kogalniceanu, la chaleur le frappa de nouveau, comme une gifle en plein visage.

Les parents d'Andreea étaient là pour l'accueillir : sa mère, petite et blonde, qui fondit en larmes dès l'instant où elle le vit ; son père, rondouillard et aussi brun que sa femme était blonde, qui broya la main de Resnick entre les siennes avant de l'embrasser sur les deux joues.

– Merci, dit-il dans un anglais teinté d'un fort accent. Merci, merci, merci !

Derrière eux, le cercueil doublé de zinc était lentement déchargé de la soute à bagages.

De l'aéroport, ils roulèrent vers le sud, d'abord sur une autoroute qui menait aux abords de la ville proprement dite, puis sur un large boulevard majestueux qui les fit passer, de manière assez incongrue, devant une succession de maisons à façade plate, des petites boutiques et des garages, plusieurs immeubles en ruine, puis devant un vaste parc où de nombreuses familles pique-niquaient et couraient après des ballons aux couleurs vives, les plus jeunes en maillot de bain, les hommes plus âgés en bras de chemise et les femmes vêtues de robes d'été relevées au-dessus du genou, dévoilant leurs cuisses pâles.

– Lac, l'informa le père d'Andreea en pointant l'index.

De fait, au milieu du parc, il y avait un lac. Et aussi, si Resnick avait bien compris, un delphinarium. Malgré les vitres baissées, la chaleur dans la voiture était inconfortable.

Un peu plus loin, ils tournèrent à gauche, laissant derrière eux le boulevard Tomis — Resnick avait lu le panneau — et roulèrent sur une courte distance le long d'une route étroite, poussiéreuse, avant de tourner encore, cette fois dans un lotissement délabré comme Resnick n'en avait que trop bien connu à l'époque où il battait le pavé à Nottingham. Des immeubles bas, reliés entre eux par une série de passerelles et disposés autour de zones centrales qui, sur les plans de l'architecte, avaient sans doute été de ravissants espaces verts bordés d'arbres, où les mères pourraient tranquillement allaiter leurs bébés et les enfants jouer en toute sécurité. Seulement voilà : l'herbe, vite transformée en gadoue, était agrémentée de crottes de chien, de débris de verre et de seringues abandonnées, et les arbres, déracinés pendant qu'ils étaient encore jeunes, n'avaient jamais été remplacés. On n'arrête pas le progrès.

À Nottingham, les lotissements de ce genre-là avaient été démolis pour céder la place à des logements sociaux conçus de manière plus humaine, plus appropriée aux besoins des habitants.

Ici, à Constanta, il en restait encore quelques-uns — au moins celui-là.

Une meute de chiens, une bonne dizaine, accourut vers eux en grondant, babines retroussées. Le père les chassa à coups de pied, poussant des cris et ramassant des débris qu'il balançait au milieu d'eux.

L'ascenseur étant en panne, ils atteignirent l'appartement des Florescu, au quatrième étage, après avoir grimpé un escalier orné de graffiti et longé une galerie extérieure balafrée de nombreuses fissures, larges de plusieurs centimètres.

Le salon et la cuisine étaient pris d'assaut par toute une tribu de cousins, d'oncles et tantes, tous désireux de lui serrer la main et de le remercier.

— L'assassin de notre Andreea, dit un homme qui avait une mèche blanche dans les cheveux, vous l'avez envoyé à la justice.

— Pas moi, dit Resnick. Une collègue.

Mais ce n'était pas ce qu'ils voulaient entendre et ils choisirent de ne pas comprendre. Quelqu'un lui fourra un mug de thé sucré dans la main tandis qu'un autre lui servait une eau-de-vie de prune. Malgré les fenêtres ouvertes, la pièce fut bientôt saturée de fumée de cigarettes. Tout le monde, sauf les plus jeunes, avait l'air de fumer. Dans un coin de la pièce, la télévision était branchée sur CNN, le volume réglé au minimum. Apparemment, il y avait des incendies de forêts dans certaines régions d'Espagne et du Portugal, des inondations en Asie du Sud-Est avec des milliers d'habitants qui se retrouvaient sans toit ; plusieurs bénévoles européens avaient été kidnappés à Bagdad ; et à Islamabad, sur un marché local, l'auteur d'un attentat-suicide avait fait sauter les explosifs fixés à son ventre, faisant quatorze tués et plus de trente blessés, parmi lesquels des enfants.

Amadouée non sans mal par sa grand-mère, la fille d'Andreea, Monica, âgée de trois ans, bientôt quatre, sortit de derrière le canapé et se planta devant Resnick, tête basse, mains jointes, vêtue d'une robe verte avec une large ceinture blanche qui était réservée aux grandes occasions.

Resnick extirpa de sa valise les cadeaux qu'il lui avait apportés : un livre d'images cartonné avec des illustrations d'animaux vivement colorées, un tee-shirt à rayures bleues, blanches et orange, et un ours en peluche avec un grand nœud papillon rouge autour du cou.

Elle reçut chaque présent d'un air solennel, remercia Resnick d'un ton hésitant, puis courut se réfugier auprès de sa grand-mère, nouant un bras autour de ses jambes tandis que, de l'autre, elle serrait son nounours contre elle.

On fit passer une assiette contenant des tranches de gâteau de Savoie fourré à la confiture. Encore du thé. Encore de l'eau-de-vie. Du vin. La veillée funèbre, pensa Resnick, avant l'enterrement. L'un des cousins d'Andreea, seize ans, l'interrogea dans un anglais presque parfait sur la fonction de Premier ministre et sur les chances du Hotspur de Tottenham de se classer dans le quatuor de tête. Depuis que les Spurs avaient acheté Ilie Dumitrescu et Gica Popescu, à la suite des succès de la Roumanie dans la coupe du monde de football 1994, l'équipe suscitait un intérêt tout particulier.

Lorsque Resnick confessa que, pour sa part, l'équipe qu'il soutenait n'était même pas Nottingham Forest, ancien vainqueur de la coupe d'Europe, mais le modeste Notts County, cet aveu provoqua la confusion la plus totale.

Au bout d'une bonne heure, vers la fin de laquelle les yeux de Resnick se fermaient malgré lui, le père d'Andreea le prit en pitié et le conduisit en voiture à son hôtel, l'Intim, qui datait de la fin du dix-neuvième siècle et s'était appelé précédemment l'Hôtel d'Angleterre. Quelqu'un avait pensé qu'il s'y sentirait chez lui.

Sa chambre donnait, au-delà de la cathédrale, sur la mer Noire, qui, vue d'ici, paraissait plus grise que noire, le genre de gris qu'il avait l'habitude de voir quand il regardait à l'est de Mablethorpe ou de Whitby.

Il se déshabilla, prit une douche et, après s'être essuyé avec une serviette, il s'allongea sur les draps propres, légèrement râpés, et s'endormit presque aussitôt.

Le service funèbre fut célébré dans une église catholique romaine, non loin du domicile familial. L'église était bondée,

358

l'atmosphère étouffante ; Resnick, qui, du fait d'étranges désaccords dans sa propre famille — en grande partie juive —, avait été élevé dans la religion catholique, retrouva automatiquement le rituel des signes et des observances, des prières et des génuflexions. La température, à l'intérieur comme à l'extérieur, avoisinait les trente degrés Celsius.

La veille au soir, les parents d'Andreea, sourds à ses protestations, avaient insisté pour l'emmener dîner à l'ancien casino, un superbe bâtiment de style rococo avec une entrée voûtée et d'immenses fenêtres cintrées, qui se dressait sur une promenade surplombant la mer. Des serveurs en costume noir, tablier blanc noué à la taille, apportèrent une succession de plats en une procession solennelle : soupe de poissons et salade aux œufs de carpe, suivies de porc fourré au jambon — aloyau du berger, selon la traduction figurant sur le menu — recouvert de fromage et d'une sauce à base de mayonnaise, de concombres et d'herbes. Le vin, lui assura le père d'Andreea, était le meilleur de Roumanie : Fetească Neagră, avec une belle robe qui était proche du violet, presque noire. Le dessert, une pâtisserie feuilletée imbibée de sirop et remplie de crème fouettée, était, dans tous les sens du mot, vraiment *trop*.

Lorsqu'ils avaient quitté le restaurant, sous un ciel bleu vif constellé d'étoiles, avec la lune qui se reflétait à la surface de l'eau noire, Resnick, la tête dans un étau et l'estomac au bord des lèvres, n'avait eu qu'une seule idée : s'effondrer sur son lit. Mais ses hôtes avaient insisté pour qu'il les accompagne dans un piano-bar pour prendre un verre ou deux de *rachiu*, une eau-de-vie de fruits roumaine. Pour caler l'estomac, lui avait fait comprendre le père d'Andreea, gestes à l'appui.

Le bar, situé en sous-sol, se composait de deux petites pièces enfumées où, pour autant que Resnick puisse en juger, il n'y avait pas de piano. Cependant, la musique diffusée par les haut-parleurs était, pour l'essentiel, de la musique de piano : une sorte de free jazz improvisé avec des accents à la Monk, qui, dans un cadre différent, décida Resnick, aurait pu se révéler plaisant.

Il avait un marteau-piqueur dans le crâne et ses yeux le picotaient.

Harry Tavitian, lui répondit-on quand il demanda le nom du pianiste. Un gars d'ici, de Constanta. Célèbre partout. Dans le monde entier. Resnick acquiesça, bien que n'ayant jamais entendu parler de lui.

Finalement, il avait gravi les marches en titubant pour se retrouver à l'air libre. Il faisait encore chaud et l'odeur douceâtre de sa transpiration lui donna la nausée.

Ici, à l'intérieur de l'église, les vapeurs d'encens étaient presque oppressantes. L'assemblée se leva pour chanter un cantique et Resnick suivit le mouvement, bouche ouverte, mais aucun son n'en sortit. Il en avait assez des enterrements, assez de la mort, assez de mourir à petit feu. Il ferma les yeux, indifférent aux larmes qui coulaient sur ses joues, et attendit que la cérémonie se termine.

Fin prêt, sa valise bouclée, il lui restait encore une heure avant de partir pour l'aéroport et il y avait des attractions touristiques à voir. Il avait lu le prospectus en quatre langues fourni par l'hôtel. Il pourrait monter au sommet du minaret qui dominait la mosquée Mahmudiye pour avoir une vue panoramique de la ville et du port, ou encore visiter le musée de la Marine roumaine pour regarder les photographies du cuirassé russe *Potemkine* arrivant à l'improviste avec son équipage de mutins. Finalement, il traversa à pied la place centrale de la vieille ville, qui portait le nom du poète Ovide, banni de Rome et exilé ici par Auguste pour avoir écrit *L'Art d'aimer*, ouvrage qui avait quelque peu froissé la susceptibilité de l'empereur.

Pauvre bougre, songea Resnick en contemplant la statue barbouillée de fiente de pigeon et érodée par les intempéries. Condamné à mener une vie solitaire dans un pays qui n'était pas le sien. Quelques extraits de ses poèmes étaient reproduits dans le prospectus, exsudant la tristesse. Et le froid. Comme si, pendant toutes les années qu'il avait passées ici, il n'avait jamais pu se réchauffer, avec la neige qui arrivait du large.

Resnick alla jeter un dernier regard sur la mer.

À l'aéroport, la mère d'Andreea l'étreignit et le serra contre lui en murmurant des remerciements ; son père lui serra la main, toujours aussi cordialement, et lui souhaita bonne chance. Monica se cacha derrière la jupe de sa grand-mère et n'en sortit qu'au tout dernier moment, les yeux écarquillés, pour agiter la main, son ours en peluche serré fort contre sa poitrine.

C'étaient des gens adorables, pensa Resnick, des gens attentionnés et chaleureux. Et qui souffraient. Un quart d'heure plus tard, son avion était dans les airs.

Il ne s'était absenté que quelques jours, mais la maison semblait inhabitée, dégageait une impression d'étrangeté, de froid. Encore ça : le froid. Quand il avait tourné ses clés dans la porte, les chats avaient accouru, réflexe pavlovien, le bruit familier étant pour eux synonyme de nourriture — même si Resnick devinait que la voisine à qui il les confiait avait dû leur donner trop à manger, comme d'habitude.

Il y avait plusieurs messages sur le répondeur, dont l'un de Karen Shields qui disait simplement : « Appelez-moi. » Quand il le fit, elle lui demanda s'il voulait bien venir au commissariat ou s'il préférait qu'elle aille chez lui.

– Je suis éreinté, dit-il, si vous veniez plutôt ici ? Laissez-moi juste le temps de prendre une douche et de me changer.

Vingt minutes plus tard, elle était là. Débardeur blanc, jupe rouge, souliers plats.

– Quelle chaleur à crever ! dit-elle.

– Il y a de l'eau dans le frigo. Ou du jus de fruits.

– De l'eau, ce sera parfait.

Ils s'installèrent à l'arrière de la maison, qui était à l'ombre.

– Comment ça s'est passé ? demanda Karen.

– Bien. Je suis content d'y être allé.

– Je suis sûre qu'ils l'ont été aussi.

Resnick opina du chef.

– J'en ai terminé ici, reprit Karen. Je ne venais plus que quelques jours par-ci par-là, et maintenant ce n'est même plus la peine. Si de nouveaux éléments surviennent avant le procès, Anil pourra s'en occuper.

– Vous avez fait du bon travail.

– Que dalle, oui !

Resnick sourit.

– Vous savez, dit Karen, que nous avons retrouvé les chaussures ? Les baskets Adidas ? Marcus les avait vendues. À un ami d'ami. Ça complète le tableau.

Resnick acquiesça.

– Et notre copain Daines ? demanda-t-il.

– Il continue à faire de l'obstruction.

Lazic avait témoigné que l'agent de la SOCA était à la solde des Zoukas, chose attestée par le fait que les deux frères avaient réussi à quitter le pays sans être inquiétés, Viktor utilisant un faux passeport. Il avait également fourni une vidéo floue qui montrait Daines — ou semblait le montrer, les avocats de Daines contestaient ce point avec véhémence — participant à une séance de sexe à trois où intervenaient, à divers moments, une cravache, un énorme gode ceinture et une femme allongée sur un lit, pieds et poings liés.

– Il prétend, dit Karen, que ces activités étaient justifiées par les informations qu'elles lui permettaient d'obtenir. Et les informations qu'il communiquait à la SOCA ont été sacrément utiles, c'est indéniable.

– Vous pensez qu'il va s'en sortir ?

– Qui sait ? Pour l'instant, il est suspendu de ses fonctions sans perte de salaire, le temps que le Département d'éthique professionnelle de la SOCA mène l'enquête. Il aura beaucoup de chance si l'affaire n'est pas confiée à des policiers de l'extérieur.

Quelle que fût la décision finale, pensa Resnick, il apparaissait que, depuis le début, l'instinct de Lynn ne l'avait pas trompée.

– Et vous ? s'enquit Karen.

– Et moi ?

– Vous savez ce que je veux dire.

Parmi les messages qu'il avait trouvés sur son répondeur, il y en avait un du médecin de la police, désireux de savoir quand Resnick, qui avait déjà annulé deux rendez-vous le mois dernier, se sentirait capable de venir le voir pour un check-up afin de pouvoir reprendre le travail. À la vérité, Resnick n'était pas sûr du tout d'en avoir envie.

– J'ai engrangé mes trente années, dit-il. Je pourrais prendre ma retraite.

– Et faire quoi ? s'exclama Karen, incrédule. Vous occuper d'un jardin ouvrier, faire pousser vos fruits et légumes ?

– Pourquoi pas ?

Karen éclata de rire.

– Ça vous rendrait chèvre !

Resnick haussa les épaules. Peut-être avait-elle raison. D'un autre côté, il n'était pas certain d'avoir encore le feu sacré. Surtout après ce qui était arrivé. Et puis au fond, peut-être qu'un jardin ouvrier n'était pas une idée si ridicule que ça. En plus, il pourrait lire tous ces livres qu'il n'avait jamais trouvé le temps d'ouvrir, visiter ces endroits où il n'était jamais allé. Et combien de festivals de jazz existait-il ? Wigan, Brecon, Appleby, North Sea... Et ce n'était là qu'un début. Il pourrait même aller voir son copain, Ben Riley, qui s'était installé aux States depuis plus d'années qu'ils ne souhaitaient s'en souvenir, et qui s'était presque lassé de l'inviter à venir séjourner chez lui.

Il secoua la tête. Il ne savait pas.

– Vous trouverez bien quelque chose, lui dit Karen. Ce qu'il vous faut, c'est un peu plus de temps.

Plongeant une main dans son sac, elle en sortit le coffret de CD qu'elle lui avait emprunté au début de l'affaire.

– Merci, dit-elle. À présent, il faudra que j'aie les miens.

Il la raccompagna à la porte.

– Méfiez-vous de cette Catherine Njoroge, dit Karen avec un sourire malicieux. Elle vous aura à l'oeil maintenant que vous êtes célibataire.

– Vous plaisantez ?

– Sans doute. (Elle lui donna un petit coup de poing sur l'épaule.) Mais bon, on ne sait jamais.

Après le départ de Karen, il entra dans la cuisine et resta un moment à fouiller du regard le placard presque vide. Il était temps de renouveler le stock. Le plus petit des chats se frotta contre lui, il le prit dans ses bras et sentit sur son cou la douce fourrure de sa tête, les battements rapides de son cœur contre sa main.

Que dirait Lynn ? se demanda-t-il. Plaque tout ? Continue ?

Il pensa au malheureux Ovide, encroûté de déjections d'oiseaux, seul et abandonné.

Plus tard ce soir-là, les rideaux en partie tirés, un verre de bon scotch à portée de la main, il mit sur sa platine le premier des CD de Bessie Smith, celui où elle chantait d'une voix ample et rauque, fortifiée, semblait-il, par l'adversité, *After You've Gone*[1], *Empty Bed Blues*[2] et le grand préféré de Resnick, *Cold in Hand*[3], avec le cornet

---

1. *Maintenant que tu n'es plus là.*
2. *Le blues du lit vide.*
3. *Le froid dans la peau.* (Traduction non littérale.)

assourdi du jeune Louis Armstrong qui la suivait comme son ombre, phrase pour phrase, note pour note.

Le froid dans la peau ?

Comment Ovide avait-il exprimé cette idée-là, quand il se gelait les couilles à Constanta ? En évoquant la neige ?

> *Ici, une chute de neige succède à une autre.*
> *L'aquilon la durcit et la rend éternelle ;*
> *Elle s'amasse en congères au long des années amères.*

L'amertume. Ça, ce ne serait pas pour lui. Vieux et aigri ? Il sourit. C'était une chose que Lynn ne lui pardonnerait jamais.

REMERCIEMENTS

À part une aide rédactionnelle des plus nécessaires, ma plus grosse dette de reconnaissance va à Peter Coles, ancien commissaire principal de la police de Nottingham, qui a fait l'impossible pour me maintenir dans le droit chemin pendant que je naviguais à vue au milieu des changements qui ont été opérés dans les procédures et la hiérarchie policières actuelles. Il va sans dire que je serai le seul et unique responsable en cas d'éventuelles inexactitudes.

J'ai visité la Roumanie sous les auspices du British Council, à qui j'exprime ma gratitude, et tout particulièrement aux gens que j'ai rencontrés à Constanta — professeurs et étudiants —, pour leur gentillesse et leur hospitalité. Je conseille à toute personne désireuse d'explorer l'univers avant-gardiste du pianiste de jazz Harry Tavitian de commencer par www.harrytavitian.ro.

Et pour ceux qui souhaiteraient connaître la belle ville de Nottingham sous un jour plus favorable que celui qui est présenté dans ces pages, l'un ou l'autre des sites suivants pourrait constituer une bonne entrée en matière : www.visitnottingham.com, www.nottinghamcity.gov.uk, ou www.bbc.co.uk/nottingham. Et, bien entendu, www.nottscountyfc.co.uk. Allez les Pies !

Composé par Nord Compo Multimédia
7, rue de Fives, 59650 Villeneuve-d'Ascq

Achevé d'imprimer en octobre 2010
sur les presses de Normandie Roto Impression s.a.s.
61250 Lonrai
pour le compte
des Éditions Payot & Rivages
106, bd Saint-Germain - 75006 Paris
Dépôt légal : octobre 2010
N° d'imprimeur : 10-3761

Imprimé en France